HISTORIAS INTIMAS

Conversaciones con diez escritoras latinoamericanas

Magdalena García Pinto

HISTORIAS INTIMAS

Conversaciones con diez escritoras latinoamericanas

Primera edición, 1988

P.O. Box A130
Hanover
NH 03755

INDICE

INTRODUCCION

Literatura femenina en América Latina

En América Latina la producción literaria femenina tiene una tradición importante que data de la época colonial con figuras de la dimensión de Sor Juan Inés de la Cruz, y que continúa en el siglo veinte, en el cual ocupa ya un espacio considerable.

Aunque ha alcanzado la mayoría de edad con escritoras del calibre de María Luisa Bombal, Rosario Castellanos, Clarice Lispector o Alejandra Pizarnik—para sólo citar a algunas de ellas—existe todavía cierta reticencia en asignar a esta literatura la importancia que tiene dentro del desarrollo artístico latinoamericano. Por esta razón es importante insistir en la difusión de este segmento fundamental de la cultura, a través del cual se da testimonio de la imaginación y experiencia femeninas, aspectos en los que se diferencia substancialmente de la literatura masculina de creación, hasta ahora considerada de mayor envergadura.

Esta literatura, hasta hace unos años circunscripta a círculos pequeños de lectores con ediciones mínimas, o, en su defecto, a descansar en los cajones de un escritorio y sus lectores limitados a círculos de amigos y familiares, ha logrado quebrar esta circunstancia de considerable aislamiento y ha pasado a ser centro de interés de un público cada vez más vasto debido a su extraordinaria vitalidad imaginativa, a la energía de su palabra creadora, a su fuerza innovadora y a la vocación demostrada por la escritura de creación. Un buen número de escritoras vive exclusivamente de su producción literaria, sin duda un fenómeno nuevo para este grupo. Otro factor que ha contribuido a incentivar el interés del público lector por esta literatura es el éxito internacional alcanzado por la literatura latinoamericana al haber conseguido abrirse un espacio propio y un lugar prominente en la producción literaria de Occidente. Asimismo, el feminismo ha dado un impulso particular en la diseminación de esta labor literaria, a la vez que ha incentivado la experimentación con el lenguaje y la forma en todos los géneros literarios.

Para contribuir a la diseminación y conocimento de esta literatura y de sus autoras, ofrecemos este volumen de conversaciones con escritoras que consideramos representativas de la diversidad de los proyectos narrativos y poéticos que ilustran la calidad de la imaginación literaria femenina.

El texto contiene diez entrevistas con Sylvia Molloy, Elvira Orphée, Marta Traba y Luisa Valenzuela de la Argentina, Albalucía Angel de Colombia, Isabel Allende de Chile, Margo Glantz y Elena Poniatowska de México, Rosario Ferré de Puerto Rico e Ida Vitale del Uruguay, realizadas entre fines de 1982 y comienzos de 1985.

Esta selección de autoras puede pensarse como ilustrativa de tres momentos distintos en el desarrollo de una carrera literaria: al primer grupo lo formarían las autoras de un conjunto de obras que conforman un cuerpo literario vasto, como es el caso de Elena Poniatowska, Margo Glantz, Elvira Orphée, Marta Traba e Ida Vitale; en el segundo grupo se incluiría a aquellas escritoras que en este momento están en pleno desarrollo de su escritura: Albalucía Angel, Rosario Ferré y Luisa Valenzuela; finalmente estarían las que comenzaron a publicar su obra a comienzos de la década de los 80: Isabel Allende y Sylvia Molloy. La ficción narrativa es el género literario que predomina en las obras de estas escritoras, salvo en el caso de Ida Vitale, la voz poética de estas conversaciones, y de Rosario Ferré, con Fábulas de la garza desangrada.

Estos textos orales no sólo nos abren un horizonte vasto, profundo y rico acerca de la experiencia literaria de la mujer latinoamericana desde el momento en que pareciera comenzar a forjarse una vocación muy marcada por este quehacer, sino que surge además una visión del marco cultural en el que se desarrolla cada vocación, trasfondo que contribuye a esclarecer la relación de la mujer-escritora con la sociedad de la que proviene.

Pensamos que las entrevistas, al crear un espacio y un tiempo para recuperar momentos de la memoria y así poder llegar a captar la voz interior de cada escritora, nos permitieron al mismo tiempo armar un fragmento de la historia personal e intelectual de cada autora, enfocando de modo particular la trayectoria vital, la experiencia cultural y su práctica literaria. Asimismo, al referirse a la manera en que han integrado segmentos de la experiencia personal a los de la imaginación creativa en el entramado de la ficción, revelan las ideas estéticas que alimentan el proyecto de escritura de cada escritora.

Las conversaciones comienzan con recuerdos de episodios de la infancia que de alguna manera marcaron su vocación por la literatura, lo que consigue provocar una suerte de reconstrucción del mundo en que cada una comenzó a desarrollar el interés y la necesidad por internarse en los mundos de la ficción. De allí que un rasgo común sea la inclinación temprana por la lectura que tiende a reemplazar a los amigos y juegos infantiles.

Isabel Allende comenta: "Crecí en la casa de mis abuelos, un sitio sombrío, lleno de corrientes de aire, maravilloso también. Crecí rodeada de adultos extravagantes. No fui lo que podríamos llamar una niña feliz, pero tuve el amor incondicional de mi madre y una gran libertad intelectual. Aprendí a leer muy temprano y los libros fueron los compañeros de mi infancia". Margo Glantz relaciona sus lecturas con cierto aislamiento y con la figura de su padre, hombre de letras que escribía en yiddish: "Yo no tenía una iden-

tidad muy clara. Era tímida y me costaba mucho relacionarme con la gente. De ahí que la lectura, además de gustarme, fue muy importante. Además, yo tenía una identificación muy grande con mi padre."

Sin embargo, la preferencia por la lectura en algunas surge mucho más tarde, cuando ya se vislumbra la vocación por la escritura de una manera definida. Elena Poniatowska, nacida en París, cuyo padre era descendiente del conde de Poniatowski, mariscal de Napoleón, y de una de las Amor, hija de antiguos terratenientes de México, recuerda que la educación de su infancia fue en colegios franceses y en México, en escuelas privadas inglesas con pocas lecturas, y ninguna de ellas en español. Los años de la escuela secundaria los pasó en un colegio para señoritas de Filadelfia, donde abundaba el rezo y escaseaba la lectura, que llegó más tarde. Su práctica literaria y periodística se ocupa principalmente de la condición humana de las clases bajas mexicanas para dar voz a los que no la tienen. Lo particular en el caso de Elena es su relación con el español, la lengua en la que escribe. Esta lengua está conectada directamente con la gente de la cual ella aprendió su lengua de trabajo y de expresión: "Aprendí rápidamente con las sirvientas, de ahí mi apego a las criadas. De ahí mi apego a la Jesusa Palancares. Aprendí español porque no había necesidad de aprenderlo. Era un poco el idioma de los colonizados. No era un idioma que se necesitaba."

La obra de estas escritoras puede considerarse un caleidoscopio de estilos y modalidades narrativas. Isabel Allende ha escrito hasta el momento de esta edición tres novelas cuyo éxito ha sorprendido no solamente a la autora sino a una buena parte del público y de la crítica. Sus dos primeras novelas, La casa de los espíritus *y* De amor y de sombra *han sido traducidas a casi todos los idiomas de Occidente, y han figurado en la lista de* best-sellers *de casi todos los países al aparecer la primera edición. Albalucía Angel ha escrito cuentos, novelas, poesía y obras de teatro, aunque estas dos últimas series de textos todavía no han sido publicadas. La obra que ha recibido más atención es la novela* Estaba la pájara pinta sentada en el verde limón, *que ganó el premio nacional de la Bienal Vivencias de literatura en el año de su publicación, 1975. De la cultura exuberante del Caribe, Rosario Ferré ha integrado a su ficción la plenitud metafórica y la imaginación barroca en cuentos, poesía y novelas cortas que ya han recibido considerable atención. Margo Glantz obtuvo recientemente, en 1984, el Premio Nacional Xavier Villaurrutia de literatura. Su escritura de ficción se caracteriza por su fragmentación y su cualidad surrealista.* Las genealogías *es el libro que ha recibido más atención en su país. Es un texto autobiográfico cuyo centro es la historia de la familia Glantz, judíos de la Ukrania que se establecieron en la ciudad de México en la primera parte del siglo veinte. Sylvia Molloy es tal vez la más reservada de todas estas escritoras, pero al mismo tiempo posee un gran intensidad e inteligencia que se revelan ampliamente en este texto oral. Su primera novela fue publicada por la Editorial Seix Barral de España en 1981. Al igual que Margo Glantz, Sylvia Molloy posee un espíritu refinado, una sensibilidad notable para el arte que se ven complementados por un rigor crítico aguzado. Elvira Orphée tiene una obra de ficción importante que le ha ganado un espacio singular en la narrativa latinoamericana. Su obra más notable es tal vez* Aire tan suave, *una compleja novela sobre un amor joven y torturado del cual habla en la entrevista. Elena Poniatowska se destaca entre las mujeres de este grupo por la diversidad, la calidad y el número de las obras publicadas. Ha explorado la ficción narrativa, la escritura testimonial, el ensayo y el periodismo. Dos de sus libros,* Hasta no verte, Jesús mío *(1969) y* La noche de Tlatelolco *(1971), continúan hoy en la lista de los libros más vendidos en México desde la fecha de su primera edición.*

Marta Traba, cuya trayectoria vital fue trágicamente interrumpida por un accidente de avión en el que viajaba con su compañero y marido, Angel Rama, en 1983 es otra figura importante de la cultura hispanoamericana. Su obra abarca tanto el campo de la historia y la teoría del arte latinoamericano contemporáneo como la ficción narrativa; su amplio conocimiento de la pintura la llevó a elaborar importantes estudios de historia del arte latinoamericano, a los que dedicó gran parte de su tarea intelectual. En 1966 publicó su primera novela, Las ceremonias del verano, *obra que obtuvo el premio Casa de las Américas de ese mismo año. A partir de ese momento, Marta se dedicó con gran entusiasmo a la narrativa, tarea que compartió con su trabajo de investigación sobre arte latinoamericano hasta el momento de su muerte. Su hijo, el pintor colombiano Fernando Zalamea ha publicado póstumamente las dos últimas obras que Marta todavía estaba revisando: una novela sobre el exilio,* En cualquier lugar, *y una colección de cuentos,* De la mañana a la noche. *Luisa Valenzuela vive desde hace algunos años en Nueva York, donde comparte su tarea literaria con la docencia. Buena parte de su obra ha sido traducida al inglés, lo cual ha posibilitado una mejor difusión de su trabajo en los Estados Unidos. Su última novela, que se publicó con notas de Julio Cortázar, Carlos Fuentes y Susan Sontag, ha sido recientemente traducida al inglés. El personaje principal de la novela está construido desde la figura de José López Rega, político argentino que bien podría pertenecer al panteón de personajes del realismo mágico, y miembro del gabinete de Isabel Perón, de considerable influencia en la vida de la famosa pareja, particularmente por sus artes de brujería, aspecto que Luisa Valenzuela trabaja particularmente en esta obra. Ida Vitale, cuya primera edición de sus* Obras completas *será publicada próximamente en México, representa una línea poética singular en las letras latinoamericanas por su rigor en el trabajo del lenguaje, por lo suscinto de los elementos que construyen un universo que se cuestiona incesantemente, de allí que al reflexionar sobre el quehacer poético, Ida Vitale diga que la poesía es algo a lo que apenas se puede pretender a llegar, o sea que la poesía es, en todo caso, un própósito.*

Mencionamos arriba que en estas conversaciones en algunos casos se alude, y en otros se habla extensamente del transfondo cultural en el que estas mujeres se desarrollaron intelectual y emocionalmente, y que en varias instancias es parte integrante de su ficción. Por ejemplo, la historia de la familia de Albalucía Angel es a la vez parte de la historia de la ciudad de Pereira y parte de la historia personal de la escritora, elementos ambos que incorpora al material narrativo de la novela Estaba la pájara pinta sentada en el verde limón. *Por su parte, Rosario Ferré comienza también su historia personal con la historia de su familia, que también tiene que ver con un contexto histórico más amplio. Su familia paterna se relaciona con el francés Lesseps, que vino a América para construir el canal de Panamá. Cuando fracasa en dicha empresa, se radica en Cuba, donde vive con su segunda familia, pues la primera había quedado en Francia. Luego esta familia prosperó económicamente y se trasladó a Puerto Rico donde se incorporó a la sociedad de la isla al casarse con mujeres de la aristocracia terrateniente. Este diálogo incluye pues un segmento de la historia chica de la sociedad caribeña junto a su historia personal que, como en las novelas de Albalucía Angel, están integradas en el material narrativo de la ficción de Rosario Ferré. Estas consideraciones sobre el mundo exterior que les sirvió de contexto cultural nos permiten sugerir una función adicional de estas entrevistas, la de considerarlas como un segmento de la historia literaria y de la historia cultural de América Latina.*

Otro tema que se plantea en estas conversaciones tiene que ver con un problema bastante debatido en Latinoamérica, el problema de la identidad de la mujer como mujer y como escritora. En este respecto, la ficción crea un espacio para el desarrollo de un itinerario cuya motivación central es la búsqueda del yo que escribe. Esta problemática es el meollo de En breve cárcel, *de Sylvia Molloy,* Las ceremonias del verano *de Marta Traba, y de* Misiá señora *de Albalucía Angel.*

Con respecto a las reflexiones sobre la obra total, cada escritora traza las líneas del proceso de creación que alimentaron cada texto, con lo cual se ilumina la compleja actividad de la escritura. Para algunas de estas autoras, la escritura es una tarea ardua, dolorosa y difícil; es el caso de Albalucía Angel, Sylvia Molloy, Margo Glantz o Elvira

Orphée. Es así que cada una de estas reflexiones puede considerarse como parte de una poética de la ficción en la cual se revela o se ilumina tanto el impulso que dio a luz la necesidad de escribir, como la forma que cada ficción propone para sostenerse. Por ejemplo, Margo Glantz explora el problema ontológico de la identidad en la escritura, y observa que este quehacer se ha convertido en su propia experiencia en un proyecto de representación del yo: "Siento que el mundo que he escogido [para mi ficción] es un mundo maravilloso y por eso siento un gran gozo que necesito comunicar. Pero me ha costado trabajo verme a mí misma, trabajar, porque he sufrido mucho conmigo misma. Escribir me ha redimido como ser, como cuerpo. En este sentido para mí escribir es muy importante porque es como una empresa de reconstrucción de mí misma, de rehacerme tejido por tejido, cosa por cosa; también me interesa mucho hacer entrevistas como éstas porque me doy cuenta de muchas cosas". De modo similar, su texto Las genealogías, *es "un viaje al interior de una misma, ese viaje de mujer adentro que yo quería vivir como los viajes interiores del medioevo." En Sylvia Molloy ese proyecto de autorepresentación se manifiesta en la práctica de la escritura como proceso de exorcismo de fantasmas que la atormentan: "Me senté a escribir lo que me estaba pasando para sacármelo de encima ...tenía que escribir para mantenerme viva." Elvira Orphée se relaciona con la escritura de una manera muy dramática: "Escribo desde que pude sostener un lápiz. Me revelé contra mis enfermedades y las acepté como uno de los elementos que me llevó a escribir." Para Albalucía Angel la escritu se presenta como una experiencia dividida: "Me quiero transmitir a mí misma toda la tarea hermosísima de la escritura, de vida, de goce y de dolor, porque es desgarrante a veces."*

Un proyecto diferente de escritura es el que se propone Isabel Allende, un proyecto vertido hacia afuera, hacia el mundo. Recuerda que se inició cuando siente la necesidad de "contar" su país y "contar" América, necesidad provocada en parte por el exilio forzado de Chile: "Cuando comencé a sentirlo [*al proyecto*], *lo visualicé como un mural, como una gran tapicería, donde yo iba a bordar una historia muy complicada, con muchos personajes, que se desplaza en el tiempo, y que va cambiando de color a medida que se acerca cronológicamente al presente." De manera similar, Rosario Ferré observa que escribe para descubrir y recuperar el mundo del pasado de Puerto Rico que se ha perdido y que marca el cambio radical experimentado por la sociedad isleña. En tanto que para Luisa Valenzuela "lo más importante de escribir es sorprendernos; es la única razón para escribir. Y también escribo para entender y clarificar: escribir lo que no se sabe que se sabe."*

Lo señalado hasta aquí representa tan sólo algunos aspectos que surgen de estas conversaciones que ofrecen muchos otros elementos de la trayectoria personal de cada escritora, pues interpretamos que el efecto de estas diez voces a lo largo del texto es el tejido de un tapiz que actúa como trasfondo a la producción literaria respectiva, permitiendo al lector unir los varios hilos del cañamazo desde donde emerge, a través de diez historias íntimas, *una historia parcial del espíritu femenino contemporáneo.*

Finalmente, queremos dejar constancia de nuestro profundo agradecimiento a las diez escritoras entrevistadas tanto por habernos acogido con tanta generosidad y concedido el tiempo necesario para poder conversar amistosamente como por la sinceridad de sus respuestas y comentarios. Estas entrevistas iniciaron la amistad con varias de ellas, otra razón por la que consideramos esta experiencia de valor inestimable. Deseamos también agradecer a nuestra colega Petch Peden y a Maurita Ugarte el entusiasmo y apoyo que nos brindaron desde el comienzo en la consecución de este proyecto. Finalmente quisiéramos también agradecer especialmente a Linda Dowell las numerosas versiones mecanografiadas de este manuscrito.

Magdalena García Pinto
Columbia, Mo. 1987

A mi abuela María Teresa

Il faut que la femme se mette au texte—comme au monde, et à l'histoire,—de son propre mouvement.

Hélène Cixous

J'appartiens à un pays que j'ai quitté...

Colette

ISABEL ALLENDE

ALLENDE

Entrevista con Isabel Allende en Nueva York, abril 1985

Magdalena García Pinto: ¿Dónde comienza la cronología personal de Isabel Allende?

Isabel Allende: Nací en Lima porque mis padres eran diplomáticos, pero soy chilena de nacionalidad. Mis padres se separaron cuando yo era tan pequeña que no guardo ningún recuerdo de mi padre y cuando me tocó identificar su cadáver en la morgue, 25 años más tarde, no pude hacerlo, porque nunca lo había visto. Crecí en la casa de mis abuelos, un sitio sombrío, grande, lleno de corrientes de aire, maravilloso también. Crecí rodeada de adultos extravagantes. No fui lo que podríamos llamar una niña feliz, pero tuve el amor incondicional de mi madre y una gran libertad intelectual. Aprendí a leer muy temprano y los libros fueron los compañeros de mi infancia. Había tantos en esa casa, que no se podían contar, ordenar ni limpiar y yo tuve acceso a todos, por eso no puedo decir cuáles influyeron más en mí. Tengo la cabeza llena de palabras escritas, de autores, de cuentos, de personajes, todo mezclado.

MGP: ¿Qué relación tienes con tu familia, en especial con tu madre?

IA: La persona más importante de mi infancia y mi vida ha sido mi madre. Es mi amiga, mi hermana, mi compañera. Nos reímos de las mismas cosas, lloramos juntas, nos contamos los secretos y compartimos la fiesta de escribir novelas. Ella me marcó. Su amor me ha nutrido siempre y estoy segura de que no sería yo la persona que soy sin esta relación extraordinaria con ella.

MGP: ¿Tuviste una abuela especial?

IA: Si. Mi abuela también ocupa un espacio enorme, fue el ángel de mi infancia y sigue siéndolo, a pesar de que murió hace treinta y cinco años. Era un ser adorable, espiritual, ajena por completo a la vulgaridad, deliciosa, con un gran sentido del humor y un amor a la verdad y la justicia que la convertía en un huracán cuando se trataba de defenderlas. Murió cuando yo era pequeña, pero sigue acompañándome, nunca me abandonó. Ella es Clara del Valle en *La casa de los espíritus.*

MGP: ¿Cuáles recuerdos de infancia han persistido en tu memoria y han marcado de alguna manera tu vida?

IA: Uno de los recuerdos más fuertes de mi infancia es el sótano de la casa de mis abuelos, donde yo leía a la luz de unas velas, jugaba a los castillos encantados, me disfrazaba de fantasma, inventaba misas negras, hacía trincheras con la edición completa de un libro sobre la India escrito por un tío, y después me dormía entre las arañas y los ratones. Ese sótano húmedo y oscuro estaba lleno de trastos viejos, muebles rotos, objetos abandonados por el uso y fantasmas. Allí el tiempo estaba detenido, atrapado en una burbuja. Allí reinaba un silencio de caverna y hasta mi más tenue suspiro adquiría el tamaño de un ventarrón. Era un mundo precioso donde la imaginación no encontraba límites.

MGP: Tengo entendido que eres muy compañera de tu marido. ¿Como se ha desarrollado esa relación? ¿Crees que ha sido importante para tu carrera literaria?

IA: Sí. Mi marido se llama Miguel Frías. Nos conocimos cuando él tenía 19 y yo 15 años, éramos unas criaturas absolutas, definitivas, sin subterfugios. Nos juramos amor eterno con la certeza de quienes no saben nada de la vida. Hemos estado siempre juntos y en muchas épocas no ha sido fácil, hemos roto y vuelto a empezar, hemos destrozado y construido, hemos matado ilusiones y engendrado hijos. Estamos envejeciendo juntos. El me da apoyo, lealtad, confianza, ternura, libertad. Yo lo hago reír.

MGP: Hasta este momento has publicado dos novelas, la primera, *La casa de los espíritus,* lleva diecisiete ediciones en español y ha sido traducida a casi todos los idiomas de la Europa Occidental. La segunda, *De amor y de sombra,* tiene ya cinco ediciones en español. Es decir que el nombre de Isabel Allende se ha convertido en sinónimo del éxito editorial más destacado en las letras latinoamericanas para la novela femenina. La dimensión de dicho éxito está en directo contraste con lo incipiente de tu carrera literaria. ¿Cuál ha sido el comienzo de esta vocación? ¿En qué momento de tu vida empezaste a pensar en dedicarte a la literatura?

IA: La verdad es que yo soy periodista, he trabajado siempre como periodista y no tuve ninguna vocación literaria hasta después que salí de mi país, de Chile. Creo que el momento en que se enciende en mí el deseo de escribir es siempre a partir de una emoción muy fuerte. Hay gente que dice que necesita para escribir una imagen o un acontecimiento. Yo necesito sentir una emoción muy profunda. En el caso de *La casa de los espíritus,* fue saber que mi abuelo iba a morir. Después de irme de mi país, sentí por largos años una parálisis enorme; sentía que perdía mis raíces, que perdía mi patria, que había perdido un mundo que era mío. Mis amigos estaban dispersos, muchos habían desaparecido, muchos otros habían muerto. Y en un momento recibí una llamada telefónica de Chile diciendo que mi abuelo, que ya iba a cumplir cien años, estaba muy cansado y había decidido morir. Dejó de comer y de beber, y se sentó en su silla a esperar la muerte. En ese momento tuve deseos de escribirle para decirle que él no iba a morir nunca, y que siempre iba a estar de alguna manera presente en mi vida, porque él tenía la teoría de que la muerte no existe, que sólo existe el olvido. Si tú puedes mantener a la gente verdaderamente contigo, su recuerdo vivo nunca muere. Es lo que él había hecho con mi abuela. Empecé entonces a escribirle una larga carta a partir de esa noción terrible de saber que él iba a morir.

MGP: ¿Te parece que existe una relación entre tu labor periodística y la creación literaria? ¿Crees que tal vez el periodismo te ayudó a prepararte para escribir estas dos novelas?

IA: Dicen que todos los periodistas quieren ser escritores y que todos los escritores han sido periodistas... Creo que es importante porque, en primer lugar, te da el control del lenguaje que es tu instrumento de trabajo, y en segundo lugar, porque el periodismo es un instrumento de comunicación. Yo creo que es importantísimo en un escritor el comunicarse porque un libro empieza a existir tan sólo cuando otra persona lo toma en sus manos. Antes es solamente un objeto, son unos papelitos pegados que se convierten en un libro cuando otro lo toma, y en ese sentido, el periodismo es importantísimo porque te obliga, en muy poco tiempo, en muy poco espacio generalmente, a atrapar a tu lector para que no se te vaya, para darle tu noticia como sea. Es un buen entrenamiento para la escritura. También creo que el teatro me ayudó mucho. Yo había trabajado en Chile en cuatro obras teatrales. No me gusta decir que era dramaturgo porque me parece un ejercicio de vanidad. En realidad, el teatro es una cosa que se hace en equipo, por lo menos así lo hice yo, y fue un aprendizaje extraordinario que me sirvió después para la construcción de los personajes.

MGP: ¿En qué epoca hiciste teatro?

IA: Desde el año setenta hasta el año setenta y cinco.

MGP: Al mismo tiempo que hacías periodismo. ¿A qué tipo de periodismo te dedicabas?

IA: A todo menos a la política y los deportes. Desde horóscopos, correo del amor, reportajes, entrevistas, viajes, hasta recetas de cocina...

MGP: Es bastante común, sobre todo entre los escritores latinoamericanos, la práctica del periodismo y la literatura: no sólo como una necesidad de expresión sino como una manera de ganarse la vida. ¿De qué manera, específicamente para el trabajo del lenguaje, consideras que tu carrera periodística ha contribuido a formarte literariamente?

IA: Bueno, en materia de lenguaje no me enseñó mayormente nada, aunque me afinó la capacidad de observación, el poder de síntesis; yo creo que eso es más importante que el lenguaje.

MGP: ¿Y cuándo te iniciaste como periodista?

IA: La verdad es que casi no me acuerdo porque salí del colegio como a los dieciséis años, y casi inmediatamente empecé a trabajar como periodista. Yo he trabajado siempre en eso, entonces fue casi como una continuación de la escolaridad, así que no siento que en un momento comenzó y en otro momento terminó sino que es como el matrimonio, un estado, así, natural por lo menos en mí, pues yo me casé muy joven.

MGP: A pesar de no interesarte la política, ésta jugó un papel fundamental en tu vida: el golpe de estado interrumpio violentamente la historia constitucional de Chile, e interrumpió como en muchos otras casos, tu vida chilena y tuviste que salir, ¿verdad? ¿Cómo y cuándo fue esa salida de Chile?

IA: Bueno, siento que el golpe militar partió mi vida como un hachazo, como partió la vida de tantos miles de miles de chilenos. En el caso mío, me sentí muy afectada porque mi familia se vio muy tocada, muy tocada. Sin embargo, no salí de Chile inmediatamente después del golpe, en parte, por falta de conocimiento, de información. A pesar de que yo era periodista y tenía información, por lo menos más completa que los demás, no estábamos acostumbrados a la represión, no teníamos entrenamiento para el terror, no sabíamos lo que era un golpe militar. Llevábamos muchísimos años, muchas generaciones de tradición democrática en Chile, y siempre nos parecía que ésas eran cosas que pasaban en otros países, no en el nuestro: teníamos como un gran orgullo de eso, un sentido cívico muy fuerte en Chile. En el caso mío, por ejemplo, yo no había oído nunca la palabra tortura aplicada a ninguna situación conocida o inmediata. Para mí, la tortura se relacionaba con la Inquisición, con la Edad

Media, con cosas de la historia. No me podía imaginar que eso podría estar al alcance de nuestra realidad, tocarnos a nosotros: y sin embargo, horas después del golpe militar, ya estaban todos los aparatos represivos formados, ya se torturaba gente, ya se mataba, ya estaba todo organizado, y nosotros no nos dábamos cuenta. Todavía estábamos como esperando que esto fuera un accidente histórico y que en cualquier momento los militares iban a volver a los cuarteles, íbamos a volver a tener una democracia. Pues, seguimos como esperando, como mucha gente, que eso ocurriera, y entretanto había mucha represión, mucha pobreza, mucha gente perseguida y una necesidad inmensa de solidaridad y de ayudarse los unos a los otros. Pasaron algunos meses y fue entonces cuando finalmente me di cuenta de que realmente era muy poca la ayuda que se podía dar. Yo soy una persona muy poco valiente y a los pocos meses me di cuenta que cualquier acción en ese campo significaba un riesgo enorme para mí y para mi familia. Yo vivía tan aterrorizada que incluso empecé a tener erupciones en la piel. No dormía, tenía asma y una serie de síntomas ya físicos. Por último, un día tomamos la decisión con mi marido de irnos. Extendimos un mapa del mundo sobre la mesa del comedor y vimos dónde podíamos irnos; buscábamos un país que fuera una democracia, que se hablara español, porque yo soy periodista y necesitaba trabajar en mi idioma, y que se pudiera trabajar. En ese momento, el cincuenta por ciento de la población latinoamericana vivía bajo una dictadura fascista, por lo tanto estaban descartados la mayoría de los países. En otras partes, era muy difícil conseguir una visa, o bien era imposible trabajar debido a la situación económica de ese país. Así es como llegamos a Venezuela, sin conocer absolutamente nada de ese país, con una visa de turista y veinte kilos de equipaje. Atrás quedó todo, el pasado, la vida, los abuelos, los amigos, el paisaje de mi tierra, quedó todo. Sin embargo, en Venezuela tuvimos mucha suerte, mucho más suerte que otros exilados en otras partes del mundo, y fuimos acogidos con generosidad, con hospitalidad, en un país verde y caliente, donde se puede echar raíces y hacer otro hogar.

MGP: ¿De qué manera tu condición de exiliada dificulta o ayuda a escribir sobre tu país? ¿Cuál es la relación que tienes con tu segundo país, Venezuela?

IA: El exilio ha afectado a cientos de miles de seres humanos. Vivimos la era de las masas humanas que van y vienen por un planeta hostil, desolado y violento. Refugiados, emigrantes, exilados, deportados... somos un trágico contingente. Esta situación, en la cual por azar nos vimos envueltos con mi familia, nos ha cambiado la vida, pero no tengo quejas. Hemos sido muy afortunados, porque hemos permanecido juntos y pudimos elegir el país a donde ir. Vivimos en una democracia, en una tierra verde y caliente, donde nos sentimos libres, donde pertenecemos, a la cual amamos como una patria.

MGP: ¿El nombre Allende, te ayudó o fue un problema cuando saliste?

IA: Bueno, en Chile mi nombre es siempre un problema, y mi nombre es siempre un problema en los aeropuertos. Cuando tengo que cruzar cualquier frontera y paso mi pasaporte, siempre hay funcionarios que se llaman unos a otros, y revisan unos libros gordos, a ver si yo estoy en esos libros. Por otra parte, llevo mi apellido con gran orgullo y creo que me ha servido para abrirme los corazones de mucha gente, creo que el nombre de Salvador Allende es una bandera y, en ningún caso, un estigma.

MGP: Entonces como dijiste ya, tu vocación literaria se va a despertar en el exilio, esta vez motivada políticamente, ¿verdad? ¿Cuándo se define concretamente esa vocación literaria, en qué momento en el tiempo tú sientes la necesidad de escribir?

IA: La necesidad de escribir siempre la he tenido puesto que siempre he estado escribiendo: periodismo, o teatro, o algo, pero siempre he estado relacionada con la palabra escrita. Cuando empecé a escribir *La casa de los espíritus,* no estaba pensando en una novela sino en una carta, y cuando ya la carta tenía quinientas páginas, mi marido me sugirió que la pensara más bien como una novela. Es así como fue naciendo de a poco la idea de que eso podía ser un libro, pero yo no tenía ninguna experiencia en el campo de la literatura, no tenía ningún contacto con ninguna editorial, no sabía nada de nada, y lo único que se me ocurrió fue tomar esas quinientas páginas, amarrarlas con un cordel, y me fui a las editoriales que vi en las páginas amarillas de la guía telefónica, y nadie quiso leerlo. A nadie le interesó. Me decían que era demasiado larga y me proponían numerosos cortes, unas doscientas páginas. A mí me daba lástima cortarlas porque pensé que si no fueran importantes no las habría puesto en primer lugar. Coincidió ese momento con mi lectura de un libro de José Donoso, *El jardín de al lado,* donde figura una agente literaria que es un personaje siniestro en la novela. Alguien me indicó que existía un personaje así en la realidad y que se llamaba Carmen Balcells, que trabaja en Barcelona y era la creadora del "Boom" de los escritores latinoamericanos. Yo, que siempre he sido muy audaz, pensé que por qué no iba a tener yo suerte. Fui al correo donde también me dijeron lo mismo que me habían dicho las casas editoriales: "Esto es muy gordo, córtelo por la mitad, y lo metemos en dos sobres, porque no puede ir más de un kilo por correo." Entonces lo metí en dos sobres separados y partió a España. Por supuesto, la carta iba en el primer sobre, y el primer sobre se perdió. Entonces le llegó la segunda parte. Y a pesar de eso, o tal vez por eso, Carmen Balcells aceptó ser mi agente y en seis meses el libro estaba publicado en España. Y a partir de entonces, ya fue como si una estrella de Belén brillara sobre el libro. Ha tenido una suerte extraordinaria.

MGP: En efecto. Dices que esto fue una carta a tu abuelo pero es una novela de quinientas páginas. El elemento narrativo refleja ese origen de crónica familiar. Pero es claro que hay una estructura. ¿De qué manera esa carta se transforma en esa magnífica narración que es *La casa de los espíritus*?

IA: Comenzó como una carta y por el camino ya me fui olvidando que era una carta y empezaron a entrar en el libro mis pasiones, mis obsesiones, mis sueños y todos aquellos otros personajes que me robé de otras familias, de otras vidas; creo que, de alguna manera, yo quería contar mi país. Quería contar lo que había pasado; era también una especie de terapia para mí, de tratar de sacarme todo ese dolor acumulado, tratar de compartir esa experiencia dolorosa que no es mía sino de tantos otros chilenos, experiencia del golpe militar, de todos estos años de represión. Cuando comencé a sentirlo como un libro, lo visualicé como un mural, como una gran tapicería, donde yo iba a bordar una historia muy complicada, con muchos personajes, que se desplaza en el tiempo, y que va cambiando de color a medida que se acerca cronológicamente al presente. Es un tapiz que en lo más remoto del tiempo—comienzos de siglo—tiene ese color sepia esfumado de las cosas antiguas, de las cosas sobadas, de las cosas contadas y que a medida que se acerca en el tiempo, va adquiriendo colores cada vez más nítidos, hasta los colores casi brutales de la realidad de Alba, la narradora en el tiempo presente. Lo vi así, como un mural muy complejo, donde había un orden que yo conocía pero que es muy difícil explicarlo.

Alrededor de los dieciocho años Alba abandonó definitivamente la infancia. En el momento preciso en que se sintió mujer, fue a encerrarse a su antiguo cuarto, donde todavía estaba el mural que había comenzado muchos años atrás. Buscó en los viejos tarros de pintura hasta que encontró un poco de rojo y de blanco que todavía estaban frescos, los mezcló con cuidado y luego pintó un gran corazón rosado en el último espacio libre de las paredes. Estaba enamorada. Después tiró a la basura los tarros y los pinceles y se sentó un largo rato a contemplar los dibujos, para revisar la historia de sus penas y alegrías. Sacó la cuenta que había sido feliz y con un suspiro se despidió de la niñez.

[*La casa de los espíritus*]

A veces me dice algún estudiante que la novela tiene una estructura en espiral porque se va como avanzando en círculos siempre un poquito más arriba: pienso que es una linda lectura de la novela pero yo no la veo así. Yo lo veo como una tapicería grande donde está todo mezclado, algunas cosas están hasta patas arriba. El otro libro, *De amor y de sombra,* por el contrario, lo veo como la rueda de una bicicleta, y así lo vi desde el principio. Hay un acontecimiento central, que es el núcleo, hacia el cual convergen los rayos que son todos los personajes, todas las situaciones, todos los elementos de la narración.

MGP: En *La casa de los espíritus* la forma de carta-crónica parece transformarse en los diarios que van escribiendo los personajes centrales que son los personajes femeninos, ¿verdad? Al escribir cada una de las mujeres esos diarios que se van continuando, van rescatando, van recogiendo la historia de la familia, van dando una perspectiva al mismo tiempo de historia y de vida, de ficción y de vida; además la novela comienza y termina de la misma manera, con las mismas palabras, ¿verdad? por eso, dicen algunos que es una estructura en espiral.

IA: O que es un círculo...

MGP: ¿Qué te lleva a escoger como hilo o base común el color blanco para nombrar a todas las mujeres de la familia Trueba a partir de Nívea, de Clara, de Blanca, y de Alba?

IA: Quise simbolizar un estado de pureza, pero no la pureza entendida como virginidad, como normalmente se entiende en la mujer, sino que es la pureza para enfrentar el mundo con ojos nuevos, no contaminados, sin prejuicios, abiertos, tolerantes, y un alma capaz de impactarse con los colores del mundo, por eso es que no tienen color, que el color blanco registra todas los demás colores y eso es un poco lo que quise simbolizar con ello. Por otra parte, cada uno de esos nombres, a pesar de que son sinónimos, tiene su acepción, su significado acumulado y compartido, toda esa experiencia de vida, y lo supera en un nuevo mundo, en un nuevo amanecer.

MGP: La técnica del diario es una manera de expresión muy trabajada por las mujeres. ¿Escogiste esta técnica por tratarse de una novela de mujeres?

IA: No. Y si hubiera sabido que es una técnica femenina, no la habría empleado.

MGP: ¿Por qué no?

IA: Porque yo creo que la literatura no tiene sexo y que no hay que ponerse en el plan de escribir como mujer porque es una forma de autosegregación que me parece torpe. Yo creo que hay que escribir lo mejor posible, y hay que escribir como persona, en lo posible, como un ser humano abierto, tolerante y formado. Pero eso es independiente del sexo. Si cualquier persona toma un libro mío y no ve mi nombre en la tapa, no tiene por qué decir que este libro lo escribió una mujer o que lo escribió un hombre. Podrá decir que le gustó o no, pero no tiene que adivinar mi sexo necesariamente.

MGP: ¿Estarías de acuerdo con mi juicio acerca de *La casa de los espíritus,* de que es una novela de mujeres, una novela femenina en muchos aspectos?

IA: Es una novela donde el personaje principal, la columna vertebral de la novela es un hombre, es un patriarca, y alrededor de él hay mujeres que se suceden en el tiempo que van contando la historia: de alguna manera son la voz de la emoción, la voz de lo subjetivo, la voz de lo más humano, la voz del alma, que va contando la historia oculta, no la historia visible. Esteban Trueba cuenta el mundo, la vida, y cuenta la historia desde un punto de vista intelectual, racional, y él está siempre como fuera, tratando de hacer el mundo; ellas no, ellas están tratando de comprender el mundo, están tratando de asirlo, y de participar en él y tienen otra visión, otra visión del mundo, y son ellas las narradoras, sí, pero no siento que eso signifique escribir como mujer, sino tal vez tener un punto de vista femenino frente a la vida. Lógicamente, soy mujer y tengo que tener un punto de vista femenino.

MGP: Se ha debatido acerca de si es posible postular que hay una manera de escribir femenina y una manera de escribir masculina. Esto nos lleva a otro aspecto importante de la práctica de la escritura de ficción. ¿Crees que es posible distinguir dos modalidades en la escritura de creación?

IA: Yo creo que hay una manera de sentir femenina y una manera de sentir masculina que cada vez se desdibuja más. Posiblemente a comienzos de siglo, cuando le tocó vivir a

Esteban Trueba en compañía de Clara del Valle, los roles estaban muy marcados. Hoy, afortunadamente, ya no es así y mis hijos y mis nietos el día de mañana, cada vez más, tendrán esa frontera menos clara y podremos cada uno sentir más como seres humanos y menos de acuerdo al rol previamente establecido por el sexo.

MGP: Tal vez sea una visión bastante optimista... Es precisamente en la diferenciación que acabas de hacer, en el personaje de Esteban Trueba, donde se diseña el hombre que hace, que va a construir el mundo, un mundo del cual él tiene una visión particular: es el hacedor, de la nada transforma, construye y va poblando el mundo: hace una finca, hace un pueblo y construye un mundo que se concreta en esa gran casa en la ciudad, pero, como tú dijiste, son las mujeres las que además de ir recogiendo la historia íntima de la familia, precisamente una marca del mundo femenino, van dando una visión de ese espacio interior, van dotando ese mundo de una configuración particular que tiende a diferir de la modalidad masculina de moldear el universo; las mujeres van llenando los huecos de ese mundo, lo van adornando con detalles, intimidad, amor familiar, es decir que al imprimir su marca específica, lo humanizan. En ese sentido tu novela es una novela femenina por cuanto da voz a aquella parte del mundo que no tiene voz, que es lo que señala Elena Poniatowska como un rasgo importante de la literatura femenina.

IA: Pero mucha gente lo hace, no necesariamente las mujeres; los hombres lo hacen también. Un crítico dijo recientemente que yo no iba a convertirme verdaderamente en una escritora reconocida hasta que no fuera capaz de crear un personaje masculino con la misma fuerza con que creaba los personajes femeninos, que no iba a demostrar suficiente oficio. Yo me pregunto cuántos escritores masculinos hay que tienen buenos personajes femeninos. Muy pocos. Y eso no significa que escriban mal, o que no sean reconocidos como escritores. Tal vez sus personajes masculinos sean muchísimo más fuertes porque son hombres y lo sienten así. Y eso no va ni a favor ni en contra de su calidad como escritor, de su calidad literaria. Y eso es lo que yo quiero decirte, que yo no quiero que se juzgue mi calidad como escritora desde el punto de vista de la mujer o del hombre. Es posible que mis personajes femeninos sean más fuertes, o que mi punto de vista sea femenino pero la literatura, finalmente lo que es lenguaje, lo que es estructura, lo que es este producto final que es un libro, quiero que sea aceptado sobre todo por su valor intrínseco, por su calidad literaria. Yo no pido que me hagan ninguna concesión por ser mujer, ni permito que me hagan exigencias superfluas por ser mujer.

MGP: Precisamente, creo que no se trata de hacer o no hacer concesiones, sino, simplemente, se trata de diferenciar la manera de estar y de ser en el mundo de la mujer con que hasta hace poco no contaba. Ahora, con escritoras de tu calidad, que van imaginando y creando otros mundos, que van elaborando el mundo desde otro punto de vista, desde el punto de vista de la mujer, las lectoras descubrirán mundos que hablan acerca de la experiencia femenina. Es uno de los aspectos importantes, y marcan, por consiguiente, dos maneras de aproximarse al lenguaje. El comentario que te hizo ese crítico,—un hombre—habla desde un entendimiento falocéntrico del mundo que una teoría feminista de la literatura tiende a rechazar. En todo caso, se trata de reestructurar, de re/visar, de re/pensar todas estas cosas. Pasando ahora a tu segundo libro. ¿Cómo surgió la idea para esa novela?

IA: El origen *De amor y de sombra* se remonta a una noticia de un diario que me emocionó profundamente. Retomo allí un caso de los muchos que han sucedido y siguen sucediendo en América Latina: de gente que desaparece y muere; de esas tumbas que al abrirse descubren decenas de cadáveres. No difería esa noticia de otras, pero me impactó profundamente porque en una mina abandonada encontraron cinco cadáveres de una misma familia: el padre y los cuatro hijos. Cuando yo la leí inmediatamente me puse en el papel de la madre y sentí una emoción tan viva, tan fuerte que no me abandonó por mucho tiempo. Durante dos años traté de exorcisar esa imagen, ese dolor, a través de la escritura. Aunque Chile no se menciona nunca, es un episodio muy difundido que ocurrió en el año 1978 en las minas de Lonquén, que es una mina abandonada a cincuenta kilómetros de Santiago. Los hechos ocurrieron como está narrado allí. Aunque hay ficción, ocurrieron tal cual, e incluso hay partes en el libro que son casi copia textual de las actas del juicio o de los testimonios de las personas que declararon en el juicio. Partió así de una noticia y de una emoción fuerte que sentí y después vino toda una elaboración, digamos, literaria y junté también personajes y hechos en el tiempo. El caso de *De amor y de sombra* ilustra un procedimiento que utilizo siempre: tomo cosas de la realidad, tomo cosas de los periódicos, cosas que conozco, entrevistas que hago y le agrego la ficción, y además, pego cosas que muchas veces no están relacionadas en la realidad. En este caso particular, Evangelina Ranquileo es un hecho verídico que a mí me tocó reportar como periodista en Chile hace mucho tiempo, pero no coincide con lo de Lonquén. Yo simplemente los puse juntos pero no coinciden en la realidad.

Marginada del duelo de los leal, Irene Beltrán tomó el automóvil de su madre y partió sola a los riscos, decidida a encontrar por su cuenta a Evangelina. Había prometido a Digna ayudarla en la búsqueda y no quería dar la impresión de ligereza. Su primera parada fue en casa de los Ranquileo.

—No siga buscando, señorita. Se los tragó la tierra—dijo la madre con la resignación de quien ha soportado muchos quebrantos.

Pero Irene estaba dispuesta a remover también la tierra, si fuera necesario, hasta dar con la muchacha. Más tarde, al volver atrás en el recuerdo de esos días, se preguntaba qué la empujó a la zona de las sombras. Sospechó desde el principio que tenía en los dedos la punta de un hilo y al tirarlo desenredaría una interminable madeja de consternación. Intuía que esa Santa de Dudosos Milagros era la frontera entre su mundo ordenado y la región oscura nunca antes pisada.

[*De amor y de sombra*]

MGP: Yo diría que *De amor y de sombra* es una novela política, pero la novela política corre el riesgo de transformarse en panfleto, en denuncia. Me parece que uno de los logros de *De amor y de sombra* es que tú logras crear en esa ficción que está muy bien estructurada—quizá hasta mejor estructurada y técnicamente mucho más elaborada que *La casa de los espíritus*—un mundo, el mundo actual de Chile en donde todos los personajes, con sus historias separadas, eventualmente se unen en el núcleo central de la narración. Ahora bien, quisiera referirme particularmente a cuatro o cinco personajes que pertenencen al grupo de los militares: hay un sargento, hay un teniente, hay un soldado y hay un capitán del Ejército. Todos ellos están tratados muy humanamente. No se condena a ninguno de ellos. El capitán está construido según el cánon del héroe romántico: de película, muy duro, muy idealista y físicamente perfecto, está tratado con gran suavidad. ¿A qué se debe esa decisión de tratar literariamente al elemento militar—que precisamente es el que crea el problema de la opresión en Chile—con benevolencia?

IA: Bueno, a mí me cuesta mucho ver el mundo en blanco y negro. Pienso que siempre hay matices, que hay muchos colores entre medio. Y cada persona tiene partes buenas y partes que podríamos llamar malas, si queremos ponerles un adjetivo. Estoy segura que Pinochet en su casa es un abuelo encantador y sus nietos lo adoran y posiblemente sus amigos también. El hecho de que él sea lo que es a los ojos de la mayor parte de los chilenos y del mundo, y que represente la tiranía, que represente la tortura y la muerte, el exilio y la prisión para tanta gente, no significa que él no sea un ser humano. Y si yo tuviera que escribir y describirlo, tendría que tomar todas los aspectos de su personalidad, yo pienso que la gente siempre tiene muchos matices y trato de verlos todos. Me es muy difícil hacer un personaje en blanco y negro. Puedo tener mayor o menor simpatía por alguien, pero finalmente, amo a todos mis personajes. Y después de vivir con ellos dos años, en que tú empiezas tomándolos del aire, cuando son como un fantasma, desdibujado, y a medida que vas trabajando con el personaje va cobrando forma, ya al final distingues el sonido de su voz, sabes cómo huele, cómo se viste, sabes todo de él, está más cerca de mí posiblemente que mis propios hijos. Entonces tengo que amarlo. Sea quien sea, termino por amarlo. En el caso de *La casa de los espíritus,* el personaje del torturador lo trabajé mucho, y claro, me da todo el horror que me da cualquier persona con esas características, pero terminé por quererlo también porque era un personaje mío. Es como esas mamás que tienen un hijo tontito y que tienen que querer al hijo tontito más que a los otros, a veces.

MGP: Irene es un personaje que evoluciona a lo largo de la narración. Pareciera que comparte contigo, con Isabel Allende, varios rasgos: es periodista, es muy decidida y clara en sus actividades e intenciones, llega a comprometerse con su realidad política, y sufre las consecuencias de esa postura crítica que la fuerza finalmente a salir de su país. ¿Hay elementos autobiográficos detrás de Irene?

IA: No. Quisiera ser como Irene. Uno siempre quiere ser como su personaje preferido. Yo quisiera ser como Clara y ser como Irene, pero no soy. Irene se parece a muchas, muchísimas mujeres periodistas chilenas que yo conocí y todavía conozco que han vivido un destino similar, y en el fondo ese personaje es un homenaje a todas ellas. En ningún caso estoy yo ahí. Lo único que habría de autobiográfico en el personaje de Irene es su vida dentro de la revista donde ella trabaja, que se parece mucho a la vida que yo hacía en la revista *Paula,* donde yo trabajaba en Chile en aquella época, pero aparte de eso, no soy yo el personaje sino que es un homenaje a mis compañeras.

MGP: Sería la misma observación que ya has hecho sobre *La casa de los espíritus,* que el elemento autobiográfico no está presente en *La casa de los espíritus* ni tampoco en *De amor y de sombra.*

IA: El único elemento autobiográfico en *La casa de los espíritus* es toda esa casa, esa familia, esa gente, que se parece a la mía, pero yo no estoy allí. Yo no soy Alba como mucha gente me dice. Tanto creen que soy Alba que cuando fui a Alemania invitada a la Feria de Frankfurt, la gente me miraba el pelo a ver si lo tenía verde y me miraban las manos a ver si me faltaba un dedo, porque quieren que yo sea el personaje, pero desafortunadamente no lo soy.

MGP: Se ha señalado con frecuencia que *La casa de los espíritus* tiene una resonancia muy fuerte de *Cien años de soledad.* ¿Podrías indicar qué relación tiene tu obra con la narrativa de García Márquez y, en especial, con *Cien años de soledad*?

IA: Si te refieres a la historia de la saga familiar, realmente no estaba pensando en García Márquez cuando escribí *La casa de los espíritus.* Ni tampoco cuando convertí esa carta en una novela. García Márquez es muy importante en la literatura latinoamericana, y creo que para mí es una influencia poderosísima; sin embargo, no estaba pensando en él, sino más bien en Henri Troyat, ese escritor francés que salió de Rusia después de la revolución y que escribió la historia de tantas familias rusas que vivieron ese exilio en países europeos, especialmente en Francia. Yo estaba pensando en Stendhal, estaba pensando en las propias familias latinoamericanas. Yo vivo en un continente en donde la familia es muy importante, entonces me pareció casi natural contar la historia de un país y de un continente a través de los ojos de una familia. Mi teoría es que en mi continente el Estado generalmente es mi enemigo. Es enemigo de cada uno de los ciudadanos. Tú no puedes esperar del Estado nada. Solamente puedes esperar represión, impuestos, corrupción, ineficiencia. ¿Dónde tienes tú tu protección, tu seguridad? En tu familia, y en la medida en que tienes tu tribu a tu alrededor, estás a salvo. Por eso la familia es tan importante, y por eso está presente en la literatura latinoamericana constantemente, no solamente en *Cien años de soledad.* Siempre está presente.

MGP: ¿Es tu intención contar la verdad a través de la ficción?

IA: Sí. No intento pasar un mensaje ni denunciar ni dejar testimonio ni captar el mundo con lo que escribo, pero sí contar la verdad. Me parece que la verdad es importante—

eso lo aprendí en periodismo, yo creo que con el primer artículo que escribí—, que sólo la verdad toca el corazón de la gente; la gente sabe instintivamente dónde está la verdad y es imposible pasarles gato por liebre eternamente. Reconoce inmediatamente la verdad y por eso para mí es muy importante tocar al lector, conmoverlo, traerlo a mi bando. Y para eso sólo puedo usar la verdad y no corren las trampas, no sirven las trampas.

MGP: Tu conexión con García Márquez estaría entonces en la forma de narrar, conectada al intento de desarrollar una saga que funcione como una representación emblemática del mundo latinoamericano. Creo que también te diferencias en que adoptas la posición, la perspectiva y el tono de una cronista. La visión del mundo que propones parece partir de una visión muy personal de Chile, de un Chile que no se nombra en ninguna de las dos novelas, pero que se nota adherido a la piel de la narradora que está detrás de eso, a la que yo llamo cronista, que se acerca muchísimo al tono del Neruda de *Canto general,* o de *Memorial* o de *Las piedras de Chile.* ¿Tú dirías que has tenido la intención especial de crear este tono que te acerque, o mejor, no te aleje de Chile?

IA: Ahí sí acepto la influencia directa. El único libro que tengo sobre mi mesa de noche siempre es algún libro de Neruda y Neruda ha estado presente en mi vida desde muy temprano. El era amigo de mi abuela y lo vi en la casa muchas veces. Lo vi pocos días antes de su muerte, pocos días antes del golpe militar. Su entierro está en *La casa de los espíritus* y es una influencia muy poderosa. Neruda me enseñó, creo, a valorizar los objetos pequeños, a encontrar la poesía en una cebolla, en una zanahoria, en un caldillo de congrio: es la relación con el mundo de las cosas pequeñas lo que te puede dar una visión de las cosas grandes, y una aproximación sensorial, sensual a la realidad. Eso es importantísimo en lo que escribo. Siempre, cuando me planteo la posibilidad de escribir una situación, una escena de amor, una escena de violencia o simplemente una descripción del paisaje, me viene Neruda al corazón y pienso en el olor, pienso en el rumor, pienso en el sabor, no solamente en lo que se ve, porque tenemos tendencia a relacionarnos con el mundo a través de los ojos y olvidar el resto; Neruda me recuerda constantemente eso.

La gente iba en silencio. De pronto, alguien gritó roncamente el nombre del Poeta y una sola voz de todas las gargantas respondió ¡Presente! ¡Ahora y siempre! Fue como si hubieran abierto una válvula y todo el dolor, el miedo y la rabia de esos días saliera de los pechos y rodara por la calle y subiera en un clamor terrible hasta los negros nubarrones del cielo. Otro gritó ¡Compañero Presidente! Y contestaron todos en un solo lamento, llanto de hombre: ¡Presente! Poco a poco el funeral del Poeta se convirtió en el acto simbólico de enterrar la libertad.

[*La casa de los espíritus*]

MGP: ¿Cuál fue tu reacción ante el tremendo éxito de *La casa de los espíritus*?

IA: Nadie esperaba que *La casa de los espíritus* tuviera el éxito que ha tenido, ni mi familia, ni mis editores, ni yo mismo. El manuscrito era aterrador: se trataba del libro de una periodista desconocida, demasiado largo y con un tema complejo. No es extraño que me lo hayan rechazado varias veces. Cuando terminé de escribirlo mis hijos decían en broma que tendríamos que editarlo nosotros y vender cada ejemplar en los autobuses y en los cafetines. ¿Por qué los lectores lo han acogido con tanta generosidad? Es un misterio, en verdad. Tal vez un ángel benéfico me protege o ciertos libros tienen sus propios espíritus.

MGP: ¿Cómo has aprendido a manejar la tremenda popularidad?

IA: Más bien, vivo aislada en una casa en la loma de un cerro, escribo en un cuchitril lleno de libros, fotografías, juguetes y plantas. Soy muy selectiva para mis amistades, hago mucha vida de familia y sólo cuando viajo asumo el papel de "escritora".

MGP: ¿Qué reacción tienes cuando la crítica te coloca al

lado de los mejores escritores nuestros? ¿Qué tienes que decirles a las novelistas de tu generación y a las que te seguirán?

IA: Cuando la crítica me coloca entre los buenos escritores, siento una gran responsabilidad, que asumo con alegría y orgullo. Puedo ser la voz de muchos que callan, puedo llevar al mundo la verdad de este continente latinoamericano, torturado y magnífico.

No tengo nada que decir a los novelistas de mi generación, eso sería una imperdonable pretensión. Quiero oírlos y aprender de ellos.

MGP: ¿Tienes conciencia de que eres la primera mujer que ha logrado entrar en el mercado editorial con ediciones múltiples?

IA: Soy de las primeras latinoamericanas, tal vez, pero en Europa y Estados Unidos la mujer ocupa casi el mismo sitio que el hombre en la literatura. Para las mujeres del Tercer Mundo es difícil, pero lo están logrando. Debemos vencer muchos prejuicios: la crítica nos ignora, los editores no se interesan en nuestro trabajo, los profesores universitarios no nos estudian. Sumemos a eso el atraso cultural, las presiones sociales, el trabajo bestial, la pobreza, la maternidad, las labores domésticas y la sumisión al macho y veremos que se requiere un talento y una decisión subrehumanas para surgir en cualquier campo, especialmente en el arte.

MGP: ¿Cuándo y cómo comenzó a circular tu primera novela en Chile?

IA: Mi primera novela circuló en Chile desde que se editó; primero clandestinamente y luego sin censura. Al comienzo la gente la fotocopiaba, había largas listas de interesados en leer cada copia. Los ejemplares que cruzaron la frontera sin tapas o escondidos en bolsas de pañales, pasaban de mano en mano, entraban en muchas casas, servían de tema de discusión y le contaron a una generación de muchachos la historia que la dictadura intentaba borrar de la memoria. Me llegaban cientos de cartas de Chile, todas emocionantes. Me di cuenta de que no estoy lejos, vivo también en mi patria y ya nadie me la puede quitar, la tengo conmigo. A mediados de 1983 se suspendió la censura para libros en Chile, porque la dictadura deseaba mejorar su imagen. Ahora se pueden comprar—aunque muy caros—los libros que antes estuvieron prohibidos y son, por supuesto, muy solicitados. Sucedió como con la pornografía, basta prohibirla para que a todos nos pique la curiosidad.

MGP: ¿Qué recepción tuvo en Chile la segunda novela, *De amor y de sombra*? ¿Se puede comprar un ejemplar en tu país?

IA: Mi segunda novela tuvo en Chile una acogida enorme del público, mala crítica de parte de *El Mercurio,* silencio de otros órganos oficiales y excelente crítica de profesores, estudiosos, revistas especializadas, etc. Dicen que está mejor escrita que la primera, mejor estructurada, que es un libro más maduro. El tema es doloroso en Chile y no deja a nadie indiferente. Unos solidarizan y otros niegan los hechos.

MGP: ¿Y la recepción general?

IA: Me han contado que en Chile el público me recuerda y me estima, que mi nombre no es del todo desconocido, pero no he podido comprobarlo, porque no he regresado.

MGP: ¿Cuáles han sido algunas reacciones en países que no hablan el español?

IA: He sido afortunada con todas mis traducciones. Siempre la reacción ha sido muy favorable. En Noruega se vendieron 40,000 ejemplares en pocas semanas y es un país de 4 millones de habitantes; en Estados Unidos se agotaron cuatro ediciones en dos meses; en Alemania ocupé el primer puesto de la lista de best-sellers durante casi un año; en Francia sólo el Club du Livre publicó 350,000 ejemplares, etc. Resulta vanidoso que lo diga yo, pero así ha sido y creo que esto no es un triunfo personal, sino otro reconocimiento para las letras de América Latina. Nuestro continente tiene aún mucho que decir, apenas hemos comenzado a hablar... a escribir.

MGP: ¿A qué atribuyes el éxito universal de tus dos novelas?

IA: He pensado mucho en la causa del éxito de mis novelas, sin descubrir aún la receta. Alguien me dijo que escribo sobre sentimientos, sobre valores y emociones que son similares para todos los seres humanos, en cualquier época de la historia. El amor, el odio, la justicia, la violencia, la búsqueda de la verdad, las pasiones y las obsesiones... nos corresponden a todos.

MGP: Retomando el tema del feminismo, ¿qué opinas de este movimiento? ¿Sientes que lo apoyas o te opones a él?

IA: Soy feminista, claro, ninguna mujer que se detenga un instante a pensar en su destino puede dejar de serlo. Pero no entiendo el movimiento de liberación femenina como una lucha contra el hombre, una batalla por suplantar el machismo por el feminismo. De ningún modo. Creo que ésta es una guerra que vamos a dar las mujeres y los hombres para construir una sociedad más justa y más libre. Tal como está concebido el mundo, todos somos víctimas, todos somos prisioneros, muy pocos tienen la posibilidad de crecer, amar y crear a plentiud. Nos hemos mutilado unos a otras, todos estamos fregados. El machismo tampoco hace feliz a los hombres y aunque nosotras somos las principales víctimas, el papel del hombre es también muy duro. Ser proveedor, ser superior, ser fuerte siempre, no llorar... Pobres criaturas que viven disociadas de su propia naturaleza, de sus emociones, alejados de la ternura, relacionándose con el mundo y con las mujeres a través del poder, de la posesión, del dominio. ¡Qué fastidio, qué desperdicio!

No me opongo a que las mujeres se organicen en movimientos de liberación, al contrario, creo que es la única forma de obtener lo que nos proponemos. Yo no milito en ninguno porque soy incapaz de aceptar la disciplina de una agrupación. Por eso no pertenezco a ninguna iglesia, a partido político, club, etc.

MGP: ¿Qué importancia tiene el feminismo en Venezuela? ¿Hay grupos feministas allí?

IA: En Venezuela las leyes favorecen a la mujer más que en otras partes de este continente. La mitad de los estudiantes de la Universidad Central son mujeres. Ellas ocupan puestos importantes en la administración del país, en la empresa privada, en la ciencia y la cultura. Me refiero, por supuesto, a las mujeres que han tenido acceso a la educación; las obreras, campesinas o indígenas viven en las mismas condiciones de atraso que en cualquier otro país de este continente. Las venezolanas son unas mujeronas, unas hembras formidables, caminan como diosas proyectando senos y caderas como si fueran sus banderas, orgullosas de sus cuerpos, dispuestas a ganar todos los concursos de belleza. Este es un país muy machista, pero aquí he visto a las mujeres más libres, más astutas, más seguras, como si en el fondo se burlaran de esas reglas que los machos tratan de imponerles, ellas se las sacuden con un bamboleo del trasero y un batir de las pestañas. Hay algunas agrupaciones feministas poco importantes y se publica una pequeña revista feminista. Aunque no veo un movimiento de liberación creciente o importante, percibo que cada día la mujer gana terreno. De todos modos, estamos lejísimo de la igualdad.

MGP: ¿Como ves tu futuro como escritora?

IA: ¿Mi futuro de escritora? No pienso en ello. Voy pegando palabras una detrás de otra y así voy haciendo cada día un poquito.

MGP: ¿Conoces a algunos escritores personalmente? ¿Qué reacción han tenido ellos sobre tu obra? ¿Has conocido a García Márquez?

IA: Conozco a Ernesto Sábato, Mario Vargas Llosa, Pepe Donoso y otros. Antonio Skármeta es mi amigo, un hombre formidable, lleno de talento y generosidad que celebra mi trabajo y me estimula, lo cual es raro en el mundo de la literatura, donde las personas son más bien egocéntricas. No conozco a García Márquez y creo que sentiré una gran emoción si algún día puedo estrechar su mano.

MGP: ¿Crees que es importante integrarte a este grupo de escritores?

IA: Es importante que los escritores de América Latina estemos en contacto, estemos relacionados, nos ayudemos y ayudemos también a los jóvenes que luchan por escribir y ser publicados. Todos nosotros tenemos una labor muy importante: tenemos que contar nuestro continente, ser una voz común, poner en palabras la tragedia y los sueños de nuestros pueblos sometidos y atormentados. Si estamos juntos, si trabajamos en la misma dirección, podemos contribuir a la construcción de un mundo diferente.

MGP: ¿Para quién escribes tú?

IA: Yo escribo para *un* lector. Trato siempre de contarle el cuento a *una* persona. No me imagino quién es esa persona pero siempre trato de que el tono en que yo sé lo voy a contar sea lo más íntimo posible. Yo me siento como ese cuentacuentos africanos que va de aldea en aldea y se sienta en la mitad de la aldea y lo rodea la gente del pueblo y él cuenta su cuento y cuenta las noticias que trae de otras partes. Y entonces le regalan una gallina o le regalan un tomate para que agregue a su cuento las noticias de ese pueblo y va a otro pueblo y vuelve a contar la misma historia más las noticias que tiene de esta última aldea, y así te enteras tú que murió fulano, que se casó sutano; te enteras que hubo guerra, te enteras de las noticias...

MGP: ...¿Como un juglar?

IA: Como un juglar... Así quiero sentirme, así me siento. Quiero ir de aldea en aldea, de persona en persona, de pueblo en pueblo, contando mi país, contando mi continente, contando esa verdad que es nuestra, ese acumulado sufrimiento y esa maravillosa expresión de vida que es América Latina. Y eso es lo que quiero contar. A los latinoamericanos y afuera.

MGP: Y hay alguna intención específica en tu actividad literaria ¿para qué escribes?

IA: ¡Porque es una fiesta para mí! Me encanta, es una orgía, me gusta tanto como hacer el amor, por eso escribo, y si no fuera por eso, no lo haría porque es un trabajo pesadísimo.

MGP: ¿Qué proyecto tienes entre manos en este momento?

IA: Mi proyecto actual es seguir escribiendo. Estoy sumergida en otra novela, pero sufro muchas interrupciones y cada día me resulta más difícil encontrar el silencio y la paz para hacerlo, a veces echo de menos el sótano de la casa de mis abuelos...

ALBALUCIA ANGEL

ANGEL

Entrevista con Albalucía Angel Nueva York, 1985

Magdalena García Pinto: Para comenzar esta conversación, quisiera preguntarte acerca de tu lugar de origen. ¿De qué parte de Colombia eres?

Albalucía Angel: Yo nací en Pereira, una ciudad pequeña fundada por mis abuelos. Digo pequeña porque todavía es pequeña, aunque en Colombia está considerada la quinta ciudad del país y es zona cafetera. Es donde mejor se cultiva la marihuana, porque el café y la marihuana tienen el mismo clima y donde mejor se refina la cocaína. Hoy en día le ponen más misterio pero en mis épocas no lo había para ninguna de las yerbas. Esa es Pereira.

MGP: ¿Había marihuana en Pereira cuando eras chica?

ALA: Siempre. Desde que nací, se hablaba de marihuaneros.

MGP: ¿Es parte de la tradición pereirana?

ALA: El pueblo siempre ha fumado marihuana en mi tierra, lo que pasa es que ahora es en gran escala, se ha convertido en una actividad muy chic, y la burguesía la ha adoptado. Antes no había tráfico ni mafia, y era una actividad normal.

MGP: ¿Cómo es Pereira?

ALA: Una de sus características es que tiene la estatua de un Bolívar desnudo en la mitad de la plaza de Bolívar.
MGP: ¿A qué se debe tal peculiaridad?
ALA: Se debe a que los pereiranos son bastante alucinados. Ninguna ciudad bolivariana aceptó ese Bolívar, hecha por un colombiano que vivió en México, Rodrigo Arenas Betancour. La estuvo ofreciendo a Bolivia, a Perú, a Venezuela, a Colombia, y todos se negaban. A los pereiranos les pareció maravillosa.
MGP: ¿Cuándo se hizo la escultura?
ALA: Hace unos veinte años. Te cuento esto por ser representativo de la actitud más desacralizadora que se observa en el carácter pereirano. Además de alucinada, me parece sintomático que esta ciudad sea el centro de las misas negras. Hay templos, práctica de misas negras muy importantes.
MGP: ¿De dónde viene la misa negra?
ALA: De los brujos.
MGP: ¿Es indígena?
ALA: No es indígena ni vudú. Son sociedades secretas de cierto tipo de masonería. Son iniciados muy altos. Es una masonería negra en la que participa gente que llega a la política alta, es decir, no es un juego. Y eso tiene como contexto a Pereira que produce extraños personajes dentro del folklore nacional.
MGP: Me dijiste en otra ocación que un miembro de tu familia fundó la ciudad de Pereira.
ALA: La fundó mi bisabuelo con sus cuatro hijos jovencitos y otro grupo de gente. Habría diez peronas al comienzo, entre las que estaba él con sus hijos.
MGP: ¿De dónde venían ellos?
ALA: De Sonsón, Antioquia. Somos "paisas". Pereira no cambió casí nada hasta hace veinte años. Es un pueblo muy concentrado. Mi tío materno lo llamaba "Viboral", una especie de Peyton Place.
MGP: ¿Qué tipo de cultura hay en Pereira? ¿Es muy provinciana y cerrada?
ALA: Muy clasista, terriblemente provinciana pero audaz. Es la primera ciudad de Colombia y la única que cons-

truyó su propio aeropuerto con esfuerzo de la comunidad. También construyeron una villa olímpica con el mismo espíritu. Es bastante extraña en Latinoamérica como visión de conjunto, de espíritu de solidaridad y de civismo.

MGP: ¿Cómo fue tu infancia en Pereira? ¿Qué recuerdos tienes de ese mundo?

ALA: Mi infancia fue bastante compleja. No me acuerdo mucho. Más bien me acuerdo de mi infancia en el monte, en la finca de mi familia. Allí pasaba días enteros domando caballos salvajes. El resto era un colegio de monjas, ésa era otra infancia, una infancia aburguesada, cuidada, controlada como todas las niñas de mi generación, por eso sólo me interesa la infancia salvaje.

MGP: ¿Vivías en un colegio de monjas?

ALA: No. Vivíamos muy cerca del colegio. A las siete de la mañana empezábamos las clases dirigidas por unas monjas franciscanas suizas que hablaban muy mal el español. Mi madre ya había estudiado con ellas en otra ciudad y resolvió que allí tenía que ir yo también.

MGP: ¿Aprendieron a hablar alemán o francés?

ALA: No. A pesar del mal español, la educación se conducía en ese idioma. Esta es mi educación en un pueblo provincialísimo de Colombia. Estoy educada con una visión suiza del mundo. Nos enseñaban unas maneras muy extrañas para una niña pereirana; eran muy rígidas.

MGP: ¿Qué relación tenías con tu madre y con el resto de tu familia?

ALA: Pues, yo les salí al revés y no hubo manera de arreglarlo. Mi madre murió hace siete años y le dediqué póstumamente el libro de *Misiá señora,* donde me inspira enormes problemas, pasiones, amores, desamores. Esta relación está bastante camuflada pero está. A mí no me crió mi madre, sino mi abuela paterna que vivía al frente de mi casa cuando era chica. Tuve siempre una admiración feroz por mi abuela paterna. Esta mujer me crió hasta los siete años junto con una hija que todavía no estaba casada, y seis hijos solteros. Yo fui la primera nieta de la rama Angel: primera nieta contemplada por seis varones y una muchacha. Mimadísima. Para mi madre era muy difícil controlar mi seguridad. A medida que ella trataba de hacerme sentir en el fondo cierta rigidez, a pesar de que me quería imprimir una educación que le era propia, yo venía completamente desordenada de la casa de mi abuela, que era toda corazón y sabiduría.

MGP: ¿Por qué te fascinaba tu abuela?

ALA: Mi abuela era una mujer muy sabia, como todas las abuelas del mundo. Era católica y conservadora a morir, mientras que mi abuelo era liberal y conservador a morir. Vivían de la profesión de abogado de mi abuelo, que la ejercía gratis. La gente le pagaba con repollos, con tomates y con huevos o gallinas. Así crió siete hijos esta mujer.

MGP: ¿No eran hacendados?

ALA: No tenían en qué caerse muertos. Esta es la gente de la rama Angel Ramírez. Mi abuela era muy devota de la Virgen Santísima y del Sagrado Corazón de Jesús. Me contaba historias sin parar de esa gente y me daba la Biblia para leer. Para entusiasmarme, me regalaba diez centavos por cada página leída.

MGP: Había un conflicto entre la casa de los abuelos y la casa de tus padres, entonces.

ALA: Sí, pero se dieron cuenta más tarde, cuando al conflicto no había manera de arreglarlo, pues yo ya había crecido. Mi abuela me había contado sus cuentos bíblicos y me había regalado, sin saber verdaderamente qué era, un ejemplar de *Las mil y una noches* en versión para adultos. Por su parte, a mi madre no le gustaba que yo leyera. Mi infancia fue de casa en casa, siempre cambiándonos de ambiente. Era rarísimo pues pasábamos de una calle a otra, lo que marcaba un cambio total. Esto sucedió hasta los trece años. Finalmente, después de haberle rezado con mucho fervor a San Judas, mi madre pudo tener su propia casa, una casa magnífica que todavía es de la familia. Con este cambio definitivo, mi abuela quedó lejos y ya no pude ir tan a menudo pero mi relación con ella nunca cambió. Era la mujer más tolerante. Mi madre la llamaba Policarpa, el nombre de una gran heroína colombiana. Nunca se quejó y siempre se reía de todo. Tenía un humor maravilloso. No le importó morirse cuando le llegó la hora a los ochenta y cuatro años. Ella me demostró que la vida era como una espada toledana de temple, de acero, filuda y buena para desbrozar cosas sin necesidad de matar a la gente. Una mujer de temple de espada toledana, como yo me imagino a Santa Teresa de Avila. Yo no sé si eso me quedó a mí, porque me hubiera gustado mucho poder ser reflejo de esa sonrisa. Su sabiduría eran sus dichos, su manera de hablar, su riqueza verbal, que es lo que tal vez ha quedado en mi escritura. Tengo la costumbre de citar un dicho y recordarla ("Como decía mi abuela"). Gabo (Gabriel García Márquez) dice que él escribe como hablaba su abuela, y yo comparto esa opinión.

MGP: ¿De dónde crees que viene esa riqueza de lenguaje y esa rapidez metafórica que es tan particular de la literatura colombiana?

ALA: Eso es bastante paisa. Casi todo eso viene de Antioquia, en donde se da la peculiaridad de la velocidad metafórica. Nosotros no decimos una frase sino dos palabras, porque enganchamos una con otra.

MGP: ¿Qué papel juega en tu vida tu abuela materna?

ALA: Era como una princesa Quimbaya. Muy hermosa. Esa mujer misteriosa que vivió siempre sola, una Virgo impoluta, maravillosa, que cuando estaba muy mayor descubrí que leía. En mi casa nunca se leyó. Yo compraba libros de cuentos con la platica del mecato—que es lo que te dan para dulce en el colegio—que escondía debajo del colchón porque mi madre decía que se me iban a acabar los ojos. Con esa plata compraba *Peneca, Billiken* y *Leoplán,* que venían de la Argentina. Seguí después con los Salgari, que compraba a un peluquero turco, único vendedor de libros en Pereira. No hubo una librería en este pueblo hasta que yo tuve quince años.

MGP: Una actitud claramente anti-intelectual...

ALA: Total. A los quince o dieciséis años descubrí que mi abuela materna leía. Esta mujer era muy distante y no pertenecía a nuestro mundo. Un personaje muy particular. A los catorce años la casaron con un primo, mucho mayor que ella, que aportó al matrimonio nueve hijos. Ella tuvo otros nueve, así que cuando se quedó viuda muy temprano, tenía a su cargo dieciocho personas. Se encerró en su casa y se negó a criar los niños ajenos, que por otra parte eran mayores que ella. Su marido es el que funda el pueblo de Pereira: Don Pacho Marulanda. Esta abuela vivía sola en su casa, y por primera vez ví alguien que tenía criados hombres. Nunca tuvo a su servicio mujeres porque decía que éstas ventaneaban todo el día y se conseguían novio. Los criados le enceraban el piso que después era prohibido pisar. Era una mujer muy poderosa y muy rica. Eran dueños de todo, es decir, los gamonales del pueblo. Al ser desheredada por los hijos ajenos, vive de rentas, sola, con sus criados y maneja la fortuna de la familia.

Don Valeriano se volvió el gamonal. Tenía dieciocho hijos y construyó una casa de dos pisos, con diez habitaciones, tres salones, sala de estar, costurero, dos baños y cocina, pesebrera muy grande y la cochera: donde tenía a Príncipe, el Ratón y el Cometa, sus caballos de raza preferidos. Había mandado traer los espejos de Viena, el cristal de Bohemia, y tapizar los salones con los tapetes rojos y las habitaciones gris verdoso, encargados a Persia, y colocar dos lámparas de piaña, de cristal de Murano, adornando el salón, donde don Valeriano hizo poner un piano de cola, que se abría solamente cuando invitaban al alcalde, o a don Tico Morales, el músico del pueblo. Era dueño de la Alsacia y la Lorena, de Quimbaya, del Cofre y de la Honda, fincas que producían maíz, café, caña de azúcar, plátano, banano, arroz, cacao, toda clase de frutas, y que además contaba con unas quince mil fanegadas de terreno para buen pastoreo. Pero nunca hizo alarde. Andaba descalzo, como siempre, porque me tallan esos botines que resolvieron que hay que ponerse ahora, es como ahorcar los pies, qué invento tan incómodo, y como buen cristiano repartía mercados a las viudas y pobres.

[*Estaba la pájara pinta sentada en el verde limón*]

MGP: Una verdadera matriarca.

ALA: Sus hijas le tenían un respeto enorme y no dejaban que nosotros fuéramos a visitarla. Solamente la saludábamos desde la puerta. Yo la fui conociendo lentamente, cuando iba a pasar una temporada a la finca de mi tía cercana a la nuestra. Hablaba de cosas muy serias, y hablaba de política con los hombres, cosa que era desusado en las mujeres de ese tiempo. Tenía un vocabulario exquisito y unas ideas formidables. Era la intelectual que había en una familia de anti-intelectuales. Había vivido una época en Baltimore y regresó completamente excéntrica porque sabía inglés y su hija menor manejaba coche, en un pueblo donde sólo había cuatro coches. Cuando un día me atreví a presentarme en su casa a los dieciséis años, me regaló un libro. Fue en esa visita que vi por primera vez su biblioteca. El libro que me regaló era la vida de Marie Curie. Supe entonces que existía una mujer científica y se me empieza a abrir el mundo. Yo estaba leyendo Rocambole, Salgari, Agatha Christie, Tarzán y Delly.

MGP: Dijiste que no había dónde comprar libros. ¿De dónde venían esos?

ALA: Iba a la tienda del turco que me cambiaba un libro por otro. Yo los acumulaba en la finca, por eso era para mí tan importante ir allí; era donde podía conservar mis secretos. Cuando mi padre vendió esa finca sin que nadie lo supiera, vendió con ella mis libros. Luego en Barranquilla leí libros mayores: *Madame Bovary,* el *Tratado de la sexualidad* de Freud, *Cumbres borrascosas.* Este último fue el único libro que le vi leer a mi madre. Yo se lo robaba cuando se quedaba dormida para leerlo.

MGP: ¿Hablaste alguna vez de tus lecturas con tu madre?

ALA: No. Solamente hablábamos de cuestiones muy triviales, como la ropa o el club, que no me interesaban mayormente.

MGP: ¿No te interesaba la vida social?

ALA: No, porque yo había nacido como el pato feo y lo seguí siendo para mi madre y toda esa gente; me interesó más el deporte. Era muy buena estudiante y saqué el único título que tengo: soy Técnica de Comercio Superior. A mi padre no le parecía importante que estudiara en la universidad. Quería que siguiera la carrera de comercio para luego poder dirigir sus negocios. Ese era su plan para mí, y en efecto, a los dieciséis años me puso al frente de su negocio: tenía a mi cargo veinte empleadas y llevaba la contabilidad del negocio. Esto duró tres años.

MGP: Signo evidente de que tu padre te consideraba capaz.

ALA: Pensaba que yo era su hijo varón. Me aburría mucho en Pereira, un día acepté la invitación de uno de mis tíos para ir a Barranquilla a celebrar los carnavales. Allí descubrí el mundo costeño, caribe de mi país. Así es como lo incorporé a mi adolescencia. Allí vivía al lado del mar y era una verdadera experiencia de independencia. Cuando mis padres se dieron cuenta, ya fue tarde; los sorprendí yéndome a Bogotá por mi cuenta, pero no tenía sino diecinueve años. Me matriculé entonces en la Universidad de los Andes en Filosofía y Letras. Esto causó un revuelo tremendo. Mi padre me insinuó que usaría a la policía para hacerme regresar a Pereira pues yo era menor de edad, y los padres tienen el privilegio de la "patria potestad". Una amiga que era una mujer política importante me defendió al principio y entonces me dejaron allí un año, pero luego me acusó una tía y otra gentecita de estar entregada a la bohemia. Pensaban que me estaba perdiendo pues ya había empezado a cantar en las fiestas de "gentes desconocidas". Mi padre, esta vez en serio, me amenazó con la famosa "patria potestad" y me obligó a volver. Entonces interrumpí mi carrera en la universidad, carrera que por otra parte nunca terminé. Allí hice Historia del Arte con Marta Traba. Luego me independicé económicamente, trabajé en varias compañías en Pereira y regresé a los Andes, ya "mayor de edad" para seguir con mis estudios de Historia del Arte y Letras, que hice aceleradamente.

MGP: ¿A qué se debía el apuro?

ALA: A que estaba como enloquecida por saber cosas. Nunca había podido aprender nada en ninguna parte, salvo en mis propios libros. Leía mucho sobre música y es lo único que mi padre aceptó y le llegó a gustar, incluso le sirvió de compañía cuando mi madre murió. Lo introduje a la música y le salvó el espíritu de tanto dolor. Por intermedio de la música pude explicarle acerca de mis otras necesidades, que no eran extrañas. Cuando le dije que me iba a Europa, no dijo ni fu ni fa. Es así como me voy a Europa con una guitarra japonesa sorda, inventando que era cantante, guitarrista. El pensaba que en cuanto se me acabara el dinero regresaría, pero ya han pasado veintiún años desde esa salida.

MGP: ¿Qué dijo tu madre de esta decisión tan audaz?

ALA: Ella era como una tumba egipcia. Su oposición a mi vida y a mis cosas fue el silencio total. Me incriminó violentamente con su gran silencio porque sabía que a mí no me podía combatir con la palabra; era inútil porque yo le ganaba. Traté de cambiar esta relación muchos años después, pero ella nunca aceptó. No creo que ella jamás haya leído nada de lo que yo escribí. Me confesó un día que no lo volvería a hacer: porque una vez, cuando intentó leer las primeras páginas de una de mis novelas, se identificó mucho con uno de los personajes, y por cierto que no andaba muy errada, y se asustó. Pensó que yo la iba a incriminar y tenía miedo de leer algún mensaje en mis libros. Evidentemente, optó una vez más por el silencio. Y ella tenía razón con respecto a los mensajes: hice muchos mensajes para mi familia pero como poco han leído mis libros, poco se han enterado.

MGP: ¿Mandabas a Colombia tus libros a medida que iban publicándose?

ALA: Sí. Al primero lo llevé yo misma a Colombia en el año setenta, cuando logré volver a raíz de una invitación de mi padre, siete años después. Me presenté con un librito en manuscrito, que se intitulaba *Los girasoles en invierno* y yo lo publiqué en Bogotá con ayuda financiera de mi madre.

MGP: ¿Hay mucha ambigüedad en esa actitud, verdad?

ALA: En efecto, pero nunca me comentó ni preguntó de qué se trataba. Yo sólo le devolví parte del dinero más tarde. Cada dos años más o menos mandaba un libro. Siempre se los dediqué a mis hermanos, a mi madre, a mi padre como pidiéndoles perdón.

MGP: ¿Por qué tenías que pedirles perdón?

ALA: Yo no sé. Como para pedir que me entendieran, como para que me oyeran, como para que me perdonaran ese desamor con que ellos me pagaban pues había un gran desafecto a mi vida, a lo que yo hacía, un tremendo desacuerdo entre ellos y yo. Por ejemplo, hoy en día mi hermano me dice que soy una señora pornográfica y obscena, que eso es lo que escribo. Me acusa de haber puesto a la familia en el fango. Yo no les pido perdón, pero en esos primeros momentos trataba de probarles que eso sí era válido, que mi trabajo era una proyección que tenía futuro, que tenía riqueza, que no iba a ganar dinero nunca, pero que les iba a dar algo a ellos. Hice un gesto de acercamiento. El amor que sentía por mi hermano me llevó a ofrecerle esa hermosa disección cruda, violenta de mi vida, de nuestra vidas, que es *Estaba la pájara pinta sentada en el verde limón.* Es una de las más tremendas torturas el haberla escrito porque me abrió muchos canales, y se la quería dedicar a mi hermano porque lo amaba muchísimo. Y así lo recibió: fue una verdadera sorpresa. El folklore que ha acompañado mi trabajo en Colombia ha producido un doble rechazo en mi familia. Mi hermana es la única que ha leído mis cosas. Ella me dice que yo maté a mi madre con todos los problemas, con lo que dice la prensa y por lo mal que de mí habla la gente.

MGP: ¿Qué piensas hoy de todo ese mundo colombiano, qué sentimiento surge cuando miras hacia tu país?

ALA: Creo que voy cruzando las muchísimas barreras del sonido que uno tiene que cruzar en la vida. Voy viendo como etapas bien recortadas los momentos de mi vida colombiana. Veo mi infancia como algo mágico, que es lo que utilizo en *La pájara pinta,* y sigue siendo así; eso me produce una savia interna que no se borrará jamás de mi ser. Por de pronto ha producido tres libros esa savia terrígena, esa adolescencia colombiana, ese color, ese calor, ese trópico, todo lo que fui entonces, todo ello parte de esa cosa ancestral que yo reverentemente considero como un ritual, el haber nacido esta vez en Latinoamérica, muy colombiana; me dio una vitalidad que produce una cantidad de choques emocionales y psicológicos que me anima mucho. Ha producido una dinámica y una estructura de mi personalidad que son definitivas. Luego salí a buscar esa otra parte de uno porque el espejo es inmensamente caleidoscópico y me encandilaba la cultura sin saber que existía. *Alicia en el país de las maravillas* fue mi espejo a romper, a atravesar, salir disparada a buscar a Alicia en su propia salsa. Yo tan sólo sabía que Alicia venía de Inglaterra.

LA HISTORIA DE LA DUEÑA DEL SOMBRERITO ROSA

Vio a la muchacha del traje blanco y el sombrerito rosa. Iba con caminar distraído y apenas la miró cuando le dijo: me gusta su traje. ¿Sabe dónde están todos?, me he perdido; fue su respuesta. ¿Quiénes...?, dijo Alicia, que no sabía quiénes eran todos. Es igual: voy a buscarlos, contestó la muchacha del sombrerito rosa. Era un atuendo muy extraño y sobre todo en esa época. Le gustaba mucho ese traje como de plata, con esos caireles flotando.

La siguió a través del parque. Ella miraba los árboles uno a uno y repetía luego de examinarlos: es muy extraño, tenían que estar aquí... es muy extraño; lo que llenó de curiosidad a Alicia, porque no le parecía nada raro que todos no estuvieran en un árbol. Ni en un baobab podrían estar. A lo mejor estarán allá, en aquel grande, insinuó, más por alentarla que por otra cosa. Es cierto, puede ser... dijo sonriéndole, y echó a correr intempestivamente en dirección del árbol que Alicia le señalaba.

[*Dos veces Alicia*]

MGP: También tu salida a Barranquilla te sirve para integrar esa apertura fundamental.

ALA: Me dirán que plagio a Gabo, pero yo..."llegué al mar." El problema es que todos hablamos como el Gabo de pronto, porque ésa es Colombia. Toda esa gente era diferente, pues allí las mujeres de mi edad hablaban inglés, habían viajado o estudiado en los Estados Unidos y eran liberadísimas; yo venía de la zona andina, de un convento, era religiosa profunda, una mística total, a tal punto que yo quería ser monja carmelita descalza como Teresa de Avila y Francisco de Asís. Son mis puntales hasta hoy. Los costeños desacralizan todo ritual. Iban a misa pero eso era más bien una cumbia. Por ellos yo también me desacralicé al aprender, al vivir y al absorber esa cultura.

MGP: ¿Esta devoción a los santos místicos y tu admiración por su vida está relacionada con tu educación en el colegio de las monjas franciscanas suizas, o viene de alguna otra parte, tal vez de tu abuela?

ALA: Todo lo desató la biblia de la abuela, lógico. Que si Santa Inés o Santa Cecilia o Santa Ursula o la mujer fuerte del evangelio. Que si los Macabeos. Historias espeluznantes y únicas en mi memoria literaria. Siguió el colegio de monjas franciscanas con una librería repleta de eso. Que San Tarcisio. Que si María Goretti. Que obligación leerlos. Que había que imitarlo porque si no uno no iba al cielo. O sea, pesadillas y sueños de heroína que no dejaron de brotar de mi cerebro cual estigma feroz y que no ha habido manera de borrar. Santa Lucía me libró de haber quedado con un ojo solo, a mis seis años, gracias a que ha sido siempre íntima de mi tía paterna. Francisco de Asís fue nuestro patrono y mi amor imposible. El canto del hermano sol y la hermana agua y la hermana hormiguita es una voz que me hace siempre regresar a huellas luminosas. Teresa de Avila es la más seductora. Cómo no caer en las redes de su audacia, su lucidez, su sentido de humor, y ese transverberado pulso de escritora. Habría que añadir a Juana de Arco, a Khrisna, al Che Guevara y a Mafalda.

MGP: ¿Cuándo empieza tu vocación musical?

ALA: A los cuatro años. Pero en la adolescencia comencé a pensar que tenía que ir a Rusia porque era desde allí que venían todos los músicos, según mis limitados conocimientos. Cuando quise ir a una academia a estudiar seriamente por consejo de una de las monjas, mi padre vetó la proposición porque no era posible que una niña fuera a una academia donde asistían hombres. Esto dio por tierra con mi carrera musical.

MGP: ¿Era la política o filosofía de tu padre que la presencia masculina debía estar totalmente excluida?

ALA: Totalmente.

MGP: Está claro que hay una serie de factores que te van alejando de tu casa y de tu gente.

ALA: Sí, me van alejando del lar paterno y de las normas cristianas, católicas, de "Viboral".

MGP: ¿Tus padres eran muy católicos?

ALA: A mi padre, que era indiferente, lo convertí yo a raíz de una promesa que hice cuando mi primera comunión. Después lo tomó muy en serio. En Colombia hay una cultura auténticamente cristiana. Creo que mi madre era, más que católica, profundamente cristiana. Y eso me ayudó a aclararme en mi vida; ese paso entre ser y no ser, entre creer...en fin, pasé por muchas etapas de educación religiosa hasta que encontré una vía media, personal, en la que volví a integrarme al mundo del espíritu en el cual creo profundamente. Creo en un cosmos ordenado: me fascina pensar en eso, saberlo, sentirlo, pues no me siento de carne y hueso nada más. Hay una gran parte de mi vida dedicada a esa búsqueda, lo cual ha alarmado a algunos amigos. Estas preocupaciones se ven en mi última literatura: es la búsqueda de la organización cósmica, que tanta gente ha hecho.

MGP: Creo que estás en muy buena compañía, ya que es una preocupación universal. Seguramente que la alarma se debe a que eres mujer, y como tal, no deberías preocuparte del cosmos, no es tu jurisdicción.

ALA: Eso puso también a mis padres en duda de mi estabilidad, aun cuando no cometí o tomé pasos extremos como viajar al Tibet y fijar allí mi residencia permanente. Creo en una verdad esencial.

MGP: Pero eres muy personal y muy persistente. Hay una claridad de conceptos en tu visión del mundo.

ALA: Soy tenaz.

MGP: Queda claro que no estás en la nebulosa, no hay desajuste, y que la acusación de que estás ocupada por la locura es inválida.

ALA: Yo no te hablo de cosas en el aire. Por ejemplo, cuando me gano el Premio de la Bienal Vivencias con *La pájara pinta sentada en el verde limón, El Espectador* de Bogotá encabeza la primera página a cuatro columnas: DESVIROLADA DE PEREIRA GANA BIENAL. Desvirolada quiere decir loca. A ese nivel es el mito de esta loca que soy yo, con un periódico como el que te indiqué. Lo que pasa es que les he roto los clichés de tal manera que están asustadísimos.

MGP: ¿Tu etapa de Bogotá es importante?

ALA: No es central pero destapa ese canal de conocimiento directo que resulta de entrar a la universidad, lo que me parecía un sueño.

MGP: Habías entrado en el mundo de la cultura.

ALA: Exacto. Iba a la biblioteca, oía a Marta Traba y empecé a salir con Gonzalo Arango, lo que me causó la excomunión del mundo entero y me puse medias negras como La Greco.

MGP: ¿Quién es Gonzalo Arango?

ALA: Es un ser muy hermoso que se llamó "El Profeta" y que inició el movimiento que en Colombia se llamó el Nadaísmo y se murió hace siete años en un accidente. Fue uno de los seres más iluminados que ha tenido Colombia, uno de los poetas más atrevidos y más destructores de mitos y de cánones. Cuando murió, de nuevo, *El Espectador* y *El Tiempo* utilizaron titulares como: DE LOCO A MISTICO. Así despidieron a Gonzalo. Así es Colombia. Gonzalo fue traducido en varios idiomas. En Colombia no hicieron sino vapulearlo. Es más, de Gonzalo sus propios contemporáneos poetas que habían inciado con él el Nadaísmo, dijeron diez años después que era un pobre loco y lo quemaron en efigie en Cali. Entonces se fue a vivir a una isla y allí vivió el resto de su vida.

MGP: Pero el Nadaísmo es la vanguardia del movimiento poético en Colombia.

ALA: Ha sido una de las vanguardias importantes de América Latina. Ese fue mi compañero y uno de los hombres más importantes de mi vida.

MGP: También estudiaste arte, como ya dijiste.

ALA: Era totalmente esclava de ese estudio, de esa fascinación que Marta Traba ejercía sobre todos, de ese catalizador, de ese magneto que sobre mí ejerció Marta. Yo fui algo así como su proyección, para ser la próxima crítica de arte en Colombia.

MGP: ¿Qué es lo que te enseñó Marta a ver y a buscar?

ALA: Es difícil decir. Me atraía el atrevimiento de Marta porque yo me reflejaba mucho en esta pequeña rebelión pueblerina que Marta manejaba con proyección nacional en su trabajo; no sólo de historia del arte sino de expansión de una cierta idea bastante más excitante que ir contra los padres. Marta hablaba contra Rojas Pinilla en la televisión colombiana sin que éste se enterara; ella hablaba de los grandes dictadores del medioevo y nunca nadie le dijo nada.

Yo la conozco muy joven y me encanta su devastador sentido del humor; Marta me enseña en una tónica de inteligencia el uso de esa otra espada toledana que es la ironía, el humor, el refinamiento en atajar mandobles, que Marta atajó siempre muy bien. Teníamos temperamentos muy diferentes. Me enseñó a analizar.

Marta era tenaz y me sumé a esa tenacidad. No aflojaba. Le dio duro a ciertas partes de la vida, no solamente las borrascas políticas de un hombre que la quiso sacar del país por motivos equis.

MGP: En el ámbito del arte, ¿fue muy importante para vos?

ALA: El tono de Marta me llevó a estudiar ocho años esa materia.

MGP: ¿Qué has hecho con todo eso?

ALA: Nada. Lo tengo para mí. Marta quiso tanto que yo fuera historiadora y crítica de arte que cuando me fui a Europa y empecé a no serlo y a ser una andariega feroz e ir por el mundo con una guitarra, se decepcionó mucho. Y me reclamaba la falta. Un día en París ella descubrió unas hojas de la novela que yo estaba escribiendo, y no le gustó la idea de que me volviera escritora. Yo escribí crítica de arte por cuatro años o cinco y mandé a Colombia mucho. Hice un libro de ensayo sobre arte. Eso es lo único que me ayudó a sostenerme en un momento muy crucial.

MGP: Esa tarea crítica te prepara para tu obra posterior, ¿verdad?

ALA: Sí. Profundamente, en el fondo, la gente de mi signo produce eso. Somos unos seres analíticos. Entonces el análisis ya se me daba mucho. Estaba escrito en el horóscopo: Virgo. Me publica algunas cosas *La Nueva Prensa* de Alberto Zalamea, el primer marido de Marta, que me elogia el trabajo.

MGP: ¿Y *Nueva Prensa* es qué exactamente?

ALA: Es como el *New York Times,* una revista política espléndida de los años cincuenta y principios de los sesenta. Tenía secciones de Arte, Literatura, Cine y Política. Yo mandaba entrevistas con los pintores colombianos en Europa y comentarios sobre todas las bienales en Venecia, París, Alemania o donde tuvieran lugar. Pero me fue atosigando esa dialéctica académica. El único que me fascinó fue el crítico de arte Argan en Italia y me iluminó enormemente, pero me lo desbarata Baeza Flores, pues me sigue insistiendo que yo debo escribir.

MGP: ¿Quién es Baeza Flores?

ALA: Un chileno casado con una cubana, muy amigo de Néstor Almendros, al que conozco en esa época, y de Julio Hernández, un pintor cubano, gente que luego aparece en la historia de América Latina como quienes son, exiliados cubanos. Elsa Baeza, su hija, es una cantante muy importante en el ambiente musical de España. Es una época que tengo muy marcada, de ese conflicto del cubano que se va a Europa y luego siente que tiene que volver. Conocí también a la actriz Myriam Acevedo. Viví con horror esa dicotomía del artista cubano que se fue de su patria. Ahí entró Baeza que viviendo en Cuba, no está de acuerdo con el paredón de Castro, postura muy precoz, y sale del país. Ese es el hombre que me impulsa a escribir. Dos años después empiezo mi primera novela.

MGP: ¿Habías escrito algo antes?

ALA: A los 18 años escribo unos cuentos, pero empiezo

verdaderamente cuando trabajo con la primera novela, *Los girasoles en invierno*. En 1964, tengo 25 años cuando la termino. Para mí la escritura es experiencia de vida, no como escritora que llega a la montaña. Yo hago un acto de vida más, y eso es *Los girasoles en invierno*.

MGP: ¿Por qué se titula así?

ALA: Porque hace un frío horrible en París. Se llama así porque alguien una vez me comparó con los girasoles, siempre buscando la luz y el sol en aquel París tan frío. Es el cuento de un terrible frío en París, de un terrible invierno en donde yo canto en las calles o en La Candelaria, en el Barrio Latino, o canto para los españoles exiliados, los obreros en los domingos en Banlieue, canto sin parar para poder sobrevivir porque en París sí fue sobrevivir. La sobrevivencia más tenaz, más dura, más larga, más tensa para mí ha sido la de París.

MGP: ¿Por qué París es tan tremendo, a diferencia de Londres o de Roma?

ALA: Porque, como decía Fernando González, un gran escritor colombiano, en París el aura es tan oscura que no se ve a Dios. París es una ciudad terrible para mí, creo que siempre lo será. Sin Dios, sin alma, descarnada. Dura. Tiene la belleza más endemoniada, más maldita y más atrayente, es un purgante con afrodisíaco. Más terriblemente castigadora que cualquier otra ciudad, es como Nueva York. Sin alma. París tiene muchísimo más fantasía, más belleza, más embrujo. Nueva York es como un Eiffel, un engranaje del siglo XXI, no les importa el ser humano ni hay medida para él. París está diseñado para poetas, para soñadores, para gente de una gran sensibilidad, de una belleza plástica que representa toda la ciudad, pero ésa es la gran trampa de París; uno se muere comiendo el veneno del francés arrogante, muy chauvinista, agresivo, aunque se les ha bajado un tono después de la guerra. Me fue muy mal. Pero yo tenía que hacer esa escuela y a los 25 años uno aguanta cualquier cosa, pues ni siquiera veía qué estaba pasando. Ahora lo veo de lejos y no me asusta, pero cuando lo vivía era tan intenso que yo me acuerdo de días de estar paralizada.

MGP: ¿No hablabas francés?

ALA: No. Y eso también fue terrible.

MGP: En esa vida de transhumante que haces en París, ¿cuándo te das tiempo para escribir?

ALA: Escribo como una obsesionada. Escribo siete veces *Los girasoles en invierno.* Llego a mi casa a las cuatro o cinco de la mañana, junto con los barrenderos, después de comer nuestra sopa de cebolla en Les Halles, donde comen los músicos. En vez de dormir, escribía, muy alucinada, rapidísimamente unas cosas y unas notas muy vitales, que a las 4 de la tarde, cuando abría el ojo, reescribía hasta las siete de la noche, hora en que me iba de nuevo a cantar. Yo no cantaba como estrella, sino rellenando huecos. La aventura fue completa y no podía retirarme de ella porque fuera dura. Había llegado al invierno de París con ropa de clima tropical, por eso me acuerdo del frío tan intenso. Aguanté hasta el verano siguiente, y siempre viajé los veranos porque sabía que podía dormir en un parque en caso de no encontrar dónde dormir. Cada año me iba a aprender un país diferente, a aprender su idioma, ver su paisaje y porque la policía no me dejaba estar como turista tanto tiempo y había que salir. En Inglaterra empecé a escribir *Dos veces Alicia* y la séptima versión de *Los girasoles en invierno.* Me iluminaron mucho los Beatles, los Rolling Stones y el centenario de *Alice in Wonderland, Through the Looking Glass.* Londres estaba toda decorada con los motivos de Lewis Carroll. Alicia se me fue metiendo y terminó ella escribiéndola, pero no la escribí toda allí. Escribí 60 páginas pero las viví todas y luego la rehice en Roma con todo lo que había vivido. La conté tanto a mis amigos que la querían pintar, o ilustrar, entonces la tuve que escribir. La convertí en lo que se puede llamar novela. Carlos Barral la publica pero dice que no sabe cómo llamar ese trabajo, que es lo que dicen de *Las andariegas* y de *Misiá señora.* Después viajé por Viena, estuve en Praga dos semanas antes de la invasión rusa y sentía ese ahogo.

MGP: ¿Cuándo se publican esos textos entonces?

ALA: Cuando voy a Colombia en 1970. Queda finalista de

un premio que luego se declaró desierto, a pesar de salir finalistas Zapata Olivella y Mejía Vallejo, una pereirana, que soy yo, y un coronel del ejército, Valencia Tovar, que escribe un libro sobre guerrillas. A ése sí le hacen mucho bombo, y luego lo publican. Con ese premio fallido tengo mucha publicidad. Al salir *Los girasoles en invierno* tengo casi terminada *Dos veces Alicia.* Se la mando por correo a Carlos Barral y ocho meses después aparezco en España porque resuelvo ir allí. Carlos Barral me dice que todavía no la ha leído. Luego me pide que vaya a verlo y me hace un contrato. Yo quedé muy asustada cuando además me pagan. Ha sido mi único editor en Europa. Luego publicó mis otros libros. En Colombia, mi editora es Gloria Zea, que trabajaba en Colcultura, que publica *La pájara pinta,* ganadora del Premio *Vivencias.* Nueve meses después no hay quien edite mi libro.

MGP: ¿Parte del premio no era la edición de la novela, como es la costumbre en estos casos?

ALA: Por supuesto, pero me dicen que no encuentran quien haga la edición porque fue un premio muy discutido. Alvaro Mutis fue uno de los miembros del jurado y apoyó la novela, pero el resto, cuyo voto había sido unánime, cuando yo llegué a Colombia, parecía que habían dicho que no. Los rumores eran tales que parecía que yo me había ganado el premio porque era la amiga de García Márquez, entonces nunca encontré editor hasta que Gloria Zea, Directora de Colcultura, le ofrece a *Vivencias* la edición en su colección popular, en 1975. Cuando le ofrezco dos o tres años después mis cuentos, *¡oh gloria inmarcesible!* Gloria los publica, lo que le produce varios dolores de cabeza. La sacan de Colcultura con ese caballo de Troya. Dicen que mis cuentos son pornografía y que ella por extensión la está patrocinando.

MGP: ¿Qué distribución y qué destino suerte tuvo *Dos veces Alicia*?

ALA: Tuvo una edición de mil ejemplares de Carlos Barral. Y tantos años después yo sigo comprando ejemplares para regalar. A Carlos le pasan esas cosas y a mí también.

Alberto Custé, un argentino, vende de "contrabando" *Dos veces Alicia* a Círculo de Lectores y se venden 26 mil ejemplares de ese libro. Nunca más se volvió a reditar.

MGP: ¿Por qué crees que pasa eso con tus libros?

ALA: Creo que le pasa a mucha gente y yo soy una de tantas.

MGP: ¿Te has ocupado de promover tus libros?

ALA: Sí. *Los girasoles en invierno:* le regalé doscientos ejemplares al Profeta, a Gonzalo Arango. Creo que él los distribuyó bien, estoy segura. Dejé otros ejemplares en *Tercer mundo,* que era, en parte, de Belisario Betancour. *Dos veces Alicia* fue distribuida por Carlos Barral. Pero se vendió poco. *La pájara pinta* también tiene una historia larga y muy complicada. Tiene cuatro ediciones: la primera, de Colcultura, que es muy buena, con diez mil ejemplares. Se vendió y agotó en 15 días en Colombia. La de Seix Barral, que fue abortada a pesar de tener listas y revisadas las galeras, la de Plaza y Janés, que la sacan de la circulación a los dos meses, en Colombia, alegando que al público "no le interesa" y finalmente, la de Carlos Barral en Argos Vergara.

MGP: ¿Para qué escribes?

ALA: Descubrí que me encantaba transmitir cantando, y fui escribiendo por el trabajo en sí, por todas esas armas que tuve que tirar. Yo iba muy armada por la vida porque me estaba defendiendo mucho de cantidades de cosas, y así me puse frente la vida: a codazos. Gabo dice que escribe para que sus amigos lo quieran. A mí me ha pasado lo contrario, los he alejado a algunos. Uno de ellos me insultó públicamente en Bogotá porque le había dedicado uno de mis cuentos y por tomarle el pelo de esa manera. Entonces eso no es para mí muy importante. Me quiero transmitir a mí misma toda la tarea hermosísima de la escritura, de vida, de experiencia de goce y de dolor, porque es desgarrante a veces. Pasas momentos en que se te va el alma, la sangre, la vida por una página, por un capítulo, por cinco, por un pensar que vas a escribir y no escribes. Eso no se sabe. Es una tarea de vida. Es gran goce por un párrafo y es dolor por lo que acabas de contar. Mi proyección de mi trabajo literario es que si yo fui capaz de aguantar esa tensión de escribirlo, me gustaría que otra gente que no sé quién es, pues no tiene cara mi público, lo experimentara también. Mi primer libro tuvo una cara, o dos o tres, el segundo tuvo un poco más, veía a cierta gente cuando escribía capítulos. Después no; *La pájara pinta* se me volvió una proyección enorme, se me volvió Colombia. Yo quería contarle eso a cualquier colombiano de cualquier edad y de cualquier momento.

MGP: Hay gran diferencia entre los dos primeros libros y *La pájara pinta.*

ALA: Hay diferencia de edad porque iba creciendo. Al comienzo es un primer juego. Es un ensayo, es un intento, es un ver qué pasa más allá del espejo. Alicia, cuando ya crucé el espejo, ya se me proyectó la verdadera imagen. Mi infancia. Ahí empecé a mirar de verdad quién soy yo y veo la primera imagen: es una niña de seis años cuando cruzo ese espejo. Ya no es un juego, ya sé qué tengo que contar.

MGP: Hablemos ahora de *La pájara pinta.* Cuando eras chica tú viviste el período que en la historia de Colombia se conoce con el nombre de "La Violencia". ¿Te acuerdas de esos años?

ALA: Perfecto. Es mi primera memoria y es la más vívida y más constante; hasta que no escribí el libro, no dejé de tener esos sueños y extrañas pesadillas con Colombia en París. Viví "La Violencia" como cuento en *La pájara pinta,* a los siete años. Vi matar a un hombre en frente de mi casa. Y veo la sangre, los palos, los incendios; asisto a la muerte de Gaitán en un pueblito muy pequeño oyendo la radio y en mi imaginación, viendo las cabezas de los godos, como decía la radio, colgadas de las farolas; veía la procesión de tipos con antorchas, los papeles que caen del Palacio de Gobernación y se transforman en piras, gran fuego en la plaza de Bolívar, un hombre que dispara a otro. Y eso que es un pueblo pequeño. Sigue con otros incidentes, con la radio y los periódicos y lo que cuentan los campesinos, y lo que le pasó al señor de la esquina, al mayordomo; lo que le pasó a su hermana, cada uno sufre en carne propia, y no eran cuentos, ya era la gente de mi casa, de mi pueblo, de mi esquina y del mayordomo, porque a la gente pobre, miserable, sin nada, fue a la que atacó esa primera plaga de La Violencia. Fueron los que pagaron con más furor esa avidez de sangre, esa venganza política que hubo en Colombia; después la agresión se da vuelta y años después empieza a sufrir la gente rica por primera vez ese desplazamiento, ese asesinato. Pero eso se demora. Primero es la gentecita que va en el bus con sus gallinas y sus niños y mueren ellos y las gallinas también. El asesino bandolero, como le llamaban, no dejaba vivas ni las gallinas. Y a mí me asusta decírtelo ahora porque todavía estoy pensando en las gallinas descuartizadas. Eso era lo que contaban los periódicos, hasta eso atravesaban esos tipos con la punta de sus machetes; cuentan cómo a la mujer la violan primero ante todo; no hay ninguna regla, pero la única que sí es válida es que a las mujeres hay que violarlas, tengan siete años o setenta. Esa es la ley; no les importó si las mujeres eran liberales o conservadoras, se las pasaba a todas por el filo y si estaban encintas se las abría, se les sacaba el feto y se les descuartizaba el feto. La Violencia de mi país, a mí, como mujer, como niña, como adolescente, mi hizo trepidar treinta veces más el alma, las tripas y el corazón porque yo oía y leía que a las mujeres les hacían esas cosas. A los hombres, se les cortaban los genitales. A las niñas se les hacían cosas tan tremendas que son innombrables, actos de violencia sexual que el hombre de Colombia, el soldado, el bandido, cualquiera, cometía con la mujer. El crimen mayor de La Violencia ha sido la violencia sexual que tuvo que sufrir la mujer colombiana, cualquiera fuera su color político o su edad.

MGP: Tu novela se conecta directamente con todas esas novelas que han tratado de hablar del horror de la violencia humana cometida en Chile, en la Argentina, que apuntala una realidad que el resto de América Latina no había verdaderamente enfrentado, y en especial, esa violencia tremenda con la mujer.

ALA: Una amiga quiere ayudarme en Barcelona, por encima de mi agente literario, y quiere traer esta novela a Estados Unidos, y se la da a leer a una argentina, que la lee como lectora oficial y ésta le dice: "A quién le va a interesar un libro de éstos si todo el mundo está cansado de oír estos cuentos en América Latina." Esta amiga, que es francesa y no sabe gran cosa, en total, no la trae. *La pájara pinta* sale un poco antes que *El libro de Manuel* de Cortázar. Después se dijo que yo plagiaba a Cortázar y a García Márquez. *El libro de Manuel* tiene unos recortes; sin haber leído el texto de Cortázar, yo pongo los recortes porque es vital para la escritura del libro, tipografía que en la edición de Plaza y Janés no se puede distinguir. Cuando yo hice el libro, no había salido esta serie de libros-testimonios. El primer libro que me anima a mi proyecto que ya está empezado es *País portátil,* al que le hago un homenaje en *La pájara pinta,* a pesar de que el homenaje a González León resulta algo anacrónico.

MGP: ¿Por qué es anacrónico?

ALA: Porque mi libro se termina en el año 1968, y *País portátil* se publica en el 1969 or 1970. Pero yo estaba escribiendo en los setenta. El libro se termina con la muerte del Che y de Camilo, pues para mí, la crónica histórica de Colombia en *La pájara pinta* se redondea en la muerte del Che y de Camilo Torres.

MGP: ¿Cuando lo terminaste de escribir?

ALA: En el 1975.

MGP: ¿Cuál es el proyecto que tienes para esta novela cuando la comienzas a trabajar?

ALA: Es un proyecto que no tiene ninguna ambición cuando comienza: contar mi infancia. Recuerdo que Faulkner decía que había que contar las cosas con 20 años de distancia. Entonces ya era tiempo de contar mi infancia. Empiezo contando un proyecto divertido de una niña en un convento de monjas franciscanas y toda esa adolescencia divertida: entonces se me atraviesa como primer recuerdo la muerte de mi compañerita que la mata un tranvía, y yo la tengo que llevar en hombros al cementerio y no puedo quitarme esa imagen. Sigo más allá de la muerte de Julieta, y me encuentro que está el 9 de abril y que siguen los muertos, y sigo contando las monjas y siguen los muertos. Paro la novela y me digo que no puedo contar mi vida llena de violencia y de muertos. Yo soy una niña en una cajita de cristal, protegida, y eso lo tengo que contar. Después de cien páginas me voy a Colombia para recoger el material del dolor. La gente no quiere hablar. Le hablo del 9 de abril y la gente de la calle me mira como si fuera un policía; hace 25 años que esto pasó y la gente no quiere hablar. Saco las fotocopias que puedo de los periódicos, material histórico no hay mucho pero recurro al libro *"La violencia en Colombia"* que yo ya tenía en Europa. La investigación se me convierte en esa memoria. Vuelvo a Barcelona cargada de material. Allí comienza la ambición pero es más bien una visión de lo que tengo que escribir: esta historia tiene que integrar los nombres y apellidos de cierta gente, las voces de los guerrilleros porque no soy guerrillera, las de los pobres que tienen que hablar por sí mismos, tengo que dar voz a cada grupo. Allí empiezo a trabajar con las crónicas directamente. La radio es inventada porque la memoria mía es fija; me acuerdo hasta de los megaciclos de la radio, etc. Me demoro un año proyectando, armando, escribiendo notas; voy ordenando en la memoria mi historia personal y la voy acomodando al momento histórico. Cubro, rodeo cada acontecimiento y empiezo a tejer. Fue una sensación de que estaba en control de mi proyecto, con pulso firme, sin dejarme apabullar por ser mujer y por lo tanto no poder hablar de política. Hablo de la política colombiana, de la historia de mi patria, pero contado desde fuera.

MGP: Me parece que también estás contando desde adentro al hacer entrar las voces de las muchachas.

ALA: Las voces desde afuera son las voces de los guerrilleros, etc.; es una novela histórica. Todas las transcripciones están entre comillas o en bastardillas.

MGP: Yo interpreté esos fragmentos como cambio de voces, o como marca de los diferentes parlamentos.

ALA: Cuando hablan testigos no hago ninguna referencia que no tenga comillas. No quise hacer notas al margen porque no es un ensayo. Pero es historia.

MGP: La incorporación de tan variado material ha generado un texto bastante denso.

ALA: Lo que se proyectó como ambición en un momento dado fue la parte técnica. Allí crece en mí el espíritu total de escritora. Yo creo que ahí me doy cuenta que todas las lecturas de mi vida me van a tener que servir, no puedo hacer un panfleto. Yo sé que estoy haciendo un testimonio político y que estos escritos en América Latina tienden a panfletos. Yo no pertenezco a ningún partido en ese momento ni ahora, no estoy llevando banderas de nadie; yo estoy diciendo lo que creo que es mi verdad y tratando de hacer un análisis muy objetivo de una realidad vista por una mujer que ya se cree bastante madura para testimoniar esa parte de la historia. Digo que soy mujer y que tengo derecho a pensar, a opinar y escribir.

MGP: Sin duda que *La pájara pinta* pertenence a un cuerpo literario que ha ido creciendo en los últimos años debido a los acontecimientos políticos que han tenido lugar en nuestros países. Lo que me sorprende es que haya quedado por tanto tiempo tan marginada esta novela, que yo, por ejemplo, descubrí por casualidad. Acaso es el único texto de los tuyos que es el "no marginado."

ALA: No puedo responderte a eso porque creo que yo ya lo he resuelto. Con el poco eco que tuvieron mis libros anteriores, *La pájara pinta* da en el blanco al ser premiada en mi país y mejor me hubiera valido colgarme una piedra al cuello pues se volvió en reversa. Me dio mucha popularidad en el pueblo colombiano que no sabía y sigue sin saber muy bien quién es Albalucía Angel. Pero me conocen ahora como "la pájara pinta". Esa es una de las satisfacciones que me ha dado esa novela.

MGP: Pasemos ahora a hablar de *Misiá señora,* que es tu otra gran novela. ¿Cómo la caracterizarías?

ALA: *Misiá señora* es mi abuela grande, mi abuela Virgo, la que leía en secreto. Su historia antiquísima de fines del siglo diecinueve con esos nueve hijos y los otros nueve hijos que no son de ella. Misiá señora es mi madre, aquella secreta, aquella extraña, difícil, la del silencio; Misiá señora soy yo, camuflada, encubierta. Es también mi bisabuela que pierde la memoria a los 55 años y vive hasta los ochenta como una flor japonesa, allá en Pereira. Con ese paisaje y con todo el sabor tropical que implica el trabajo de lenguaje, es la vida de cuatro mujeres que tienen el mismo nombre. Se llaman Mariana. Hasta ahora nadie ha descubierto que son cuatro. Esta novela tuvo promoción y la crítica se ocupó de ella. Pero antes de que Carlos Barral la editara, fue rechazada por 14 editoriales y muy mal comentada por los hombres que hicieron los informes editoriales. Dicen que es un exabrupto, un ataque frontal a la masculinidad del hombre. Cuando pasa las barreras, la leen sobre todo críticos y Ana María Moix, que la califican como el anti-panfleto. La han leído con interés. El personaje, que en realidad, son cuatro, comienza su historia en 1970 y acaba en el siglo diecinueve. Nadie la ha leído como los espejos profundos al revés.

MGP: ¿Qué has tratado de hacer con esa novela tan complicada y tan densa?

ALA: Trato de hacer lo que dice Faulkner en cuanto a la distancia de veinte años de aprendizaje de ser mujer. Yo aprendí más o menos a los veinticinco años a ser mujer en serio, cuando rompí moldes porque sentía que tenía que ser otra cosa, entonces ya en el camino, cuando se fueron arreglando las cargas, proyectando esos veinte años de diferencia, me di cuenta de que podía contar la historia de cómo aprendí a ser mujer. En *La pájara pinta* está en embrión la muchacha que se desencadena, que se sale de su jaulita dorada, que proyecta la libertad aunque sea de sonido, y de esa otra que muere asesinada por la policía, que es valiente, que es mujer liberada y que sueña con la justicia y la reivindicación. A los treinta y cinco ya sabía qué era eso, así que ya no me proyecto sino que me dibujo y empieza la saga pereirana de las mujeres que sigue siendo la saga colombiana y que me atrevería a decir que es la saga de casi todas las mujeres de América Latina. Es como una guayaba grande madura, que está al alcance de mi mano. Soy yo, es mi identidad, es mi realización, es mi integración en el mundo de ser mujer en cualquier idioma y en cualquier parte, pero sé que es para Latinoamérica porque es mi raíz, es mi útero. Es una forma de decirte que ésa es una vibración que nace, tranquilamente. Se me convierte la novela en el *maremagnum* más espantoso y también el sufrimiento y en la pesadilla y en eso que se convierten todas mis cosas al final. Cuando creo que ya estoy tranquila y que puedo proyectar—nunca se me descompone mi imagen de identidad ni esta guayaba tan hermosa y madura—, permanece el sufrimiento de transcribirlo por fin, de lograrlo. *Misiá señora* es muy fascinante como prueba literaria. Es uno de los grandes retos y por eso el lenguaje y la forma. Sufro menos que con *La pájara pinta.* Viví en una especie de isla cuatro años encerrada. Me aislo: cerca de Arezzo en un convento-albergo de peregrinos y en Cadaqués. Vivo maravillada con el reto del lenguaje. Pero lo que es la historia, la verdadera palpitación es la que se me vuelve un río de sangre de nuevo. Cuento la historia de frente. Gabriela Mora es la que leyó el manuscrito por primera vez. Comenta que esta novela toca zonas difíciles, prohibidas y tabúes: la parte erótica de la mujer junto al lenguaje osado, masculinizado cuando habla el hombre. Creo que planteo la sexualidad de la mujer de otra forma, con lo cual me adhiero a tantas otras mujeres que lo han puesto en esa forma, pero no a la manera de Erica Jong, que se proyecta prácticamente como si fuera un hombre. Yo quiero proyectarme con una experiencia de identidad propia.

La "categoría" de libro pornográfico, sin embargo, no la lleva *Misiá señora,* pues no se ha leído en Colombia todavía. Ese mote fue la reacción al libro de cuentos *¡Oh gloria inmarcesible!* que tiene un lenguaje de hombre, lenguaje de hombre-macho, el lenguaje que usan los hombres para hablar de las mujeres es el que allí trabajo. Es obvio que ese libro se leyó superficialmente. No se vio el lenguaje utilizado, desplegado allí como lenguaje crítico.

MGP: ¿Es *Misiá señora* más importante como texto para vos que *La pájara pinta*?

ALA: No la he vuelto a leer. La he leído por pedacitos, pero me inquieta a veces pensar en la reacción del lector o lectora; el público va a ser, en su mayor parte, femenino parece, pues la reacción del crítico lector o sea el que "aconseja" al editor, insinuó que a ningún hombre le iba a interesar.

MGP: Es curioso que haya ese tipo de rechazo unilateral. Cuando tu compatriota Moreno Durán publica sus novelas misógenas, todas ellas gozan de gran venta, y al hombre se lo conoce muy bien. Cuando los hombres ofenden al público femenino, ¿entonces sí interesa?

ALA: Sin comentario al margen. Quiero muchas respuestas del público, en especial del femenino, hacia *Misiá señora.* Estoy insegura, pues quién sabe si es tan buena como yo quiero que sea, tan eficaz, tan bien escrita. Yo le puse todo lo que tenía, pero será siempre un interrogante si está tan bien hecha como yo lo deseaba. Por eso es muy importante la reacción del público lector. Esta es una novela de mi madurez, de una identidad lograda.

MGP: ¿Dónde encuentras, en tu vida andariega, ambiente más propicio para trabajar en tu narrativa?

ALA: Cuando tengo algo que escribir, me voy a Cadaqués, donde sólo hay tramontana. Cuando estaban Gala y Dalí, me iba a caminar cerca de la casa de ellos, porque siempre proyectaban al aire un concierto barroco a las 5 de la tarde todos los días; era una música que hacía retumbar toda la montaña. Eso no lo volveré a encontrar. Cadaqués es magia, embrujo, lleno de energía; allí fueron a dar muchísimos poetas, los grandes pintores, los Bretons, los Eluards, los Duchamps, los que quieras. Allí la creación era violenta a pesar de haber sido acosada por los vecinos de mi casa que me tiraban piedras a la ventana. Parecía que les daba rabia que yo estuviera allí. Que anduviera tan contenta y tan en mi moto amarilla. Tan libre. Me llamaban la extranjera. Fui porque era uno de los lugares más baratos que había pero también descubrí que me era fundamental ese pueblo para escribir.

MGP: ¿Ahí también escribiste *Las andariegas*?

ALA: No, la escribí en Londres, durante dos años. Estoy viviendo al lado de un bosque y mis paseos por allí son diferentes a mis paseos por el mar en Cadaqués. Por primera vez, me toma un año escribir sólo cien páginas. Y es constante la escritura de esas cien páginas.

MGP: Hay muchos cambios con *Las andariegas:* se acaba la historia de Colombia, la historia familiar, y te largas por otro camino de la escritura, que te aleja del género novelesco.

ALA: Hay cambio de género, de forma, de lenguaje. También en medio de la escritura de *"Misiá señora,"* surge un libro de poemas que se titula *La gata sin botas.* Me sentía como poseída por las imágenes, posesa, como diría Alejandra Pizarnik. Terminando *Misiá señora,* me siguió acechando ese texto poético y en Nueva York hice otro libro de poemas, *Cantos y encantamientos de la lluvia* puede ser el nombre un día, no sé bien todavía. La poesía surgió después de *Misiá señora.* No puedo escribir más novelas o cuentos. *Las andariegas* son parábolas. Surge cuando leo a Monique Wittig, *Les guérrillères* y me encuentro con un reto, una iluminación espléndida que de la noche a la mañana surge y hago un diálogo con sus guerrilleras y mis andariegas, diálogo que se va distanciando pero que no se corta. No son opuestos sino que se entrecruzan y son un eco.

MGP: En vez de guerrilleras, son unas mujeres hermosísimas, cubiertas de trajes y ornamentos, que encuentran en su camino hombres con armaduras.

ALA: Van caminando detrás de ellas mismas y se van mimetizando con el momento, van recorriendo la historia. Cuando las ves, están vestidas a la manera de lo que están viviendo. Ellas llegan con esas armaduras de cristal, como de luna, vienen de las galaxias, del sol. Ellas no saben nada de la historia y van mirando. Van interpretando de otra manera la historia porque nunca han visto lo que tienen ante sus ojos. Es así como demitifico, desacralizo, reinvento y renuevo para contar con otra voz, la versión de las que asistieron a la historia de otra manera. Es un canto a tantos niveles y voces que, por fin, llego.

Descendieron prendidas la una de la otra. Parecía una cadena de acero rutilante, brilloso con el sol que era de mediodía y de verano. Parecían bucaneras al asalto. Vorá-

gines, cristales, vientos abrasadores
Azogue, parecían
Armaduras y espadas de cristal. La cadena bajaba de la nave como guirnalda de violetas y acacias y anémonas y rosas y lirios de los valles cruzando el aire gráciles como hojitas de bosques en otoño. Como gitanas, descendían. Como filibusteras sin batallas ni gritos de victoria.

El sol pegaba fuerte como queriendo calcinarlas. La tierra abajo, las esperaba, alerta. Las oía desembarcar con sus cantares y sus risas pues parecían una pandilla de gamines descubriendo un panal. O descubriendo mariposas. O buscando un tesoro.

La tierra sabia antigua lujuriosa voraz, las esperaba

[*Las andariegas*]

Allí termina para mí una parte de mi escritura que me da luego dos piezas de teatro, proyecto que se transforma luego en una trilogía. *La manzana de piedra* y *Siete lunas y un espejo*. Me gusta mucho el teatro.

MGP: ¿Tienen conexión con alguno de tus textos anteriores?

ALA: Una de estas piezas de teatro es otra vez *Misiá señora: La manzana de piedra*. Es una proyección que transcribo a teatro. La otra son juegos de muchos personajes de la historia. Varios de ellos se encuentran: Juana de Arco, Julieta, George Sand, Alicia, Marie Antoinette, en una situación muy divertida, manejada con ironía y con humor; también estoy preparando un libro de conversaciones con escritoras latinoamericanas en un tono muy íntimo. He recorrido Latinoámerica descubriendo mujeres, su obra, qué escriben en secreto. Al terminar ese proyecto creo que voy a dar una caminata por el mundo con mi cámara de cine.

MGP: ¿No tienes ningún proyecto de escritura, aparte de la tercera pieza que ya mencionaste?

ALA: No por ahora.

MGP: La formación literaria de una escritora comienza generalmente cuando es muy joven, y ciertas lecturas tienden a impactar fuertemente la imaginación que está en su período de formación. ¿Cúales han sido esas lecturas importantes en tu caso, además de *Las mil y una noches* y la Biblia, que ya mencionaste?

ALA: Leí todos los cuentos de hadas y los cuentos de Callejas, pero esto no deja huella. Mi pasión fue Salgari, Julio Verne, Tarzán y Agatha Christie. Los *Leoplán* y los *Cuéntame*. Mi aproximación a la novela de amor fue Corín Tellado. *Cumbres borrascosas,* que ya te mencioné, y *El árabe*. A los 14 años comienzo con la literatura erótica.

MGP: ¿Y entre las lecturas que te impactan mucho?

ALA: Salgari y Verne. Mark Twain y Dickens. Mi personaje preferido era Tom Sawyer.

MGP: Todas hemos leído los mismos libros.

ALA: Alcott, Rocambole que era de adultos, pero mi padre me regaló toda la colección. En las clases de costura yo hice un trato con la monja que nos cuidaba. Ella me hacía los bordados y yo leía en voz alta. Leímos Delly. Luego descubrí Poe. En una librería encuentro por casualidad a Poe y Wilde. Luego llegó *Madame Bovary*. Empecé a leer una serie de teatro argentina que editaba teatro universal. Empiezo a leer a Güiraldes, Icaza, *Martín Fierro,* y la literatura del Sur. Leo autores japoneses. Cuando tengo 18 años descubro a los americanos: Kerouac, Ginsberg y después a Sagan: *Bonjour Tristesse,* y entonces supe que una mujer escribe. Muy importante saber que había una mujer escritora y de mi edad casi. Siguen Borges, y los libros de Sur y teatro americano. Luego entro en Faulkner, Dos Passos, T. Williams, O'Neill, Carson McCullers, y la literatura del sur americano. A los veinte me están electrizando L. Durrell, Kafka, Henry Miller, Bradbury, Saroyan.

MGP: ¿Qué fue lo más importante?

ALA: Kazantzakis que rehace la historia de Cristo, y veo la reinvención. Me doy cuenta de la real invención de un mito como Cristo o Francisco de Asís. A los otros los leía por el ambiente, por la atmósfera, por el elemento autobiográfico. Cuando estoy en la universidad leo *El segundo sexo* que fue la apertura hacia el ser mujer. No ya la joven que era Sagan. Leo a Sartre que fue importante para los Nadaístas, pero no lo entendía muy bien. Yo no milito porque era muy joven, pero estoy con ellos por Gonzalo Arango. En la universidad, cuando estudio letras, empiezo a leer con orden. Andrés Holguín es director de Humanidades y leo los clásicos griegos. Mi estrella fue *Amadís de Gaula,* que había leído en versión para niños, luego descubrí Ana María Matute, García Ponce, los Goytisolo, Carmen Laforet. Luego Rimbaud y Eluard. En mis viajes a Barranquilla antes del 60, me encuentro a los "alumnos" de "La cueva", me encuentro a los iluminados por Alvaro Cepeda Samudio. Los "alumnos" de "La cueva" leen a Joyce. Pero yo prefería el Borges de *Ficciones* y de *El aleph,* y los escritores de la "Beat Generation." Descubro los rusos y los clásicos. Ya a los veinte me encuentro al fin a Alvaro Cepeda y voy a "La cueva"; tal vez fui la única mujer que dejaron entrar allí, hasta ese momento.

MGP: ¿Cómo te aceptaron?

ALA: Porque me llevaba Alvaro Cepeda. Ahí estaba Germán Vargas y muchos otros señores que hablaban de literatura y que yo veía de lejos. Fue magnífico el aprendizaje con Alvaro, pues se reía a mandíbula batiente, como él hacía con todo, de mi inocencia e ignorancia. Me enseña su manuscrito de *La casa grande.* Leo por primera vez un manuscrito de un escritor. Claro, no sabía qué decirle. Fue definitivo en muchas cosas de mi vida y sobre todo en cuanto a la cultura. Yo lo escuchaba con mucha atención.

MGP: ¿A García Márquez no lo conociste ahí?

ALA: No. No estaba en Barranquilla entonces; lo conocí en España en el 68, porque él vivía en México. Escribí mis primeros cuentos para Alvaro y Marta Traba. A Alvaro le gustaron y a Marta le produjo la reacción contraria. Pero no se publicaron jamás.

MGP: ¿Y qué suerte corrió la lectura cuando te fuiste a Europa?

ALA: Me embarqué leyendo *La invitada* y me había gustado mucho *Los mandarines.* También leía a Pavese, Michel Butor y a los franceses del Nouveau Roman. Me gustaba mucho Duras pero no conocía a Yourcenar todavía. En Italia descubro a Elsa Morante y Dacia Maraini. Ya entonces cuando veía un nombre de mujer, leía ese libro o lo que fuera. Así encontré a Alejandra Pizarnik y Raquel Jodorowski que publicaban en *El corno emplumado*. Alejandra fue un hermoso y terrible fantasma en mi vida.

MGP: ¿La conociste?

ALA: No, jamás, pero la leía en *El corno emplumado*.

MGP: ¿Por qué te interesaban especialmente las mujeres?

ALA: Porque me deslumbraba el hecho que escribieran. Y al ver tantas en ese oficio las empecé a "perseguir". Me acuerdo mucho cuando descubrí a Olga Orozco y su novela, *La oscuridad es otro sol*. Olga Orozco como poeta era poco conocida pero Alejandra era muy conocida.

Cuando estaba escribiendo *Los girasoles en invierno*, volví a leer a Camus en francés, *El extranjero* y *La ciudad y los perros*, de Vargas Llosa.

MGP: ¿Cuáles latinoamericanos leías en ese momento?

ALA: Cuando empiezo a escribir ese libro recién empezaban ellos a publicar sus trabajos "grandes", digamos. La novela de Vargas Llosa apareció en 1965, *Rayuela* no había salido todavía, tampoco había aparecido *Cien años de soledad*.

MGP: Estaba Rulfo.

ALA: Rulfo y Fuentes. Y algunas cosas, los cuentos de García Márquez... La primera novela latinoamericana contemporánea que yo leo y me sacude hasta el tuétano es *La ciudad y los perros*. Había leído *La región más transparente* pero no me había dicho demasiado, entonces. Después de Vargas Llosa, entro en una pequeña etapa de pequeña conciencia política, es cuando deí *Los de abajo* y a José Revueltas.

MGP: ¿Militabas políticamente en Europa?

ALA: No, todavía no. Mis amigos eran muy marxistas, unos pintores en Italia, en Roma, y había que considerar las contradicciones que planteaban los cubanos que salen de Cuba. También había leído a Elizondo, José Agustín, Sáinz, García Ponce e Ibargüengoitia. Pero en la novela, no había todavía mucho. Leí a Carpentier y *El siglo de las luces* que me deslumbra. Pero lo de Mario fue muy impactante porque él era de mi generación. Luego llega *Rayuela* y me siento sepultada. No había cómo pensar en escribir.

MGP: ¿Estás muy atenta de lo que se va publicando?

ALA: Cuando voy a España, me encuentro con que todas las bibliotecas y las librerías del mundo están allá y no tengo cómo comprar todos los libros que quería. Cuando yo los conocí a estos escritores, ya había leído sus libros.

MGP: ¿Tienen alguna influencia en tu escritura?

ALA: No, porque entonces yo todavía era cantante. Sólo a Carlos Fuentes le conté una vez que yo escribía y se sorprendió mucho, pero nunca se habló de mis libros. Yo los había conocido a ellos en Barcelona: Fuentes, Mario Vargas Llosa, Julio Cortázar, Gabo García Márquez, Pepe Donoso y Jorge Edwards. Por aquella época Gabo siempre me daba posada porque yo no tenía cómo pagar hotel y entonces los veía allí a todos ellos. Neruda también, pero los cotidianos eran Fuentes, Vargas Llosa, Donoso y Cortázar en casa de García Márquez.

MGP: ¿Dijiste que Vargas Llosa te había impactado en cuanto a la técnica?

ALA: Me impactó y traté de camuflarlo porque sé que fue entonces uno de mis grandes demonios, de la misma manera que tengo que tratar a veces de que Virginia Woolf no se vea pues es siempre mi gran maestra. No escribo nada que se parezca a su literatura porque estoy muy lejana de esa lucidez y transparencia. Hasta cierto momento de su trabajo, Mario fue muy importante para mí. No entro en la zona de *La señorita de Tacna,* ni *La tía Julia y el escribidor.* Hasta *Conversación en La Catedral,* nadie en Latinoamérica es tan innovador; con excepción de *Rayuela,* que marca también un enorme foco de luz.

MGP: ¿En qué forma es importante?

ALA: Mario es la mecánica, la forma, la invención, la rotura de siempre. El cada vez que hacía un libro quería experimentar más, quería contar más. Es lo que me apasionó de él en ese período de su trabajo. Entonces no se contentó nunca ni con una forma ni con un sistema, ni hizo una receta literaria; iba más allá, buscaba, rompía con una gran eficacia y encontraba nuevos ritmos, nuevas voces.

MGP: De todas maneras, además de estos escritores mencionados, por ser colombiana tienes una figura que puede ser demonio o no, pero a la que ninguna puede escapar en tu país si es escritora: Gabriel García Márquez.

ALA: El es más demonio como amigo que como escritor para mí.

MGP: ¿Qué relación tiene tu literatura con la de él?

ALA: Creo que ninguna. La admiración feroz que tengo por ciertos libros suyos en especial *El otoño del patriarca* y *El coronel no tiene quien le escriba* que son sus dos obras maestras, aunque *Cien años de soledad* me parezca una maravilla, sin duda.

MGP: ¿Por qué?

ALA: De *El coronel* ya se ha hablado bastante. Es una perla negra, redonda, perfecta y maravillosa. No tiene titubeos. La perfección del aliento con que se cuenta. *El otoño del patriarca* es de un solo aliento, es una invención que no sobresale tanto en imaginería como en lo verbal. Hasta ahí Gabo nunca había hecho malabares verbales. Ahí García Márquez se ultra-barroquiza y deforma; es hermosísima. Tiene unas aproximaciones al lenguaje colombiano y a las hablas que nunca hace en otros libros. Aquí se suelta el pelo. *Cien años de soledad* eran dos rieles, perfectos, pero dos rieles que marcaban el ritmo, el pulso. Gabo es muy músico y canta muy bien ballenato. Pero hasta ahora no ha escrito nada con esa pulsación, con esa síncopa; a lo mejor algún día lo saca. Hay una manera visual. La imaginería de Gabo no me envuelve; me alucinan partes, me encandila, pero mi abuela y otras gentes hablaban así. Ese pequeño demonio me queda. Ciertas historias van a parecer quizá garcíamarquianas porque son las historias de fines del siglo. El no ha contado la historia del siglo veinte. Se ha detenido en los años treinta. No ha llegado a pasar de los cuarenta, que son los ritmos. Los cuentos, lo que tenemos que contar, es patrimonio común. Lo importante es no contarlos a su manera. Yo he tratado en *La pájara pinta,* donde hay una pequeña saga familiar de ir a tumbar monte, colonizar y hacer un pueblo—la parte de los fundadores, de los Araque—lo trato de contar no a la manera de Gabo sin con otro ritmo. Esa es la parte de esa novela que podría parecerse a lo que cuenta García Márquez. El lenguaje no es el garcíamarquiano. Quedé segura que esa saga era "paisa", pereirana y no costeña.

MGP: Yo creo que tú manejas el lenguaje de manera diferente. Trabajas los diferentes niveles, buscas reconstruir las hablas regionales. ¿Por qué estás tan consciente de esas hablas?

ALA: Al intentar explicar las diferencias de ambientes de cada región, entre el costeño y el paisa, por ejemplo, y enfatizando en esa manera de ser del lenguaje, se dibujaban los distintos caracteres; vi que debía manejar las diferencias entre el estudiante bogotano o los que venían del Caribe o del sur. Me enamoré mucho de las hablas por sus posibilidades expresivas. Además descubría toda esa flora y fauna desconocida del lenguaje colombiano, que es un castellano excelente.

La pájara pinta me produjo una búsqueda conscientísima de expresión, de vocablos, de palabras bellas por lo eficaces, de los modismos. Después de la forma y de la búsqueda del lenguaje, me deja con el rastro y la inspiración para escribir *Misiá señora.* Esa novela para mí cierra el ciclo de la búsqueda de la palabra. En *Las andariegas* tengo mayor rigidez. Salen unas parábolas cortas, para decir con rigor. El viaje con la búsqueda del lenguaje está mucho más tamizado, entra en otro proceso. Quise hacer esa búsqueda porque en ciertos autores latinoamericanos lo he sospechado, he visto ciertas trazas, tanto en lo poético como en la prosa, pero me ha faltado como lectora esa riqueza expresiva. Salvador Garmendia tal vez: se lo ha rastreado mucho. Me nació como idea a la par de la técnica. Lezama ha sido una lección, por ejemplo. A mi nivel, guardando distancias, resuelvo zambullirme en ese lenguaje sin ponerme ninguna valla. Hay muchas hablas en *Misiá señora,* específicamente de Colombia, pero hay hablas de otras partes: argentinas, chilenas, peruanas, para que se reconozca toda la gente de América Latina. Quisiera que mi trabajo literario pudiera recoger algo que veo que se ha perdido un poco en nuestra literatura, que es la búsqueda del lenguaje.

MGP: ¿De qué manera consideras que este trabajo del lenguaje no está ligado al trabajo literario de escritora mujer que se ve en *Las andariegas*?

ALA: Cuando estoy construyendo esas imágenes estoy conscientísima que hay una serie de ellas que no se han propuesto de esa manera. Las estoy haciendo así, con mi identidad de mujer. Hay también muchas voces masculinas que rehago con mucho cuidado y que se identifican. Pero cuando es la voz de las mujeres, allí la invención se desborda y me permito cualquier irreverencia, cualquier atrocidad dirán muchos, porque me permito como mujer desidentificarme con el lenguaje masculino, y producir esos sonidos y esas voces que a lo mejor aportarán otras realidades en el ámbito latinoamericano. Por eso creo que el lenguaje de la mujer en la literatura sí existe, sí se está formando, sí está formando un delta en muchísimos campos. Aparecerán formas nuevas. Se verá ese mar un día. Por lo pronto estamos ocupadas con estos hilos, estas tejedoras que tejemos palabras, y el propósito mío no solamente es consciente sino que hay una dinámica total y definitivamente dispuesta a defender *Misiá señora* en ese campo. Esa es mi propuesta.

MGP: ¿*Misiá señora* es una novela feminista?

ALA: Totalmente. Es una novela de mujeres, para las mujeres, por las mujeres y desde las mujeres.

MGP: Es un *feminaire,* a la Wittig.

ALA: A lo mejor; Monique Wittig me atrajo en *Les guérillères,* por su coraje. Ella con Hélène Cixous inventan lenguajes. Esas formas falocéntricas y patriarcalistas, las estamos substituyendo por lo que son nuestras necesidades, y rechazamos las falsas premisas masculinas. *Misiá señora* es prueba de ese lenguaje femenino, con irreverencias y rotura de credos y de mitos como expresión de liberación. Adrienne Rich dice que a la escritora toda la vida la han tratado como si fuera una proeza solitaria; nunca se le buscó un contexto, un conjunto, nada, era como una cosa insólita. Nos sacaron de contexto y siempre hemos tenido que volver a probar que estamos en un contexto hasta que ya somos tantas, ya no pueden ahogarnos con tales anotaciones. Ahora ya se han desenterrado muchas escritoras que nunca se habían incorporado a la historia literaria.

MGP: ¿Por qué sos feminista?

ALA: Porque soy mujer.

MGP: ¿Cuál es tu postura dentro del feminismo?

ALA: Es la postura de la ganadora. Y soy revolucionaria porque no creo en revisionismos. Admiro enormemente a las radicales. Quisiera poder llegar allí pero me doy cuenta que hay impactos en la vida que no es que hay que transar sino que hay que tener los ritmos y las modulaciones indispensables para no quebrarse, para no romperse. Entiendo que la revolución tiene que tener su parte radical y por ello las saludo. Por mi parte, yo me voy radicalizando cada vez más. Pero hay cierta parte de esa sociedad patriarcal que tiene que estar oyendo estas propuestas y estos gritos, a veces tan tremendos, y nos vamos a tener que modular—no ablandar—pero el momento en la historia de la mujer, en la revolución feminista es crucial y se necesita una gran tensión revolucionaria para no ceder.

ROSARIO FERRE

FERRE

© Layle Silbert

Entrevista con Rosario Ferré en la ciudad de Washington, julio de 1983

Magdalena García Pinto: Comencemos recordando tu infancia en Ponce, Puerto Rico.

Rosario Ferré: Ponce es un pueblo en donde viví hasta los 20 años. Tenía doscientos mil y ahora tiene medio millón de habitantes. Era un pueblo de comercio. En el siglo XIX era el segundo puerto comercial de la isla. Todas las cosechas de azúcar y café se embarcaban por el sur al resto del Caribe y a los Estados Unidos. También había comercio con Santo Domingo y con Caracas. Este lugar era muy diferente del norte. San Juan era la ciudad burocrática donde estaba el gobierno, muy españolizante. Había mucho cachaco.

MGP: ¿Quiénes son los cachacos?

RF: En Puerto Rico se les llama cachacos a los hijos de españoles. Eran comerciantes de aceite de bacalao que era lo que se consumía en la isla. Ponce tenía una personalidad muy distinta de la capital. San Juan era la ciudad burocrática, la de los gachupines que manejaban el comercio y el gobierno. Ponce era la capital del sur de la isla; allí estaba la burguesía criolla, que hacía mucho negocio de contrabando, como el resto de las islas del Caribe en la época de la colonia. El pueblo siempre tuvo una personalidad muy suya. Tenía un teatro lindísimo, el Teatro La Perla, bastante grande para un pueblo de aquella época, que se quemó y lo han vuelto a reconstruir. Varios grandes artistas, como Carusso y otros cantantes de ópera. Era como otro país. Todo se perdió cuando se empezó a industrializar la isla, que fue cuando llegó al poder Muñoz Marín con los populares, que era un gobierno social burócrata. Hicieron una serie de reformas sociales muy importantes al mismo tiempo que cambiaron la estructura económica de la isla. De una estructura feudal agrícola pasó a tener una estructura industrial, debido a la influencia americana, que se hizo más patente con la expansión de las carreteras en los años sesenta. De Ponce hoy queda el cascarón—en el sentido cultural—porque ahora es más grande y tiene más población, pero es una ciudad satélite, lo que no era antes. Había grandes bailes en el casino y mucha vida social. Al mismo tiempo era horrible la cosa del chisme, como en toda ciudad de provincia, porque todo el mundo se conocía. Cuando yo tenía siete años recuerdo que llegó a Ponce Alicia Alonso por primera vez a Puerto Rico. Se presentó en el Teatro La Perla, donde bailó la Danza del Cisne Negro. Recién volvió a regresar hace poco desde aquella vez; sin embargo ahora no se le ocurriría ir a Ponce. Se presenta en San Juan donde están los grandes teatros.

MGP: Es decir que el centro cultural cuando eras chica era Ponce. ¿Había universidad allí?

RF: Lo único que había antes era un colegio o monasterio, que es donde ahora está el Instituto de Cultura, un monasterio jerónimo donde las monjas impartían una educación religiosa, era una especie de universidad pequeña. Pero no había centro universitario. Esa era la época cuando la isla estaba bajo el control de la iglesia americana. Todos los curas hablaban inglés. Cuando daban los sermones, los daban en un español chapuceado, lleno de anglicismos. Lo positivo de la influencia americana con respecto a la educación en Puerto Rico es que fundaron la Universidad de Puerto Rico en 1902, cuatro años después de llegar a la isla.

Mi madre se graduó de la segunda clase. Antes no había universidad porque la isla fue siempre la colonia más olvidada de España. En los años sesenta se fundó la Universidad Católica de Ponce.

MGP: ¿A cuál colegio fuiste tú?

RF: Yo me crié con las madres del Sagrado Corazón de Ponce. Era un mundo absolutamente alucinante. Estas mujeres eran monjitas que habían llegado al fin del mundo, al carajo, donde el diablo pegó tres gritos, a ese pueblo donde estaban enterradas en aquel convento, donde para salir al dentista tenían que ir acompañadas de chaperona. Y con aquel calor, porque Ponce, como quien dice, es Macondo, es el vaho de la selva. Con aquellos velos y aquellas tocas. Hay un retrato de la monja que es una de las santas del Sagrado Corazón, que tiene un acordeón de tela que le daba vuelta la cara. Encima de eso tenían el velo negro que llegaba casi hasta el piso y una cruz de plata que colgaba. Yo no sé cómo esas monjas podían resistir aquel calor de Ponce con aquellos trapos. Bueno, en eso consistía parte de la tortura para llegar a Dios.

MGP: Y también vivían en una pobreza enorme pues no tenían dinero en la mayoría de los conventos.

RF: Sí, se necesitaba una dote para entrar. Pero como era un pueblito yo supongo que la dote se la tragaba la iglesia, así que iban a parar a una casa vieja, de techos altísimos, balcones y un patio con tapias enormes y cristal arriba, donde no se podía entrar ni mencionar el nombre de un hombre porque era pecado capital.

MGP: ¿Tú fuiste allí desde muy niña?

RF: El primer grado lo hice en un colegio de varones. En parte es por eso que he sido medio rebelde. Fui al colegio durante la guerra y para economizar gasolina, mi familia me mandó al mismo colegio que mi hermano para que el chofer no tuviera que hacer dos viajes. El colegio de los jesuitas era estupendo comparado con el de las monjas. Allí fui los primeros cinco años de mi vida. De allí, cuando pasé a quinto grado, me pasaron al colegio de las madres porque era prohibido que todos estuviéramos juntos. La diferencia de enseñanza era abismal porque las monjas no tenían la base educativa de los jesuitas. Tenía, sí, la ventaja de que nos enseñaban francés desde chiquitas, cosa que no sucedía en el colegio de los hombres. Escribí un cuento largo que se publicó en la revista *La mesa llena,* del grupo de Jorge Aguilar Mora, sobre este asunto. Se llama "El regalo". Es la historia de dos amigas en el colegio de las madres. Ese mundo ahora me parece hermoso por toda esa cosa de pequeñez y de pobreza muy particular latinoamericana que ahora se ha perdido. Hoy tan sólo existe el plástico, los "hamburgers", los "Roy Rogers" y todo eso.

MGP: Se nota una presencia muy fuerte de la cultura norteamericana en la isla, sin duda.

RF: Lo triste es que se les ha olvidado el español y nunca aprendieron a hablar inglés. Se están quedando mudos. Hay definitivamente un problema de expresión que yo lo comparto. Es posible que sea esta razón por la cual no me gusta hablar en público. Es decir que puedo escribir y formular mis pensamientos con mucha claridad en el papel, pero cuando tengo que hablar en público me siento cohibida. Margo Glantz o Sylvia Molloy, por ejemplo, tienen ese manejo tan asombroso del lenguaje que refleja un desenvolvimiento instantáneo del pensamiento y de la palabra que me es difícil. Yo creo que en parte se debe a mi educación en el colegio de las madres.

MGP: No era raro que los colegios de monjas estuvieran dedicados a la educación social de las niñas y que la adquisición del conocimiento quedara rezagada.

RF: La educación que las monjas impartían consistía en que las mujeres se ocultaban y no tenían que aparecer en público jamás. Estaban circunscriptas a la anonimia. Era considerada una virtud; mientras más callada y más insignificante, más virtuosa. Todavía mis tías, cuando publico un libro, se atacan. No solamente porque inevitablemente se usa materiales autobiográficos y se describe la sociedad que se está viviendo; no sólo eso, sino también por el hecho de que mi nombre aparezca en la prensa y mi retrato en un periódico; para ellas es la cosa de más mal gusto que se pueda imaginar.

MGP: ¿Crees que te consideran la oveja negra de la familia?

RF: Tú lo has dicho.

MGP: ¿Cómo describirías a tu familia, cómo la caracterizarías?

RF: Es un poco contradictoria e interesante porque mi mamá era de una familia muy antigua de Puerto Rico, de gente que tenía plantaciones de caña, muy tradicionales, que vivían en una hacienda en Mayagüez, un pueblo en la parte occidental de la isla. De unas costumbres aristocráticas en el sentido de la sociedad isleña, de valores autóctonos casi quijotescos. Prefirieron arruinarse y que se viniera abajo el mundo antes que vender una finca, aunque estuvieran muriéndose de hambre. Se fueron quedando sin nada, poco a poco perdieron sus casas; se quedaron sin servicio, pero todavía tienen sus tierras que ya no valen nada porque ya no se cultivan, pero continúan siendo los dueños de esas tierras que ya están yermas...

MGP: ¿Es la tuya una familia grande?

RF: Sí, mi mamá era la primera de ocho hermanas y tenía dos hermanos, eran diez hijos. Yo tengo más de sesenta primos de parte de mi madre. Esa familia se reunía religiosamente a la cena familiar en casa de mis abuelos en Mayagüez. Venían todos mis primos. Tradición todavía muy viva en América Latina. Era un matriarcado, donde la abuela era el personaje principal. Por parte de mi padre, por el contrario, eran todos locos de remate.

MGP: ¿A qué se debe tal condición?

RF: Porque, para empezar, mi bisabuelo era francés. Llegó a América con Ferdinand de Lesseps a construir el canal de Panamá. De Lesseps quebró y mi bisabuelo se fue a vivir a Cuba, donde se amancebó con una cubana de apellido Sánchez: Rosario de Sánchez. Nunca se casó con ella, pero sí tuvieron dos hijos, mi abuelo y una hermana que luego fue monja porque era muy independiente y en esa época la manera de serlo era refugiándose en un convento.

MGP: Reminiscencias de Sor Juana...

RF: Exacto. Es algo que hay que estudiar. Muchas mujeres entraron al convento porque querían ser libres, una cosa terrible y contradictoria.

Este señor estaba además casado en Francia y tenía su familia a la que le seguía mandando dinero. Allá tenía un abogado que era el que recibía el dinero. Un día este tal abogado se desapareció con todas las remesas y del trauma que pasó, se suicidó.

MGP: ¿Cómo llegaron los Ferré a Puerto Rico?

RF: Mi abuelo quedó huérfano cuando su madre aún vivía, y se fue a vivir con la familia de ella que eran mambises o gente de pueblo. Ellos lucharon junto a Antonio Maceo. Parte de esta historia la he recogido en "La caja de cristal":

Mi bisabuelo había llegado a Cuba vestido de levita, toxido y claqué, resoplando "¡Qué calor!", como si en Panamá hubiese hecho más fresco que en la Habana. A pesar de su apariencia de mago caído en desgracia, el haber cruzado el Atlántico en compañía de Ferdinand de Lesseps lo rodeaba de una aureola de prestigio. Habían sido dos amigos unidos por un mismo sueño: escindir en dos mitades el continente del nuevo mundo abriendo la arteria de comunicación buscada por el hombre occidental durante siglos: zarpar en línea recta desde Francia hasta la India, alcanzar los remolinos de seda, los bosques de canela cinamono, los cántaros de almizcle y áloe. Pero si Ferdinand soñaba cavar en el continente virgen el surco que habría de ser la hazaña geográfica del siglo, Albert soñaba construir el puente más hermoso del mundo, que abriera y cerrara sus mandíbulas como los fabulosos caimanes de América cuando se están haciendo el amor.

....

Fue por aquellos tiempos que conoció a la criolla con la cual se casó. Ileana no hablaba francés y Albert manejaba escasamente el vocabulario de la vida cotidiana, pero ella no

olvidó jamás la inocencia de los arabescos geométricos que vio reflejados en sus ojos cuando lo conoció, ni la delicadeza con que levantaba extrañas construcciones de hilos entre sus dedos para ilustrar su manera de crear...Albert había ingresado a una familia de mambises y nunca se enteró.
[*"La caja de cristal"-Papeles de Pandora*]

A mi abuelo, que por ese entonces tenía dieciséis años, lo venían persiguiendo, entonces su madre lo embarcó y lo mandó a Puerto Rico para que no lo fueran a matar. Así fue como fue a dar a esa isla. Su tía monja también fue a parar allí, pero seguramente llegó antes que él. Había sido Reverenda Madre de un convento en Cuba durante muchos años. Cuando se hizo viejita se fue a Puerto Rico a morir, a los noventa años, y poco después que muriera mi abuelo. Mi abuelo tenía un tío que trabajaba en una fundición. Con él trabajó hasta que él construyó su propia fundición. Los hijos de él se educaron con ese dinero y todos desde un principio estudiaron ingeniería salvo uno que estudió administración de empresas. En el año 1950, cuando fuimos por primera vez a Francia a conocer a la otra familia Ferré, nos encontramos con que todos los parientes franceses eran también ingenieros. Una verdadera odisea del Caribe.

MGP: ¿Cómo fueron recibidos por los parientes franceses?

RF: Pues, muy bien. Eramos los indianos de dinero. Aquellos estaban muertos de hambre porque habían pasado la guerra. Ahora ya están muy bien. Los hermanos de mi papá habían creado un complejo industrial, en tanto que la familia de mi madre los miraba con desprecio porque eran los nuevos ricos, los que ganaban dinero con la industria. Era inconcebible.

MGP: Era una manera innoble de ganarse la vida, según los cristianos viejos del imperio español.

RF: Sí. Mi padre tuvo una hermana que se metió a monja también. Vivió como quince años en Brooklyn, en uno de los arrabales más terribles haciendo obra social con los drogadictos. Ahora vive en Puerto Rico en la playa de Ponce, que también es un arrabal, donde hace una labor extraordinaria de trabajadora social. Es una misionera del Espíritu Santo y no llevan uniforme. Una vez un obispo retrógrado de Puerto Rico les ordenó ponerse uniforme y ella le contestó que si tenía que hacerlo, aunque llevaba 40 años de monja, se salía. Al final no pasó nada.

El hermano mayor hizo una fábrica de cemento en parte con dinero de las empresas de la caña, porque varios de los hermanos se casaron con hijas de familias de hacendados con préstamos interfamiliares. Ese fue el comienzo. Este tío mío que fue el que más dinero hizo se fue a Florida donde montó una fábrica de cemento que se llamaba Moll Industries.

Como te digo, esta familia tiene una marca de locura. Este tío millonario se volvió loco haciendo unas inversiones tan grandes que llegó a deber doscientos millones de dólares. Ahora no tiene un centavo. El hijo de este señor es el que ahora es alcalde de Miami: Maurice Ferré.

MGP: ¿Qué relación tiene tu trabajo literario con ese mundo?

RF: Quizá en el fondo lo que trato de hacer es recuperar un mundo que ha desaparecido. Aunque es un mundo que tenía una base de injusticia muy grande y que ha sido bueno que cambiara. Pero, por otra parte, se han perdido una serie de valores y la identidad. Existe una frivolidad que no había antes. Para mí es un mundo lleno de memorias y rencores muy terribles que son muy buen material literario. Es pelear por los huesos y los desperdicios, pues ya no queda nada. La oligarquía de la isla ya no existe porque han salido afuera y han sacado el dinero que tenían. Ha habido una diáspora ocasionada por pertenecer a los Estados Unidos porque trajo una movilidad extraordinaria. El que tiene algo en Puerto Rico inmediatamente se destaca porque nadie tiene nada. Yo empecé a escribir también por problemas personales. Escribir era como tratar de recuperar ese mundo pero me parecía importante escribirlo por el cambio de una sociedad a otra. Un momento histórico importante desde el punto de vista humano, anotar cómo cambian las personas, pero también cómo trato de agarrarme a algo. La escritura era como una tabla de salvación porque si tú tienes todo, ese mundo se te viene abajo, no tienes nada que te mantenga una vida espiritual.

Para mí, la literatura ha sido una avenida para sublimar una serie de cosas que es lo que le da sentido a mi vida.

MGP: ¿Cuándo empezaste a escribir?

RF: Yo empecé a escribir desde niña, poemas y otra cositas. Pero, en serio, después que se murió mi mamá. Fue un año terrible. Mi papá, que era gobernador de Puerto Rico, perdió las elecciones al año siguiente de morirse mi madre. Yo heredé la parte de mi madre, lo que me dio la independencia económica que jamás había tenido. Podía ahora hacer lo que se me diera la gana. Eso fue también un factor determinante. Entonces empecé a escribir. Ya no estaba todo el tiempo aterrada del futuro. Hasta ese momento, si yo me atrevía a publicar algo o si me peleaba con mi marido, me hubiera encontrado en la calle, o hubiera tenido que regresar a casa de mis padres. Esto era igualmente terrible para mí pues ya llevaba diez años de casada y tenía una vida relativamente independiente, aunque fuera dentro del mundo de mi esposo. Al suceder estas cosas, comencé a escribir.

MGP: ¿Cuándo te casaste?

RF: En el año 1960, a los 19 años. Tuve dos hijos corridos con diez meses de diferencia. Después de cuatro años, tuve el tercer niño. Todo lo que pasó fue a los diez años de matrimonio. El mismo año en que se murió mi madre, me separé de mi esposo, y luego me divorcié. Ya escribía y había comenzado a publicar una revista. Cada vez que salía un número, yo publicaba un cuento nuevo. Para mí eso fue importantísimo porque me hizo darme cuenta de que yo podía hacer una carrera literaria.

MGP: ¿Esto ya era cuando vivías en San Juan?

RF: Sí. Yo había empezado a ir a la universidad antes para terminar mi maestría. Iba entre freír los huevos del desayuno y las otras tareas, pues los niños eran pequeños. Mi marido decía que estaba bien que fuera a la universidad para entretenerme, pero no sabía qué venía por bola, el pobre.

MGP: ¿La universidad fue entonces decisiva para ti?

RF: Sí. La Universidad de Puerto Rico fue muy importante. Me hice allí de una serie de amigos: escritores, artistas que todavía son mi familia. Cuando yo me divorcié, me desvinculé por completo del mundo al que había pertenecido, tanto del de mi marido como del de la burguesía de San Juan y de la de Ponce. Me hice de un mundo de artistas, de gente con la que yo me entendía. Ese es mi mundo de ahí en adelante.

MGP: ¿Cuándo ingresaste en la universidad?

RF: En el año 1968. Yo había hecho la escuela secundaria en Puerto Rico y luego fui a Wellesley College, en Boston, Massachusetts. Me gradué finalmente en un *college* en Nueva York. Estudié allí literatura inglesa y francesa; cuando vine a Puerto Rico estudié literatura española y latinoamericana. Estudié hasta 1971. En el 1972 hice los exámenes de maestría y comencé a sacar la revista: *ZONA DE CARGA Y DESCARGA*. Publiqué la revista hasta 1976. Y en ese año salió *Papeles de Pandora:*

pandora fue la primera mujer sobre la tierra. zeus la colocó junto al primer hombre, epimeteo, y le regaló una caja donde estaban encerrados todos los bienes y todos los males de la humanidad. pandora abrió la caja fatal y su contenido se esparció por el mundo, no quedando en ella más bien que el de la esperanza.

[Epígrafe de *Papeles de Pandora*]

En 1976 me fui a vivir con mis hijos a la ciudad de México, pero ese arreglo no duró. En la isla, la escuela estaba a la vuelta de la esquina, en una ciudad con una vida muy sencilla. Llegar a México fue una locura. Luego de un año, pensando en el sacrificio enorme que tenían que hacer los niños, regresé a Puerto Rico, y allí estuve hasta que todos entraron a la universidad. Ahora todos están estudiando en Estados Unidos y entonces me vine a Washington.

MGP: ¿Fue importante la revista para tu desarrollo como

escritora?

RF: La revista fue determinante en mi vida: ZONA DE CARGA Y DESCARGA. Título político porque allí se fusilaba y se recibía la fusilada. Publicamos todos los artículos críticos que nos mandaban. Nos cayeron encima tanto de la derecha como de la izquierda porque era una revista de corte más bien anarquista.

MGP: ¿Quiénes colaboraban?

RF: Tenía un grupo muy bueno. Una prima mía que escribía mucho, hija de una hermana de mi mamá, poeta, estupenda.

MGP: ¿Cómo se llama?

RF: Olga Nolla. Ella y yo somos de la misma edad. Eramos como hermanas. En los últimos años la vida nos ha separado. Ahora se dedica a hacer libretos de televisión, tiene una vida profesional muy activa. También un poeta, Luis César Rivera. Es gente que no ha salido de la isla, pero de mucho valor. También era bohemio, de corte anarquista, nos ayudó muchísimo. Waldo Lloreda, otro colaborador, era un estudiante de doctorado que habíamos conocido Olga y yo. Escribía crítica literaria. Eduardo Forestieri, profesor de Filosofía hoy en día, estuvo solamente en el primer número, porque luego se dio cuenta de que era demasiado bohemio el ambiente. Se incorporaron otras personas: Manuel Ramos Otero, cuentista excelente, Iván Silén, poeta, Tomás López Ramírez, cuentista. En esa época—los años del 72 al 75,—había un ambiente de efervescencia intelectual.

MGP: ¿Era *ZONA DE CARGA Y DESCARGA* una revista estrictamente literaria?

RF: Sí. Nosotros la emplanábamos. Conocimos una muchacha cubana, Zilia Sánchez, una artista gráfica y muy buena pintora; hace pintura y escultura erótica mucho más bella que lo que he visto en el Guggenheim, pero como vive en Puerto Rico nadie la conoce. Me enseñó a hacer todo el emplanaje de la revista, de modo que nosotros mismas hacíamos todo el trabajo. El formato era de tamaño tabloide y tenía unas 22 páginas grandes. Se publicaban dos mil ejemplares de cada número; alcanzamos a publicar diez números.

Fueron unos años muy buenos porque pudimos dar a conocer gente joven muy buena, que no tenía dónde publicar y que, desde que desapareció la revista, todavía no tiene dónde publicar, hacer conocer su trabajo. Hay solamente una revista que se llama REINTEGRO, muy buena, de unos muchachos que publicaron con nosotros en aquella época. Lo que había era SIN NOMBRE, la revista de Nilita Vientós. Es una revista de consagrados, de vacas sagradas. Pero a un desconocido, que salía de quién sabe qué arrabal o de quién sabe qué reparto de clase media, no lo iban a publicar en ASOMANTE o SIN NOMBRE.

MGP: ¿Eras muy amiga de Nilita Vientós?

RF: En aquella época no la conocía mucho. Ahora sí, pues nos hemos hecho amigas en los mundos literarios y la respeto mucho. La llamamos la "Grande Dame" de las letras puertorriqueñas.

MGP: No tan sólo en Puerto Rico sino en toda América Latina.

RF: Ella ha hecho más por las letras puertorriqueñas que el Instituto de Cultura en todos los años que lleva fundado. Y además ha ayudado a mucha gente. Ella da becas y hace certámenes literarios, da premios...es una maravilla; y lo hace sin ayuda del gobierno.

MGP: ¿Es porque tiene dinero disponible para esos fines?

RF: No, muy poco. Tenía algo de dinero. Ella es abogada y trabajaba en su bufete. Lo hace con ayuda de amigos e intelectuales que conocen su labor y donan dinero para su tarea. Hay una sociedad de amigos de la revista que la ayuda mucho. Debe haber dos o tres revistas en Latinoamérica que se han publicado durante tanto tiempo: ASOMANTE lleva unos veinte años y SIN NOMBRE unos quince.

MGP: Una especie de *Sur*.

RF: Sí. El día que desaparezca Nilita desaparece la revista. Se reconoce más afuera de Puerto Rico que adentro.

MGP: Volviendo a la revista, ¿por qué provocaba tanta reacción? ¿Cuáles eran las ideas detrás de la revista?

RF: Teníamos la idea de la reforma social, pero no queríamos identificarnos con ningún partido político. Siempre estuvimos a la defensiva. Queríamos una posición liberal independiente tanto de la izquierda como de la derecha. Se citaba a Artaud, a Rimbaud y a los primeros libros de Octavio Paz. Fue una época muy bella.

De un lado y del otros nos pegábamos. Para unos éramos reaccionarios; para otros éramos unos comunistas. En el medio de Puerto Rico, donde todo se define en términos muy claros, el que no está encasillado es sospechoso. Eres un ácrata donde quiera que te pongas.

MGP: ¿Quiénes eran los lectores de *ZONA DE CARGA Y DESCARGA*?

RF: ¡Ay, Dios mío, muchacha! ¡Se vendía como pan caliente! ¡Era increíble! Se formó un chisme a nivel de todas las señoras. Eran las primeras que corrían a leer la revista porque ahí se decían las barbaridades más grandes. Y, además, se decían malas palabras y se usaba un lenguaje muy callejero. Se publicó un cuento de Manuel Ramos Otero que se titulaba "EL ESCLAVO Y EL SEÑOR." ¡Dios mío! ¡Aquello fue increíble! ¡Fue el Número Ocho, rosado, con una cara de muñeca en la portada, que tenía una cita de Oliver Wendell Holmes sobre unas brujas

> Look out, look out, clear the track!
> The witches are here, they've all come back
> They hang them high, no use, no use
> What cares a witch for a hangman's noose?
> They buried them deep
> But they wouldn't lie still
> For cats and witches are hard to kill
> They swore they wouldn't and shouldn't die
> Books said they did
> But they lied, they lied.

Toda la sociedad puertorriqueña consideró que era un número endemoniado. Entonces lo quemaban en el patio de las casas.

MGP: Como un auto de fe...

RF: Sí. En la contratapa iba un cuento de Juan Mestas,

"Un joven demasiado hermoso." Era la descripción del acto sexual entre dos hombres con pelos y señales. El cuento ahora me parece horrendo pero entonces me parecía maravilloso porque había una especie de simbiosis entre la posición vital y la posición política. Y eso a veces nos nublaba un poco la vista en cuanto a la calidad.

MGP: ¿Publicaste tu cuento "Cuando las mujeres quieren a los hombres" en *ZONA DE CARGA Y DESCARGA*?

RF: Sí, y fue también un escándalo terrible. El número era todo negro, un número de luto. La portada tenía fondo negro con letras en blanco. Era sobre Isabel la Negra. Yo publiqué mi cuento en la parte izquierda de la página principal. En la derecha, en la otra columna, paralela a la mía, aparecía el cuento de Manuel Ramos Otero que era también sobre Isabel la Negra. Los títulos eran en letra pequeña. Como los dos cuentos se parecían tanto y eran tan terribles, la gente creía que era el mismo cuento. El de Manuel se llamaba "La última canción que cantó Luberza".

MGP: ¿Se pusieron ustedes de acuerdo para trabajar el mismo tema?

RF: Sí. Nos pusimos de acuerdo porque en esos días acababan de matar a Isabel Luberza, que fue una prostituta famosísima de Ponce, a cuya casa de lenocinio iba toda la burguesía local cuando yo era pequeña. Manuel también conocía la historia. Esta señora se había hecho millonaria con su casa. Luego llegó el momento en que ella quiso hacerle un donativo a la Iglesia por intermedio del obispo, pero éste se negó a recibirle el dinero porque su procedencia era la prostitución. Fue un escándalo y poco después la mataron en una celada de drogas. Toda esa historia nos pareció espléndida para un cuento. Yo partí el nombre real del personaje que se llamaba Isabel Luberza e hice de Isabel la mujer de sociedad y de Luberza la prostituta. Las dos se van fundiendo hasta que las dos se hacen una sola persona.

Ahora me le acerco porque deseo verla cara a cara, verla como de verdad ella es, el pelo ya no una nube de humo rebelde encrespado alrededor de su cabeza, sino delgado y dúctil, envuelto como una cadena antigua alrededor de su cuello, la piel ya no negra, sino blanca, derramada sobre sus hombros como leche de cal ardiente, sin la menor sospecha de un requinto de raja, tongonéandome yo ahora para atrás y para alante sobre mis tacones rojos, por los cuales baja, lenta y silenciosa como una marea, esa sangre que había comenzado a subirme por la base de las uñas desde hace tanto tiempo, mi sangre esmaltada de Cherries Jubilee.

[*"Cuando las mujeres quieren a los hombres"*
Papeles de Pandora]

MGP: A mí me parece un cuento maravilloso.

RF: El cuento de Luis Ramos Otero apareció luego publicado en un libro que se llama *Concierto de metal para un recuerdo.* El es homosexual y toda su propuesta es a través de la homosexualidad, pero ese cuento es magnífico.

MGP: ¿Y la pintora cubana les ayudaba con la parte gráfica y el color?

RF: Nosotros hacíamos las maquetas y ella nos indicaba cómo tenían que ser los colores. De otra manera, hubiera sido imposible hacer la revista. Aprendimos a levantar el tipo en las máquinas para que fuese más barato. Conocimos unos cubanos, Ramayo Brothers, que eran reaccionarios, pero como estaban juntando dinero, no les importaba que la revista fuera comunista. Cuando salió este cuento con todas las malas palabras del mundo, se pusieron furiosos y nos dijeron que no podríamos seguir publicando la revista con ellos. Los últimos tres números se publicaron en Nueva York.

MGP: ¿Por qué paró la publicación?

RF: Porque era demasiado caro. Nosotros distribuíamos, cobrábamos, vendíamos sin anuncios a unos cuantos suscriptores. Más o menos la mitad. Era además demasiado trabajo porque los hombres se recostaban y las mujeres tenían que hacer el trabajo de la mecánica. Ellos escribían y publicaban y nosotros teníamos que hacer la cocina de la escritura.

MGP: ¿Adónde llegaba la revista?

RF: A México y Colombia, pero era muy difícil cobrar. Además de textos incluían plaquetas de cuadros, retratos, fotografías. Con la ayuda de mi hermano que es el dueño del periódico *El día* hacíamos la impresión de las fotografías. La revista se leía dando vuelta, sin el orden normal. Algunos poetas hacían dibujos para sus poemas.

Y sabes que, en realidad, todo empezó con Angel Rama, que fue el padre de la revista y fue también muy importante para mí. El fue a Puerto Rico in 1971. Nos dio clase a Olga Nolla y a mí. Fue una época de apertura en la universidad, cuando empezaron a traer escritores latinoamericanos a Puerto Rico. Cuando se fue Angel, nos dejó encargado que hiciéramos una revista literaria. En el libro de Marta Traba, *Homérica Latina,* habla de nosotros y de Nilita, pero con nombres diferentes.

Sacó además un libro muy bueno sobre la pintura puertorriqueña que fue muy importante para la cultura de la isla. Fue una lástima que no se pudieran quedar y una gran pérdida.

MGP: Entonces fue con la revista que comenzaste a publicar. ¿Qué publicaste después de *Papeles de Pandora*?

RF: *El Medio Pollito* y *Sitio a Eros,* que lo escribí cuando regresé a Puerto Rico desde México. Este último contiene una series de ensayos. A ese volumen le siguió *Fábulas de la garza desangrada* que se publicó en Joaquín Mortiz. Ahora tengo una colección de cuentos nuevos que se llama *Isolda en el espejo.*

MGP: ¿Cuáles han sido tus lecturas de formación?

RF: Me gusta el género de la fábula porque leía cuentos de hadas cuando fantaseaba en Ponce. Siempre está de por medio la lente de la cámara que todo lo deforma. Depende por la lente que pasa. La vida sigue siendo la misma, no cambia. Había una pequeña librería que traía *Billiken* y cuentos de hadas. Cuando aprendí inglés, lo que me maravilló fue *Wuthering Heights.* Esta novela y *Jane Eyre* eran textos de desafío de las mujeres. *Jane Eyre* es para mí un manifiesto femenino, como lo son las novelas de George Eliot, otra escritora extraordinaria. Tal vez porque era niña, y porque me mandaron a un colegio de monjas donde la educación era pobre, tenía una insatisfacción grande por haber nacido mujer. Todos esos libros que bregaban con esos problemas me gustaban mucho, aunque entonces no sabía por qué. También me gustó mucho en esa época *Little Women* y todas las obras de Tarzán. Como no había nada que hacer puesto que no podía trabajar ni había vida intelectual de ningún tipo, había mucho tiempo para leer. Ahora me interesan los escritores surrealistas porque a nivel de lenguaje funciona el elemento de los demonios que se va imponiendo desde afuera. El mismo Cortázar se ha referido a eso. Es como un conejito que tiene que sacar por la boca. Cada cuento era un sentimiento erótico que tenía que vomitar por la boca en *La vuelta al día en ochenta mundos.* Eso me pasa a nivel de lenguaje, pero en el nivel de la anécdota, para mí lo más difícil, el proceso es de desarrollo lógico. Me interesan los relatos con una narrativa estructurada a nivel de la anécdota—aunque tengo algunos relatos como "Maquinolanderas" o "Cuando las mujeres quieren a los hombres" en donde casi no pasa nada. Es el lenguaje el que actúa—pero lo que estoy haciendo ahora, y en *Papeles de Pandora* había hecho, es una concatenación lógica de causa y efecto. A mí me interesa la literatura que tiene tensión y mantiene tenso al lector, que es lo que hace Vargas Llosa, aunque a mí me gustaría que él combinara más el lenguaje con la anécdota porque él es casi demasiado lógico y anecdótico.

MGP: ¿Te consideras feminista? ¿Cuál es tu posición al respecto?

RF: Las victorias logradas ya no tienen vuelta atrás. Pienso que el feminismo es la revolución más importante del siglo XX. Mucha gente no está de acuerdo conmigo. Pero no se va a lograr ningún progreso social en ninguna parte del mundo si no es por medio del feminismo. Es más importante hoy en día que la lucha social.

MGP: Tiene que ser una lucha desde el feminismo, independiente, en cierto modo, de las ideologías políticas pues no han incluido a la mujer en los proyectos de renovación social, de manera que pueda darse efectivamente una diferencia específica.

RF: Las mujeres tenemos que ocuparnos nosotras mismas de nuestros problemas. No creo que ningún sistema o partido político se ocupe de ello.

MGP: ¿Conoces el feminismo americano y/o el francés?

RF: Conozco los trabajos de Simone de Beauvoir, que me parecen muy importantes. También he leído a Erica Jong, de quien me gustaron más sus poemas que sus ensayos. He leído a Kate Millet, *Dialectics of Sex,* y otros trabajos suyos. Leí a Hélène Cixous. A propósito de estos temas, pienso que los ensayos que he incluido en *Sitio a Eros* son contradictorios. Sobre todo cuando insistí en que la mujer es un ser intuitivo. He cambiado mucho porque ahora veo lo limitadora que es esa posición. El adjudicar el monopolio de la pasión a la mujer causa que se la encierre en un ámbito. Con la pasión no se rige un imperio...

MGP: ¿Crees que hay una escritura femenina?

RF: Para contestarte esta pregunta te leeré un fragmento de un ensayo titulado "La cocina de la escritura":

> ¿Existe, al fin y al cabo, una escritura? ¿Existe una literatura de mujeres, radicalmente diferente a la de los hombres? ¿Y si existe, ha de ser ésta apasionada e intuitiva, fundamentada sobre las sensaciones y los sentimientos, como quería Virginia, o racional y analítica, inspirada en el conocimiento histórico, social y político, como quería Simone? Las escritoras de hoy, ¿hemos de ser defensoras de los valores femeninos en el sentido tradicional del término, y cultivar una literatura armoniosa, poética, pulcra, exenta de obscenidades, o hemos de ser defensoras de los valores femeninos en el sentido moderno, cultivando una literatura combativa, acusatoria, incondicionalmente realista y hasta obscena? ¿Hemos de ser, en fin, Cordelias, o Lady Macbeths? ¿Doroteas o Medeas?
>
> Decía Virginia Woolf que su escritura era siempre femenina, que no podía ser otra cosa que femenina, pero que la dificultad estaba en definir el término. A pesar de no estar de acuerdo con muchas de sus teorías, me encuentro absolutamente de acuerdo con ella en esto. Creo que las escritoras de hoy tenemos, ante todo, que escribir bien, y que esto se logra

únicamente dominando las técnicas de la escritura. Un soneto tiene sólo catorce líneas, un número específico de sílabas y una rima y un metro determinados, y es por ello una forma neutra, ni femenina ni masculina, y la mujer se encuentra tan capacitada como el hombre para escribir un soneto perfecto. Una novela perfecta, como dijo Rilke, ha de ser una catedral sublime, construida ladrillo a ladrillo, con infinita paciencia, y por ello tampoco tiene sexo, y puede ser escrita tanto por una mujer como por un hombre. Escribir bien, para la mujer, significa sin embargo una lucha mucha más ardua que para el hombre: Flaubert reescribió siete veces los capítulos de *Madame Bovary,* pero Virginia Woolf escribió catorce veces los capítulos de *Las olas,* sin duda el doble de veces que Flaubert porque era una mujer, y sabía que la crítica sería doblemente dura con ella.

Lo que quiero decir con esto puede que huela a herejía, a cocimiento pernicioso y mefítico, pero este ensayo se trata, después de todo, de la cocina de la escritura. Pese a mi metamorfosis de ama de casa en escritora, escribir y cocinar a menudo se me confunden, y descubro correspondencias sorprendentes entre ambos términos. Sospecho que no existe una escritura femenina diferente a la de los hombres. Insistir que sí existe implicaría paralelamente la existencia de una naturaleza femenina, distinta a la masculina, cuando lo más lógico me parece insistir en la existencia de una *experiencia* radicalmente diferente. Si existiera una naturaleza femenina o masculina, esto implicaría unas capacidades distintas en la mujer y en el hombre, en cuanto a la realización de una obra de arte, por ejemplo, cuando en realidad sus capacidades son las mismas, porque éstas son ante todo fundamentalmente humanas.

Una naturaleza femenina inmutable, una mente femenina definida perpetuamente por su sexo, justificaría la existencia de un estilo femenino inalterable, caracterizado por ciertos rasgos de estructura y lenguaje que sería fácil reconocer en el estudio de las obras escritas por las mujeres en el pasado y en el presente. Pese a las teorías que hoy abundan al respecto, creo que estos rasgos son debatibles. Las novelas de Jane Austen, por ejemplo, eran novelas racionales, estructuras meticulosamente cerradas y lúcidas, diametralmente opuestas a las novelas diabólicas, misteriosas y apasionadas de su contemporánea Emily Brönte. Y las novelas de ambas no pueden ser más diferentes de las novelas abiertas, fragmentadas y sicológicamente sutiles de escritoras modernas como Clarice Lispector o Elena Garro. Si el estilo es el hombre, el estilo es también la mujer, y éste difiere profundamente no sólo de ser humano a ser humano, sino también de obra a obra.

En lo que sí creo que se distingue la literatura femenina de la masculina es en cuanto a los temas que la obseden. Las mujeres hemos tenido en el pasado un acceso muy limitado al mundo de la política, de la ciencia o de la aventura, por ejemplo, aunque hoy esto está cambiando. Nuestra literatura se encuentra a menudo determinada por una relación inmediata a nuestros cuerpos: somos nosotras las que gestamos a los hijos y las que los damos a luz, las que los cuidamos y nos ocupamos de su supervivencia. Este destino que nos impone la naturaleza nos crea unos problemas muy serios en cuanto intentamos reconciliar nuestras necesidades emocionales con nuestras necesidades profesionales, pero también nos pone en contacto con las misteriosas fuerzas generadoras de la vida. Es por esto que la literatura femenina se ha ocupado en el pasado, mucho más que la de los hombres, de experiencias interiores, que tienen poco que ver con lo histórico, con lo social y con lo político. Es por esto también que su literatura es más subversiva que la de los hombres, porque a menudo se atreve a bucear en zonas prohibidas, vecinas a lo irracional, a la locura, al amor y la muerte; zonas que, en nuestra sociedad racional y utilitaria, resulta a veces peligroso reconocer que existen. Estos temas interesan a la mujer, sin embargo, no porque ésta posea una naturaleza diferente, sino porque son la cosecha paciente y minuciosa de su experiencia. Y esta experiencia, así como la del hombre, hasta cierto punto puede cambiar; puede enriquecerse, ampliarse.

Sospecho, en fin, que el interminable debate sobre si la escritura femenina existe o no existe es hoy un debate insustancial y vano. Lo importante no es determinar si las mujeres debemos escribir con una estructura abierta o con una estructura cerrada, con un lenguaje poético o con un lenguaje obsceno, con la cabeza o con el corazón. Lo importante es aplicar esa lección fundamental que aprendimos de nuestras madres, las primeras, después de todo, en enseñarnos a bregar con fuego: el secreto de la escritura, como el de la buena cocina, no tiene absolutamente nada que ver con el sexo, sino con la sabiduría con la que se combinan los ingredientes.

Sólo una mujer puede confrontar los temas de la mujer. Pero no puede decirse que hay un lenguaje femenino.

MGP: ¿No crees que la mujer utiliza y se acerca al lenguaje de una manera diferente?

RF: La forma del diario es un género femenino. Yo hago una distinción entre la estructura del lenguaje y los temas.

MGP: ¿Hay escritores que te interesaron particularmente?

RF: Sí. Felisberto Hernández fue muy importante. Hice mi tesis de maestría sobre él: *La Escritura Fantástica de Felisberto Hernández* es su título. De las mujeres, he conocido más recientemente a Silvina Bullrich, Clarice Lispector, Elena Garro, Elena Poniatowska. También a Lillian Helman. Pero me pasa que como hago una literatura que es exterior a mí misma y debido a que la literatura de las mujeres es más introspectiva, me ha influenciado más la de los hombres como estímulo, aparte de Brönte y Woolf. Me enloquecí cuando descubrí a Virginia Woolf.

Con respecto a la estructura, a la armazón de los textos, han sido más importantes los hombres: Vargas Llosa, Onetti, Cortázar. Ahí aprendí los instrumentos de la técnica narrativa que no aprendí con las mujeres. No sé por qué, ya que Virginia Woolf tiene un dominio perfecto de la técnica. Pero no es por eso. Cuando leo a una mujer, busco otras cosas. Cuando leo a los hombres, leo una serie de cuestiones técnicas. Con las mujeres me veo de una manera íntima y profunda, con menos distancia. Sylvia Plath es un buen ejemplo. Después de haber leído toda su obra, no la podía releer porque me ponía grave. Me impresionaba y caía al abismo. Con respecto a la poesía, César Vallejo es el más importante por la descomposición del lenguaje y por el conflicto de fuerzas que crean sus poemas, en especial, *Trilce*. Toda la violencia del lenguaje que es un poco como *Zona,* desquebrado. También ha sido importante lo erótico en Vallejo.

Cuando estaba trabajando en el libro de las fábulas (*Fábulas de la garza desangrada*) fui leyendo la Ilíada y el teatro de Sófocles. Antígona es un personaje muy importante para mí.

MGP: *Fábulas* es un texto muy hermoso y muy importante. Uno de los aspectos que me parece de gran potencial es la reescritura de la mitología, por las múltiples posibilidades que ofrece a la ficción, además de una reinterpretación de la "historia", que es otro aspecto esencial de la actividad de la escritura femenina. ¿Por qué sólo escogiste personajes femeninos en este libro?

RF: La idea era dar una nueva historia de la mujer, reinterpretada como debería haber sido, y darle un final diferente: Desdémona mata a Otelo, Ariadna deja a Teseo, es un libro de rebeldía y en eso me identifico mucho con Camus. La posición existencial más auténtica es la del rebelde.

El último libro de Vargas Llosa, (*Entre Sartre y Camus* 1981), es muy bueno y estoy de acuerdo con su postura al defender a Camus frente a Sartre. El libro de las fábulas fue un verdadero gozo escribirlo.

MGP: ¿Por qué vas hacia el mito?

RF: Porque es un mundo, como dice García Márquez en *Cien años de soledad,* donde todo está por nombrarse, es el mundo de los fundadores, y allí se encuentran todos los conflictos femeninos ya enunciados. Si se toma en cuenta no sólo los personajes femeninos sino los dioses, la *Ilíada* leída desde el punto de vista femenino es verdaderamente alucinante.

En el poema titulado "Contracanto" que es lo que mejor he hecho, trabajo todo esto. Creo que Helena es una de las víctimas de la humanidad, y no sólo Helena, sino lo que ella significa, que se proyecta hasta la figura femenina contemporánea. Un ejemplo sería la americana que tiene que arreglarse el pelo y tener una cabellera rubia, como una nube dorada, etcétera. Tiene que seguir el ideal de belleza de Helena de Troya. Es una cosa terrible que va más allá de ser objeto y pasa a ser una cuestión existencial de lo que significa la belleza femenina.

> "un rostro cuya belleza incite
> a ese cumplimiento de las flechas
> que tejen sobre el campo la batalla,
> inevitable aún por invisible
> un rostro en que se olvide hasta el olvido
> que arrastre en su cendal mortífero de plata
> la marea de otros rostros ya apagados,

de las esposas ya casi transparentes,/
inclinadas
sobre el fuego del hogar,
de las ruinosas estancias y de las eras/
estériles

. . . .

"¡Oh Helena,
la que naciste entre las alas de la blanca/
Leda;
no en balde Némesis, al contemplar tu suerte,
huye hoy despavorida de su engendro!
¡Que lo que aquí observas te convenza
de que a uno u otro lado
de tu oscuro corazón contrito
vuelan las dos caras de una misma muerte!
el pálido Paris, a quien en prenda diste/
dulce vida,
Y Menelao, el Atrida de Oro,
te revelan hoy juntos la verdad funesta
de tu ya esfumada y arcádica existencia:
del uno fuiste la consumada cortesana
que rige, desorbitado el lecho, su destino,
entre los lienzos bramantes del delirio;
del otro fuiste la hábil intendenta
de ese oro que acumula en lentas gotas
el avaro tálamo nupcial.
mas he aquí que en esta hora
en que todo lo comprendes y presientes,
el remordimiento de haber sido lo que fuiste
y la nostalgia de no seguirlo siendo,
adivinas en el confín de este horizonte
la certidumbre de un tercer tormento;
aqueos y troyanos, la noble flor
y nata de la juventud antigua, los mancebos
altos como fresnos, los retoños de los reyes
y las parcas, los tiernos como ciervos y los/
pardos
príncipes del Asia, perfumados de especias,

los delfines herederos de diademas,
los primogénitos y los bastardos hijos
de Argólida feliz,
los varones consumados en el ávido

ejercicio de la guerra, los forajidos de/
hierro
ya maduros, y entrados en sazón,
los de largas melenas que arrastran por el/
polvo
su desdén por la derrota fiel, los que/
llegaron
en sus vinosas naves a saquear a Troya
y a enviudar sus calles, y los que hoy
a Troya defienden, empinando sobre las altas/
torres
el silbido diamantino de sus arcos,
los que cubren hoy de mar en mar el/
Escamandro
antes de teñir de múrice su arena milenaria,
los que a tus pies braman, bullen, hierven,
alrededor de las flores de la gloria,
pretenden que en tu nombre hoy brillen,
derribadas por el campo, las estatuas
cuando destilen sangre;
que por tu amor se ahíte las entrañas
la dura tierra con la carne de los héroes;
que en tu recuerdo el galgo, el jabalí y/
el lobo
despedacen, en el remolino de sus cuellos,

los recuerdos de otros hombres y otros/
tiempos;"

["Contracanto"-*Papeles de Pandora*]

MGP: En el ensayo sobre "La autenticidad de la mujer en el arte" *(Sitio a Eros)* haces hincapié en la experiencia como fuente para la literatura y en que la experiencia de la mujer al ser limitada, coarta su capacidad creativa.

RF: Ella se la coarta a sí misma. Yo me la coarto.

MGP: Pero por fuerzas o condiciones externas, sociales o morales. Pones énfasis en la experiencia como fuente de recursos. En el cuento "La muñeca menor" se ve muy bien este aspecto cuando a la protagonista le supura una sustancia con fragancia de guanábano de la pierna, o en el juego de la imagen de la muñeca. Luego, en *Fábulas de la garza desangrada,* en el trabajo de los personajes no entra la experiencia directa a la que te refieres.

RF: Sí entra. Cada mujer es una máscara, y detrás de ella hay una misma voz. Yo creo que en ese sentido hay una continuidad entre *Papeles de Pandora* y *Fábulas de la garza desangrada.* Cambia la máscara. En vez de Isabel Luberza es Antígona.

MGP: Sin embargo, creo que el tratamiento que das en uno y otro difiere en cuanto en el segundo hay una elaboración más literaria.

RF: Sí, es más libresco. Son personajes que se han trabajado a lo largo de la literatura, por cierto. Esa reescritura del personaje situándolo en otro contexto siempre conflictivo y eventualmente resolviéndose de una manera trágica y siempre doblegado al destino fatal o a la fuerza o voluntad de los hombres y de los dioses.

MGP: Cuando leí el libro lo primero que pensé fue que estabas asumiendo una nueva responsabilidad en la empresa de reescribir la historia, de descubrir, en el sentido de levantar el velo, un mundo que apenas se conoce y resulta otra cosa. El proyecto es utópico y fascinante al mismo tiempo, por las posibilidades que ofrece a la imaginación femenina. También el lenguaje que vas armando te emparenta con el resto de la literatura del Caribe, con ese atrevimiento barroco y la frescura de la producción literaria.

RF: ¿No es el mismo atrevimiento el de Borges o el de cualquier otro latinoamericano?

MGP: Aunque tú lo veas como ingrediente del gesto del escritor latinoamericano, me parece importante entender este tipo de literatura como una tarea subversiva más que pensar en que ocurre por una condición de subdesarrollo. ¿Seguirás trabajando la forma del cuento, o piensas explorar la novela?

RF: La novela requiere un tiempo que yo no tengo todavía.

MGP: Hay muchas mujeres que tienden a escribir en un estilo fragmentado. Y por otra parte, hay una tendencia a cultivar los géneros cortos.

RF: Yo creo que es una situación o circunstancia que nos impone la vida.

MGP: Borges es de la opinión de que la novela es un género menor. Dice que la mejor forma es el cuento.

RF: ¡Qué maravilla!

MGP: Recuerdo que en otra ocasión tú dijiste que una de las maneras de escribir que tú practicas es la copia de los maestros. ¿Para aprender esta magnífica receta, podrías decirme cuál es la técnica de la copia?

RF: Pues, mira. Se tiene uno que leer los cuentos. Por ejemplo, te coges un libro de Felisberto Hernández, te lo lees completo y te acuestas a dormir. Al otro día, te haces un arroz con pollo, lo mezclas todo y luego sale el cuento.

MGP: ¿Qué te gusta de Felisberto, por ejemplo?

RF: Me interesa cómo entra en el proceso de la imaginación; él brega con la locura y sus imágenes llegan muy cerca. Está muy cerca de los surrealistas, que también me interesan. Si leo mucho a Felisberto, se me ocurren ecos, algo del oído, sería como hacer lo mismo pero en otro tono. Lo más difícil, sin embargo, no es el trabajo del lenguaje, sino la hilación de la trama, pues es como tratar de imponer un orden en el caos. Y tú no sabes cuál es ese orden. Tienes que disipar las ambigüedades hasta encontrar el orden justo. De pronto, uno encuentra ese orden porque ya existía desde antes.

MGP: Vargas Llosa ha hablado mucho sobre la manera de componer. Son unos textos que a mí me parecen maravillosos, porque es como estar en la cocina de la escritura, junto a él. Dice que el material narrativo, eventualmente, encuentra una forma que se va plasmando lentamente. Luego se vuelve y se corrige, pero de alguna manera, ese material va encontrando su forma. Son los famosos demonios de Vargas Llosa, que en alguna ocasión han causado más de una discusión.

RF: A mí me pasa algo distinto. Yo parto de una imagen visual o de una metáfora que tengo que desarrollar hacia todas las direcciones, trabajando una imagen principal, una semilla, de la cual voy sacando un hilito que tengo que ir tejiendo alrededor. Eso me hace que me constriña a textos cortos porque es más fácil terminar un tejido que hacer una novela. Tendría que hacer una novela con muchos pequeños centros, que es lo que hacen muchos novelistas. A propósito, he terminado una novela que se llama *Maldito amor:*

Desde las ventanillas ornadas de cortinas de terciopelo gris de los coches, los ciudadanos pudientes se saludaban unos a otros, torciendo el cuello para descubrir quiénes entraban o salían de tal o cual establecimiento, para adivinar si menganito y sutanito habían sido o no invitados a la fiesta, si le habían dado bola negra o si colgaría él también aquella noche del cachete de Don Fernando Arzuaga. No era que en el pueblo no se hubiesen celebrado jamás fiestas semejantes. La sociedad encumbrada de La Perla del Sur, hasta hacía poco tiempo constituida en su mayor parte por terratenientes y magnates de la caña, había tenido fama por sus fiestas exorbitantes, en las que los barones del azúcar y del ron desplegaban sin escrúpulos todo el alcance de su poderío pero en los últimos años el carácter de dichas celebraciones se había alterado. La aristocracia cañera había dejado de ser la clase rectora del pueblo, porque sus haciendas y sus tierras habían pasado ya, en su mayor parte, a manos de las grandes corporaciones extranjeras. El poder político del pueblo estaba ahora en manos de la nueva clase industrial, aliada a los intereses extranjeros, y los barones del azúcar habían pasado del día a la noche, de los floridos discursos recitados desde sus escaños del Senado (desde los cuales hilvanaban, vestidos de dril cien, las elaboradas filigranas de su oratoria ciceroniana) a proezas de otro calibre. Se dedicaron en cuerpo y alma a quemar el pabilo por ambas mechas, a arrojar sin constricción los cimientos de sus casas por la ventana.

Era evidente que no tenían salida, y se decía que había llegado en ocasiones hasta a invitar a los agentes de su desgracia, los dueños de las corporaciones norteamericanas, a estar presentes en aquellas fiestas. Desprovistos de todo cultivo intelectual, así como de un verdadero refinamiento, decidieron, como los ciudadanos de la antigua Roma, suicidarse lentamente devorándose las propias entrañas. Se encerraban en sus mansiones de cal y canto del pueblo a las que se habían trasladado a vivir cuando se vieron obligados a abandonar las haciendas que les era imposible sostener, a beberse y a comerse lo que les restaba de sus enormes fortunas.

[*Maldito Amor*]

MARGO GLANTZ

GLANTZ

Entrevista con Margo Glantz en su casa de Coyoacán en julio de 1982 y octubre de 1983

Magdalena García Pinto: Para comenzar a armar tu cronología, ¿te acuerdas de las lecturas que hacías cuando eras niña?

Margo Glantz: Yo leía desde muy pequeña. El único premio que debo haber sacado en mi vida fue porque aprendí a leer muy rápidamente en la primaria. Me dieron una muñeca que hablaba. La metí en la tina para ver si se bañaba conmigo, pero como era un mecanismo bastante deficiente, se murió en la tina. Y dejó de hablar. Volviendo a mis lecturas, mi papá tenía una biblioteca bastante grande con libros de todo tipo: volúmenes en ruso y en yiddish (papá era un poeta judío que escribía en yiddish). Por eso tenía una biblioteca muy grande de poesía en estas lenguas, y cuando llegó a México le interesó mucho la poesía en español, la poesía de los mexicanos y de los latinoamericanos. Recuerdo que tenía una antología intitulada *Florilegio de varia poesía,* donde leí poemas de los griegos y otros autores extranjeros en traducción. Empecé a leer a Calderón, Shakespeare, Alejandro Dumas, Julio Verne, Emilio Salgari, Mark Twain y las novelas rosas de Pérez y Pérez. Lees lo que te cae en las manos, lo que te fascina y te emociona.

MGP: ¿Te interesaban las novelas de folletín?

MG: Mi papá compraba el periódico *Novedades,* que publicaba folletines que coleccionaba, y también ese periódico publicaba las novelas de folletín encuadernadas. Leía también a Rocambole de Ponson du Tenail y a Gaston Leroux. Todo este tipo de libros me fascinaban de chica. También leía novelas de aventura de todo tipo, hasta algunas novelas pornográficas que mi papá tenía por ahí. Eso como a los trece años. Debo haber empezado a leer entre los nueve y los diez. También me interesé por unos textos que eran síntesis de la mitología griega para niños. Eso fue muy importante pues las historias de Jasón, de Perseo, de Prometeo y demás han quedado en mi ficción. Me atraían las historias de Colón, Cortés, Robert Peary, el descubridor del Polo Norte, las expediciones que llegan al Himalaya, cuentos sobre los inventores, de Watt, descubridor del microscopio y otros más. Es decir, leía lo que me caía en las manos. Como era una niña muy tímida, lo que hacía fundamentalmente era leer. Y cuando fui adolescente, leí aún más.

MGP: Me sorprende que digas que eras una niña tímida.

MG: Timidísima. No lo parezco ahora, ¿verdad?

MGP: ¿Crees que la abundancia de lectura se debía en parte a tu timidez?

MG: Era una protección leer. Primero, porque me gustaba enormemente. Además, porque me dejaban mucho tiempo cuidando el negocio de mis padres. Sus múltiples negocios. Pero a mí sobre todo me tocó estar en la zapatería que teníamos en la calle Tacuba. Allí estuvimos desde que yo tenía trece años hasta los diecisiete. Cumplíamos un horario comercial que hoy no existe: de nueve a una y de tres a siete. De una a tres cerrábamos el negocio, pero había que estar adentro del local cuidándolo. Mi madre subía a hacer la comida y yo me quedaba abajo.

MGP: ¿El local de la zapatería quedaba debajo de la casa?

MG: Sí, entonces yo me quedaba cuidando la zapatería y leyendo. Cuando me tocaba atender a los clientes, me molestaba porque interrumpían mi lectura.

Cerca de los catorce años entré a una organización sionista, Hashomer Hatzrair, y allí había una biblioteca circulante que no sé si era muy buena, pero en esa época era como si lo fuera. Tenía libros importantes, sobre todo libros de autores norteamericanos. Empecé a leer a John Dos Passos, Steinbeck, Upton Sinclair, Sinclair Lewis, Sherwood Anderson, Faulkner y otros. Leía las traducciones de estos libros que publicaba la Editorial Sudamericana. También leía literatura en traducción que publicaba Salvador Rueda, otra editorial argentina y la trilogía de *Manhattan Transfer* más *Las palmeras salvajes,* traducida por Borges, pero todavía no sabía quién era Borges. También leí mucho la colección del Séptimo Círculo, colección que dirigían Borges y Bioy Casares. Pero a Borges lo conocí recién a los treinta años, aunque también leí su traducción de *La metamorfosis* de Kafka y algunos libros de Herman Hesse. Muy importante fue leer *Manhattan Transfer.*

MGP: ¿Me podrías explicar de qué manera fue tan importante, qué te impresionó o te atrajo?

MG: Era una novelística muy interesante...épica, con movilidad de personajes y espacios, con problemas del mundo contemporáneo, una novela comprometida. Recuerdo que Faulkner me intrigaba de manera morbosa. También me acuerdo que me leí como veinte veces varias novelas de Jules Verne: *Dos años de vacaciones* y *Un capitán de quince años.* Lo que leí más veces fue *Los hijos del capitán Grant.* También puedo añadir a esta lista a Fenimore Cooper con *El último de los mohicanos,* a Walter Scott con *Ivanhoe.* En esa organización todo el mundo leía muchísimo. Mis compañeros eran en su mayor parte mayores que yo. Tenían casi todos quince años. Nos prestaban los libros a la casa y yo los devoraba porque siempre he leído muy rápido. Los leía con pasión y varias veces. Ya a los dieciséis leí *Contrapunto* de Huxley y al año siguiente empecé a leer Proust, pero no me gustó porque me parecía aburrido. Recuerdo al escritor alemán Wassermann, judío, que vivía en Alemania hasta que tuvo que emigrar cuando irrumpió el nazismo.

Había otras novelas que ahora han dejado de circular como *El caso Maurizius* y *El hombrecillo de los gansos* de Etzel Andergast, *Jean Christophe* de Romain Roland y otro judío alemán que leía de jovencita, Feuchtwanger, que escribió *El Judío Süss,* novela importante. Me acuerdo también del norteamericano Max Eastman, que lo vi reaparecer en la película *Reds* pues era amigo de Jack Reed. Por esta época traté de leer *Mientras agonizo,* pero me dio mucho trabajo y cuando leí *Santuario* me quedó como una impresión entre morbosa y violenta. Leía, leía, leía y no entendía nada. Se trataba de cosas muy difíciles de entender: abortos, violaciones y un eunuco que manda a violar a una mujer, de modo tal que yo no acababa de entender todos estos asuntos. Sin embargo, más tarde leí a Faulkner con mucho cuidado y con mucha pasión. *Crimen y castigo* me impresionó tanto, tanto, que no lo he podido volver a leer completo otra vez. Siempre me pareció una novela de tanta violencia que no puedo terminarla. Luego empecé con los franceses, entre ellos leí a Flaubert y a Balzac, pero poco a este último.

MGP: ¿Tu padre te servía de guía de tus lecturas?

MG: No, no se preocupaba por darme libros. Yo agarraba lo que quería de las bibliotecas.

MGP: ¿Tampoco conversabas con él sobre lo que leías?

MG: No, no. Quizá conversaba con los niños de mi edad acerca de esas lecturas, sobre todo sobre las novelas románticas. Pero en realidad es un período del cual recuerdo pocas cosas, excepto que leía y leía y leía como loca.

Ya en la preparatoria Número Uno, que era oficial, empecé a sentirme más tranquila y a llevarme mejor con la gente. Tenía entonces un grupo de amigos y fue muy importante, pues es básico para un adolescente el tener amigos. Me llevaba mejor con mis amigos no judíos que con mis compañeros del colegio israelita al que asistía. Me llevaba muy mal con ellos porque yo no había estado antes en una escuela judía. Cuando entré a la secundaria, mis compañeros judíos habían empezado a estudiar desde el Kinder y eran entre ellos compañeros de siempre. Cuando yo llegué, me trataron como a una forastera y se me hizo muy difícil adaptarme porque tampoco sabía yiddish. Mis padres nunca tuvieron mucho dinero porque mi papá nunca llegó a ser demasiado buen negociante. Siempre anduvimos de un lado a otro de la ciudad. A cada rato quebraban sus negocios y teníamos que cambiar de casa. Era un desastre. Y la mayor parte de mis compañeros de clase, si no era gente adinerada, eran por lo menos de muy buen pasar. Tenían dinero y pertenecían a la clase media acomodada.

MGP: ¿Eso creaba una diferencia en cuanto a las relaciones con tus compañeros?

MG: Había una gran diferencia. Nosotros vivíamos en un barrio popular y mis compañeros vivían, si no en barrios muy elegantes, en barrios muy cómodos. Algunas veces viví en alguno de ellos: la Colonia Hipódromo o la Colonia Condesa. Luego empezó a ponerse de moda irse al sur, por Polanco y en el mismo barrio Polanco. Entonces la gente fue emigrando hacia allí, pero nunca llegamos a vivir allí nosotros. Yo tenía poco dinero, poca ropa, pocas ocasiones para viajar mucho. Mis compañeros iban mucho de vacaciones a Cuernavaca o a Acapulco. Eso para mí era imposible. Conocí el mar a los catorce años porque mi papá nos llevó a Veracruz, pero no había ido a Acapulco. Había una diferencia, y sobre todo había una diferencia de educación. A pesar de que mi padre era un poeta judío muy importante y que para él el yiddish era un idioma básico, a mí no me enseñó yiddish ni a mi hermana mayor.

MGP: ¿Y por qué no les enseñaron ese idioma, como es el caso de gran parte de las familias judías?

MG: Mis padres hablaban español con nosotros, y entre ellos, en yiddish y ruso. En la escuela judía estuve un mes o dos en el cuarto año de primaria. Luego tuvimos que cambiar de casa por problemas familiares. El colegio israelita era muy caro y además vivíamos en barrios en donde no había casi judíos y por tanto los autobuses de la escuela no pasaban por esos barrios. Casi nadie tenía coche y yo tenía que tomar dos o tres autobuses para llegar a la parada del autobús del colegio, así que esta escuela era realmente imposible. Luego empezó a haber un grupo de los niños del rumbo que iba al colegio israelita por lo que se consiguió un autobús especial que nos iba a buscar. Después ya entré a la secundaria.

Hubo un acontecimiento que fue bastante decisivo para que yo entrara a la secundaria israelita. Nosotros vivíamos en una especie de vecindad que le llamamos el "conventillo." La zapatería de mi papá daba sobre la calzada México Tacuba número 517. Al lado de la zapatería había otra tienda y arriba de la tienda de mi padre había un departamentito con dos recámaras, una para mis padres y otra para nosotros, las cuatro hermanas, sala y comedor. Era un departamento vecino de otro que había sido construido posteriormente a la vecindad aquella. Vivía allí gente muy pobre, en condiciones bastantes difíciles, como vive mucha gente de México, con casitas muy pequeñitas, donde se hacinaban varias personas de la familia, y en donde nosotros éramos los ricos de la casa. Teníamos un departamento mucho más organizado, mucho más moderno, recién construido que estaba encima de la "accesoria," que quiere decir que además del edificio, además de las habitaciones, había un lugar donde se podía poner un comercio. Al frente había un molino de 'nixtamal' con unos españoles. Uno de ellos se había enamorado mucho de mi hermana Lilly, que era muy bonita. Le hacía la corte y mi papá le pegó unas palizas horribles porque no le gustaba ese tipo de amoríos. A lo mejor exagero.

En la casa de los vecinos vivía un señor, médico, que tenía su "casa chica" o segundo frente, la mujer no legítima, con la cual tenía cuatro hijas y un hijo que se llamaba Rubén, un muchacho altote y flaco. Y las azoteas de nuestras casas tenían una barda muy baja por lo que se podía saltar de un lado a otro. Este chico vivía en la azotea porque había puras hermanas abajo y coqueteaba con todas las criadas mías, se acostaba con ellas, según me vine a enterar más tarde, y también me hacía la corte a mí. Me enamoré del tipo de una manera platónica. Por entonces yo tenía una idea muy rara, muy conflictiva, muy morbosa y muy oscura, muy turbia de lo que podía ser el sexo. No tenía mucha idea de nada y mi madre ni siquiera nos explicó qué era la menstruación. Te lo decía la hermana mayor, las primas, las compañeras de escuela, cualquiera menos tu madre. Yo estaba en la secundaria. Un día yo subí a la azotea y estábamos platicando cuando agarró unas cuerdas y me ató a un poste que servía de división entre las mismas, y luego me besó. Se me pegó el tipo y sentí su sexo encima. Yo tenía la boca muy cerrada y el tipo me pasaba la lengua por la boca. Me acuerdo muy bien la sensación.

Bueno, después de este episodio fui a platicar con una de las criadas, en tanto mi mamá, que estaba en el cuarto de al lado, oyó la conversación, se asustó y pensó que el tipo me había violado. Me llevaron al médico a que me hiciera un reconocimiento para ver si era virgen o no. El médico me preguntó si yo había tenido relaciones con ese muchacho y por supuesto que yo le dije que sí, porque yo entendía relaciones como relaciones amistosas. Me encerraron en la casa y me llevé una golpiza horrible. Ahí fue cuando mi mamá decidió que yo tenía que ir a un colegio israelita porque yo estaba en peligro de casarme con un no judío. Se acordaron de que yo tenía que ser judía. A mí me pareció un castigo el tal colegio. No tenía amigos. No tenía una identidad muy clara. Mi familia era una familia muy judía pero muy especial, mi papá era poeta y había vivido en la época de la revolución rusa con poetas de todas partes. Había nacido en un pueblito muy judío porque era un ghetto, un pueblito que el zar les había otorgado a los judíos.

Mi papá primero había aprendido yiddish y aprendió a rezar en hebreo; venía de una familia muy religiosa; sus padres conservaban todas las tradiciones. Era de verdad un hombre muy judío pero cuando empezó la revolución, empezaron a llegar al pueblo muchos refugiados que venían de las grandes ciudades porque eran perseguidos. La época de esos movimientos, desde el 1905 al 1918, fueron años muy terribles e interesantes. Toda la gente que tenía problemas y que pertenecía a movimientos clandestinos se iba a los pueblos. Por otra parte, muchos de los revolucionarios eran judíos.

MGP: ¿Tu padre formó parte de alguno de esos movimientos revolucionarios?

MG: Mi padre era muy jovencito, pero como llegaba gente a las colonias agrícolas, lo indoctrinaban. Le contaban sus vidas de militantes, lo que habían hecho hasta ese momento y le explicaban las teorías.

MGP: ¿En qué año nació tu padre?

MG: Nació en 1902. Cuando su padre murió, se fue a una ciudad grande que se llamaba Jerzon. Vivió con uno de sus tíos, el único que había más o menos prosperado y hecho carrera. Era ingeniero de minas pero no se recibió porque en esa época no los aceptaban a los judíos en las universidades.

MGP: ¿Era muy fuerte la discriminación contra los judíos en la época de los zares?

MG: Muy grande. En ciertas partes de Rusia tenían derecho a practicar ciertas profesiones.

MGP: Parte de esta historia de tu familia está incluida en tu libro *Las genealogías*. ¿Tu familia proviene toda ella de Rusia?

MG: Mis padres recuerdan a sus abuelos pero no llegan más atrás. El abuelo de mi padre venía del pueblo de Chagall, Vitebsk. Habían dividido la población en dos porque ya no había lugar, y lo mandaron a otro pueblo pequeño que llamaron Novo Vitebsk. Era una colonia judía agrícola. Mi abuelo era agricultor y vidriero.

MGP: ¿Por qué vino tu padre a México?

MG: Porque toda su familia había emigrado a Estados Unidos.

MGP: ¿En qué año se fueron de Rusia?

MG: En 1925. La situación era ya mala para ellos. A mi padre lo habían metido en la cárcel por un problema que hubo en un mitin de obreros. Empezó a haber rompehuelgas porque el stalinismo ya no permitía que hubiese crítica, y comenzaron así a meter gente en la cárcel cuando hacían alguna protesta por parte de los obreros. En uno de esos mitines, uno de los obreros se tiró del quinto piso.

Mi padre era amigo de un reportero de un periódico que comenzaba a dar voz a la disidencia, y mi padre ya había comenzado a escribir allí, a pesar de que era un periódico no muy reconocido por los bolcheviques. A raíz del accidente del obrero que se había suicidado, llegó la policía y encarceló a mucha gente, entre los que estaba mi padre. En esa ocasión fue cuando mi padre conoció a mi madre, que provenía de una familia más acomodada.

MGP: ¿Tu padre llegó solo a México?

MG: No, vinieron los dos. Se casaron y salieron para México con gran dolor de la familia de mi madre. Y como te decía antes, yo no tenía una educación tan judía porque mi padre era muy bohemio. Nunca tuvimos estabilidad económica porque cambiaba de negocios a cada rato. Después estudió la carrera de odontología. Vendía pan por la mañana y a la tarde trabajaba de dentista, pero se aburría y le daba asco. Además, lo que le gustaba hacer era escribir poesía, salir a cenar con los amigos y recibir poetas. Se hizo muy amigo de poetas y pintores mexicanos, americanos y otros que por entonces vivían en México. Tuvo una vida no muy ortodoxa. Estaba vinculado a la comunidad judía por las actividades culturales y tenía una vida muy intensa con los judíos exilados recién llegados a México, con quienes se reunía frecuentemente para conversar en ruso y en yiddish. A nosotros nunca nos enseñó estos idiomas. También siguió siendo muy de izquierda, muy socialista. Apoyaba las causas de izquierda y estuvo a favor de la República española. Esta era la época de Lazaro Cárdenas, los años entre 1930 y 1936 fueron los años del socialismo en México. Era muy judío y también era muy liberal. Se decepcionó mucho con el pacto germano-soviético.

Mi padre me relata a menudo y con excitación, las diferentes veces que tuvo que ver con la ley. Después de sus peripecias rusas, que lo habrían de traer a esta clara y muy noble ciudad de México, mi padre se vinculó aquí con grupos de izquierda, y hasta con anarquistas. Es bueno recordarlo y los teatros de esta ciudad lo recuerdan también: por allí andan exhibiendo, o mejor, representando, la historia de Sacco y Vanzetti, que cuando yo era chica me sonaban como un solo nombre y luego como un nombre más

agregado al de los esposos Rosenberg, muertos en la silla eléctrica por vendepatrias allá en mis años adolescentes, cuando yo participaba en manifestaciones en favor de causas perdidas, como bien lo demuestra el hecho de que los Rosenberg hayan sido ejecutados, y también Sacco y Vanzetti.
[*Las genealogías*]

Yo, por mi parte, no tenía una identidad muy clara. Era muy tímida y me costaba mucho relacionarme con la gente. De ahí que la lectura, además de gustarme, fuese muy importante. Además, yo tenia una identificación muy grande con él.

MGP: Esto se nota muy marcadamente en *Las genealogías.* ¿Hay una relación entre el hecho de que tú eras muy apegada a tu padre y tu posterior dedicación a la escritura?

MG: Yo quería dedicarme a la literatura desde muy temprano, pero no estaba segura si podía hacerlo. Empecé a escribir muy tarde, a los treinta y dos o treinta y tres años. Siempre supe que quería estudiar Letras, y escribía diarios desde muy jovencita. Era tímida y débil de carácter, pero tenía muy clara la vocación. Mi relación con el mundo, sin embargo, era bastante obnubilada. No me daba cuenta de nada y me llevaba mal con mi mamá. Luego con el tiempo me llevé mejor con ella. Ellos formaban como un mundo aparte. Estaban muy unidos y salían mucho juntos. Nos dejaban mucho solas. También invitaban mucho a casa. Teníamos una vida familiar muy grande, pero ellos formaban un bloque de alguna manera. Mi papá fue siempre muy egoísta, un personaje fascinante pero muy egoísta; mi madre, por su parte, estaba completamente dedicada a él. A veces, le molestaba tener que ocuparse de nosotros y no estar con papá, por eso nos quedábamos en casa con las criadas. Mi madre, en el rol tradicional de esposa, era la más sólida, la más definitiva. Ella era la cabeza de la familia, más que mi papá; fue la que se partió el alma para sacarnos adelante, para tener dinero, para hacernos trabajar. Ella nos ayudó a vivir y nos mantuvo por mucho tiempo. Papá siempre trabajaba mucho pero era más volátil; mi madre tuvo que ser más recia para sobrevivir.

MGP: ¿Tú crees que para contrarrestar un poco la bohemia de tu padre?

MG: Para mi madre no hay diferencia entre la obra de mi padre y la de ella. Y tiene razón. Mi papá hizo lo que hizo por ella. Si no hubiera estado a su lado, no hubiera podido hacer nada. Tampoco ella hubiera sido lo que es sin él.

Yo creo que mi papá se desperdició mucho porque se aburría de las cosas. Hizo cosas muy importantes en poesía pero había muy poca gente a la que le interesaba la cultura en el medio judío de México. Esto era terrible para él.

MGP: ¿Qué posibilidades culturales había entonces para la comunidad judía en aquel México?

MG: Había algunos periódicos, *El camino (Der Weg)* y *La voz (Die Stimme)* en los cuales colaboró durante cincuenta y cinco años. El fundó el primer periódico judío en México con otros dos poetas, Sal Glikowski e Isaac Berliner, muy buenos pero no tan conocidos como mi padre. Al morir la enorme cantidad de judíos con el nazismo, junto con la creación del estado de Israel, el idioma yiddish pasó a segundo plano.

MGP: ¿Dónde publicaba sus poemas?

MG: En los Estados Unidos publicaba mucho. Cuando los periódicos en yiddish comenzaron a desaparecer porque los jóvenes judíos escribían en inglés, publicó en Israel, donde todavía quedaba gente que hablaba yiddish, los sobrevivientes de la hecatombe nazi. Era muy conocido allí y ganó varios premios, pero desgraciadamente los judíos que hablaban yiddish murieron. La cultura judía se había mantenido viva por las persecuciones. Ahora eso ha cambiado.

MGP: ¿Cuáles son los libros y autores que fueron importantes para el desarrollo de tu escritura?

MG: Te había hablado de los libros que fueron importantes para mí cuando era adolescente. Luego, cuando fui a vivir a Francia, después de casada, aprendí muy bien el francés y leí a Proust y a Stendhal. Leí además la literatura francesa muy sistemáticamente, junto con el ensayo y la crítica. Los autores que más impacto han hecho en mí son Dostoievski, Proust, Stendhal, Flaubert, sobre todo el de *La educación sentimental.* Ultimamente he estado trabajando mucho para escribir a Borges—en un tiempo no podía escribir si no tenía un libro de él a mi lado. Borges me ha ayudado muchísimo con el idioma, como a muchísima gente, pues me ha enseñado a sintetizar, a manejar ciertos giros y expresiones, a evitar una serie de frases introductorias inútiles, a evitar los *que,* todo ese tipo de cosas. Además me fascina cómo maneja el adjetivo; la capacidad de concentrar en muy poco espacio una cantidad enorme de pensamiento. Por otro lado, esa relación muy importante con lo enciclopédico y la erudición de Borges son básicas para mí. No quiere decir que yo tenga la erudición de este maestro porque es impresionante lo que ha leído y asimilado, más la capacidad para manejar elementos lingüísticos y matemáticos, pero es fundamental para mí.

Otro autor imprescindible para mí es George Bataille, en lo que se refiere al problema del cuerpo. Lo leí hace muchos años y lo he trabajado continuamente; también he traducido dos de sus libros, *La historia del ojo* y *Lo imposible.*

MGP: También prologaste estos textos, ¿verdad?

MG: Sí. En uno de mis libros, *La lengua en la mano,* están incluidos dichos prólogos

La desgarradura obscena, las partes más deshonestas *de la persona (según el vocabulario religioso), regresan a Bataille a un mundo de lo que* no *significa, a un mundo que sólo* es, *a un mundo donde la experiencia interior mística está asida al cuerpo, enviscerada a él, ligada a sus excrecencias: la orina, el sudor y en el mismo orden a los ojos que en su contextura blanduzca, líquida y pegajosa unifican las dos sexualidades, la exterior, la que produce el semen, la de los c-ojos-nes, mutilable, castrable, edípica: "El rostro de Laura tenía un parecido horrible con el rostro de ese hombre tan horriblemente trágico: un rostro de Edipo vacío y medio loco. Esta semejanza creció durante su larga agonía, mientras la fiebre la excaba quizá y, en especial, durante esas terribles cóleras y ataques de odio contra mí." Misterios eleusinos que Bataille concentra en textos oscuros, pantanosos, muy a menudo mal escritos, desgarraduras de conciencia que no abandonan su territorio corpóreo, que son secretos por eso, porque, juego malabar del lenguaje: lo que se guarda* secreto *por imposible y lo que ese cuerpo que guarda,* secreta.

[*La lengua en la mano*]

También me interesa el Sartre de *L'Imaginaire,* su texto sobre Baudelaire y sus ensayos críticos, no los filosóficos, pero el que me impactó muchísimo, que me sirvió mucho tiempo y horas, tanto que lo tengo dañado por la cantidad de veces que lo he leído es el *Saint Genêt,* en donde también el problema del cuerpo y la santidad son básicos. Ultimamente un autor muy importante es Roland Barthes, de quien he leído todas sus obras y también utilizo para trabajar. Es verdaderamente fascinante como escritor. Su idea del fragmento junto a la relación que él tiene con la erudición y la creación me alimenta mucho y me encanta. Leo a Barthes con gran placer: *El placer del texto, Fragmentos de un discurso amoroso, La cámara clara,* las *Mitologías.* Una de mis columnas que escribía para UNOMASUNO se llamó "mitologías" en su honor. Otro escritor importante es Walter Benjamin, y también Albert Beguin, que escribío un libro que se llama *El alma romántica y el sueño,* un ensayo sobre el romanticismo alemán que se publicó en México hace unos años en el Fondo de Cultura Económica. Leí a Michelet por Barthes. Es decir que para mi escritura directa estos ensayistas han sido básicos.

MGP: ¿Algunos otros escritores añadirías a los ya citados?

MG: La lectura en general de muchos textos me importa muchísimo. A Kafka lo he trabajado mucho desde muy joven, como te mencioné. También me interesa particularmente por la fragmentación.

MGP: Sé que te interesa mucho el teatro y que has realizado varias actividades conectadas con este género. ¿Podrías mencionar algunas de ellas?

MG: En efecto, he leído mucho teatro y traduje varias

obras al español. También he trabajado en adaptaciones novelescas para televisión y radio. Todo esto ha sido muy útil como escritura.

MGP: Todavía no has mencionado a nadie entre los españoles. ¿Hay algún grupo de autores que has leído con especial interés en conexión con tu escritura?

MG: He leído mucho teatro español. En particular, he trabajado intensamente a Calderón de la Barca en uno de mis libros, *De la erótica inclinación a enredarse en cabellos.* En este texto hay unas ciento cincuenta páginas dedicadas a Calderón.

MGP: ¿Has trabajado algunas obras en particular?

MG: Con mucho cuidado he trabajado *La vida es sueño, La gran Xenobia,* que se conoce poco, *En este mundo todo es verdad y todo es mentira, La hija del aire, El monstruo de los jardines,* y *Las manos blancas,* que es una comedia de gran belleza. Tengo unas quince páginas sobre ella. También Tirso de Molina es importante. *La celosa de sí misma,* que se lee muy poco, es una obra muy hermosa; evidentemente me interesa Don Juan. En fin, también otros españoles, Garcilaso y Lope, las crónicas de la conquista y *Las mil y una noches,* que me parece un texto fundamental.

MGP: ¿Por qué es este texto fundamental?

MG: Me fascina mucho el personaje de Shahrazad y te explico por qué. Solía leer constantemente *Le Nouvel Observateur,* que me parece un periódico muy importante. En uno de los números, en 1962, salió un artículo muy amplio y muy bueno sobre el primer libro de Michel Foucault, *La folie 'a l'âge classique.* Me di cuenta lo importante que era esta obra y me sirvió mucho para la concepción de la locura, tema que por ese entonces yo estaba elaborando. Allí Foucault decía algo sobre un libro que yo había leído algunos años antes, *Las joyas indiscretas* de Diderot, que apareció a mediados del siglo XVIII. Diderot escribió este libro siguiendo una moda que había surgido en ese siglo, hacia 1705 o 1706. Se había publicado la primera traducción de *Las mil y una noches* al francés por Galant, pero con muchas omisiones y mucha censura. Luego empezaron a surgir una serie de libros de literatura libertina, muy transgresora, muy violenta, muy crítica, y entre ellos salió este texto de Diderot. Foucault trabaja con este libro y dice que el discurso del sexo no era un discurso callado sino un discurso que hablaba todo el tiempo, pero Diderot no dice que el discurso del sexo sea femenino nada más. Yo trabajé Diderot otra vez. Es un libro que me parece muy importante y que hay que retomar. Tuvo mucha importancia en el siglo XVIII y también en el XIX pues hay una literatura que está llena de traducciones, de parodia, de paráfrasis de *Las mil y una noches.* Es el discurso del cuerpo y del arte erótico que es muy importante en Europa en ese siglo francés, un siglo muy libertino. Yo hice un texto breve sobre Diderot para el III Congreso de Escritoras del Canadá en Ottawa, que tuvo mucho éxito. Es un texto corto pero violento, bastante incisivo, en donde trabajo el problema de la sexualidad. Ahí trabajo a Shahrazad:

Shahrazad propone en cambio otra forma de relato, el que sirve como redención contra la muerte. Y, en efecto, Shahrazad es la imagen más absoluta de la vitalidad: es un ser que se prodiga y habla por todas sus bocas pues por la primera da a luz todos los relatos y por la segunda pare todos los cuerpos que el sultán engendra en ella.

[*"Al borde del milenio"*]

MGP: Este trabajo está ligado a los otros que estás realizando sobre el cabello, la desnudez y la sangre. Pareciera que forman una trilogía.

MG: Creo que sí. Quiero seguir trabajando sobre *Las mil y una noches* porque ahí tengo toda una teoría del sexo y del texto femenino.

MGP: ¿Te interesa el surrealismo? En tu escritura hay elementos que te asocian de alguna manera con ciertos escritores de este grupo, o esa modalidad de trabajar el lenguaje y de acercarse a la literatura.

MG: Creo que mis textos son surrealistas, en efecto. Manejo una lógica de asociación, de mucha escritura automática. Me interesan Bataille y Artaud que son los disidentes entre esos escritores. También me interesa mucho ese gran pintor surrealista que fue Marcel Duchamp. Hay un libro de Paz que se titula *Apariencia desnuda: La obra de Marcel Duchamp,* que me fascinó mucho.

MGP: En tus libros detecto un proyecto de autorepresentación que se mueve en varias direcciones y propone diversos procedimientos. Pienso en *Las doscientas ballenas,* en *No pronunciarás* y *Las genealogías* para comenzar. Cada texto incorpora un fragmento de tu individualidad que pasa a integrarse dentro de una concepción biográfica, o mejor, autobiográfica de tu escritura, de una obsesión con tu persona.

MG: Siento que el mundo que he escogido es un mundo maravilloso y por eso siento un gran gozo que necesito comunicar. Pero me ha costado trabajo verme a mí misma, trabajar, porque he sufrido mucho conmigo misma. Escribir me ha redimido como ser, como cuerpo. En ese sentido para mí escribir es muy importante porque es como una empresa de reconstrucción de mí misma, de rehacerme tejido por tejido, cosa por cosa; también me interesa mucho hacer entrevistas como ésta porque me doy cuenta de muchas cosas.

MGP: Es como un diálogo con tu espejo, de alguna manera.

MG: Sí, como una especie de poética, o tal vez, de armar una poética. Este tipo de diálogo va provocando una serie de ideas y te vas dando cuenta de cosas que antes no se te había ocurrido pensar.

MGP: ¿Cómo surge un texto como *Las doscientas ballenas,* título bastante intrigante, por cierto?

MG: Entre los naufragios de mi imaginación iban navegando las ballenas que también tenían su identidad. Me encantan estos animales porque son gordos, mamíferos, tienen leche, senos y se tardan mucho en dar a luz. Amamantan, hacen el amor muy suave y luego se suicidan porque ya no aguantan el mundo. También ellas son perseguidas y poetizadas por el hombre. *Moby Dick* es la gran epopeya de la destrucción y de la tristeza por la destrucción. Al mismo tiempo es mi manera de relacionarme con el mundo de aventuras que no he podido vivir más que desde la orilla de un libro. Entonces decidí que las ballenas tenían su fisonomía aparte y al mismo tiempo, tenía la obsesión de las doscientas ballenas azules que quedan en el mundo.

MGP: ¿Cómo surgieron los naufragios?

MG: Decidí que los naufragios se quedaban solos, entonces empecé con los diluvios, los huracanes cósmicos, es decir, meteorológicos, reales convulsiones de la naturaleza o cósmicas, tomadas de la Biblia y del diluvio de Gilgamesh. Luego tomé la conquista de América que para mí es un fenómeno verdaderamente fascinante. Me parece atractivo y horrible a la vez, pues vi cómo los hombres matan a los hombres, cómo los van subyugando sin permitirles el derecho de ser diferentes por creer que solamente debe regir una sola cultura. Es también la destrucción del hombre por el hombre por el afán de poder, por la necesidad de no dejar que nadie sea diferente, que es una vieja obsesión mía.

MGP: Sé que ya está completada una trilogía en la que estuviste trabajando por algún tiempo. ¿Por qué es una trilogía?

MG: Es una trilogía porque también mis libros, como el texto y su sombra, van echando babas y esas babas se van formando como desperdicios, textos fragmentarios que van siendo informados de una manera interior. Había empezado con *Síndrome de naufragios* y un tratado de nomenclaturas. Este se fue por su lado y salió *No pronunciarás,* que incluye ciertas cuestiones bíblicas como la relación del nombre con la persona, la firma y la escritura.

MGP: ¿Por qué te interesan estos elementos?

MG: Porque la grafología es una forma de biografía que te define puesto que no hay dos seres idénticos, ni siquiera los gemelos. No hay impresiones digitales idénticas, ni voces idénticas y tu escritura tiene tu forma particular. La escritura de tu nombre te forma, te identifica contigo misma. Por otra parte me interesa mucho la individualidad, el no ser de la masa. El mundo sería mejor si las sociedades modernas no tendieran a igualar a todos. Me interesa la democracia pero no aquella que anonimiza, que plastifica. Me interesa la democracia que da pluralidad, que da apertura a miles de formas distintas, que te da individualidad. Creo que buscar tu individualidad es lo que te hace completamente diferente a otros seres. *No pronunciarás,* como todos mis otros textos, tiene una preocupación cósmica que incluye la religiosidad, lo sagrado. Tengo la herencia de la judería que la negué por mucho tiempo pero que es mi herencia. Siempre estoy ligada con la Biblia, con los profetas, de allí el título de *No pronunciarás:* "No pronunciarás el nombre del Señor en vano." (Exodo, 20, 7).

MGP: Regresemos por un momento a los naufragios y a la destrucción, a los huracanes e inundaciones. ¿Cómo reuniste todas estas preocupaciones universales en tu trabajo actual?

MG: Por fin me di cuenta, poco a poco, de que el huracán exterior, el diluvio exterior, la destrucción exterior, se volvían parte de mi propia destrucción que era la relación amorosa. También me di cuenta de que uno se ahoga en un vaso de agua, y que las tormentas a veces son pequeñas. Mi libro es mi propia vida, mi propio cosmos, mi propio corazón que se vuelve una historia pequeña, la pequeña muerte, el pequeño orgasmo, que de alguna manera participa del universo.

Madame de Chatelet lo supo, supo que hay que temer esas grandes conmociones del alma, causas de hastío y de pesar. El orden destierra las tormentas e impide el sufrimiento, también la vida, pero no hay que temerle, quizá valga más soportar la desvastación que nos impone, quizá valga más no darle nombre, llamarle solamente ventarrón si se vuelve torbellino, o llamarle sobresalto si es un huracán. El pesar llega (a pesar de la vida) y el hastío suele desterrarse con los vientos del norte. La pasión sólo nos conduce a la infelicidad: si los actos fueran antecedidos por la reflexión, viviríamos en el decoro.

[*Síndrome de naufragios*]

MGP: ¿Qué te llevó a escribir un texto como *Las genealogías*?

MG: Quería saber de dónde venía, quiénes eran mis padres. Tenía curiosidad por saber cómo había sido mi infancia. Quería ver cómo era posible que siendo tan queridos, tan profundamente cercanos a mí, sin embargo no sabía realmente cómo eran. Quería saber de qué mundo venían, cómo fue su realidad, tan distinta de la mía. Al mismo tiempo esta escritura era como un viaje al interior de uno misma, ese viaje de mujer adentro que yo quería vivir como los viajes interiores del medioevo que eran tan importantes. Una vez traduje un libro de un isabelino contemporáneo de Shakespeare, *La tragedia española* de Thomas Kyd, cuya historia es una venganza pero también un descenso al interior de uno mismo. Creo que *Las genealogías* era una forma de recuperar a mis padres, de perdonarles mi infancia que fue dolorosa como todas las infancias. Era también una manera de no sentir agresión y rabia por lo que me habían marcado en mi existencia y a la vez, recuperarlos como seres humanos con una gran ternura, con todos sus defectos y al mismo tiempo, integrarme a mí misma conmigo misma. Es decir, una forma de biografía de los exilios. Es un libro que ha sido muy bien recibido, pero que para mí es como parte totalmente lógica de todo un desarrollo escritural.

MGP: Otra vuelta de tuerca en tu escritura está representada por *El día de tu boda,* que incorpora más claramente el contexto cultural mexicano.

MG: Es un texto que tiene algo de Barthes y de Benjamin. Es casi como un homenaje a ellos, un homenaje callado pero por donde pasan esas lecturas, sobre todo el Barthes de *La cámara clara.* Es un ensayo sobre las cartas de amor, la tarjeta postal, cierta cosa sociológica de la época.

MGP: ¿Cuál es el texto que te ha dado más trabajo escribir?

MG: Creo que el que más me ha costado es *De la erótica perversión a enredarse en cabellos,* que luego cambié a *De la erótica inclinación a enredarse en cabellos* porque me pareció que perversión era demasiado pleonástico. Es un texto que fui armando a lo largo de muchos años. Lo empecé en 1977 y fui publicando fragmentos por entregas en el periódico UNOMASUNO. No tenía una idea clara de lo que iba a hacer con ellos, pero sabía que tenía una obsesión constante con el problema del pelo. Cuando en el periódico les pareció que ya estaba bien de pelos, seguí trabajando por mi cuenta.

Me acuerdo que leí una vez un prólogo a la obra de Calderón de Blanca de los Ríos. Decía que Calderón tenía varios Segismundos, cosa bastante obvia para el lector de Calderón, pero no lo suficientemente obvia como para trabajar este ángulo, que es lo que decidí hacer yo. Examiné trece o catorce obras y encontré que, efectivamente, había una obsesión repetitiva y constante con la idea del cabello. Advertí que una de las características de Segismundo era su desmelenamiento tanto en su conducta como en su cuerpo: su cuerpo crecía desordenado y su conducta también.

MGP: ¿Por qué, entonces, te interesa la cuestión del pelo en la literatura?

MG: Probablemente se deba a que nunca estuve contenta con mi pelo o conmigo misma. No me gustaba la forma de mi peinado. Si me peinaba hacia atrás, no les gustaba a los muchachos. Me daba una tristeza infinita ir a un baile y quedarme sentada. Esto yo lo atribuía en parte a mi manera de ser, en parte a mi pelo. Me crecía el pelo a lo ancho y no a lo largo, como una blacamana (Blacamán era un luchador que tenía el pelo como lo usan algunas cantantes gritonas que se dejan crecer el pelo como mata confusa) y se veía desordenado, como con falta de pulcritud. El pelo te enmarcaba. Cada vez que iba a un salón de belleza sentía que ese día me veía magnífica, y hacía planes para tratar de preservar este tesoro. Creo que mi sensación de entrar al salón de belleza era similar a la de Cenicienta, la que algún día va a ser recuperada porque tiene algo que los demás no notan; es un tipo de personaje que todas llevamos adentro.

Mis primeros contactos con el pelo fueron cintematográficos por una parte y religiosos por la otra. Admiré a Tar-

zán, el Rey de la selva, el hombre mono y lampiño. Luego a un padre que me había convertido a la religión verdadera y me daba a besar su mano. Esa parte de su anatomía hizo que aprendiera a amar apasionadamente a King-Kong por su pelaje.

[*De la erótica inclinación a enredarse en cabellos*]

MGP: Con esta lucha de pelos, sin embargo te has dirigido a la literatura a rescatar pelos de otros...

MG: Porque ahora, restropectivamente y a posteriori, mi biografía es personal y literaria: es una especie de juicio de lo que yo estoy escribiendo, es decir, una especie de interrogación sobre el tipo de escritura que practico, escritura que aparentemente es absolutamente fragmentaria e informe. Mi relación con el mundo ha sido a través del libro. Al darme cuenta que me interesaba en el cabello (a propósito, quien me fijó en el cabello fue King Kong, el monstruo con pelos), hice investigación en antropología y mitología para estudiar temas y motivos sobre el cabello en varias culturas. Luego entré a buscar pelos en los textos literarios junto a las interpretaciones críticas para armar una teoría sobre el pelo, no una teoría antropológica sino una poética calderoniana. Quería incorporar todos los textos sobre King Kong porque para mí ambos son uno y el mismo, de modo que decidí juntarlos. Cuando comencé la tarea de juntarlos, me di cuenta de que no se podía y de que no había manera de que escribiera el libro. Entonces me encontré con una frase genial de Barthes que decía que todo texto tiene su sombra. Me di cuenta entonces que tenía dos textos: *De la erótica inclinación a enredarse en cabellos* y su texto sombra. Como lo de Calderón ya estaba escrito, me quedaba por escribir su sombra, para que sea una composición textual en donde poder manejar el trabajo académico como la sombra del texto, como excrecencia, como el bigote de una mujer que se lo tiene que depilar, pero que siempre está en el fondo.

De repente me di cuenta que el otro texto estaba ahí, que lo que tenía que hacer era darle ese contexto de salón de belleza que era obsesionante para mí. Hay un capítulo muy grande titulado "Salones y laboratorios de belleza" que junta en dos columnas, con espacios tipográficos en blanco y con diferentes tipografías, dos formas de ver el mundo: el de la vanidad, el de la frivolidad, y el de la muerte, porque el pelo es la frivolidad y es la muerte. La tercera parte del texto se llama "La cabellera andante," parodia del Quijote. Eso de andar buscando molinos y andar buscando pelos me parece divertido, ridículo y maravilloso también. Hago una trenza.

Me di cuenta también que este texto era un relicario. Como hay tantos pelos en el mundo, era inútil poder juntarlos a todos porque terminaría con una masa informe. Lo que había que hacer era juntar los pelos de mi predilección que son los amorosos.

Creo que mi libro está armado de alguna manera como ese tipo de libro de los que hablaba Macedonio Fernández, libros en donde simplemente la relación entre citas daba otra textualidad. Mi libro se tornaría en el libro del saber ambulante, del saber andante.

MGP: Has mencionado los pelos masculinos, pero has dejado de lado los de las mujeres. Los pelos femeninos están relacionados con la literatura.

MG: Fundamentalmente. Hay varias tradiciones que son muy fuertes. En la Edad Media y hasta principios de este siglo, la mujer no dejaba ver su pelo. Recuerdo que las mujeres que buscaban novio en el Romancero se dejaban el pelo suelto, o el hermoso cuento alemán de Rapunzel, que se deja el pelo suelto y es tan largo que aunque ella está en una torre, el pelo llega hasta el suelo y le sirve al caballero para poder subir y llegar a ella. Una de las cosas que más identifican a la mujer con su cuerpo y con su sexualidad es su pelo, por lo tanto la máxima represión era esconderlo y la máxima muestra de cariño era guardar el pelo, una forma de erotismo muy particular y una manera muy femenina de organizar el mundo pues se asemeja a la tarea de juntar hilos, ir bordando tu mundo porque estás encerrada en una pieza, como las mujeres de antes, como las monjas de los conventos. Era una forma de ir hilando vida con los dedos a otros universos completamente despreciados por los hombres, pero igualmente ricos como el mundo del hombre en el exterior. Una forma de relación con el mundo para la mujer es, y ha sido, bordar, tejer, cocinar porque en la cocina se podía inventar una serie de combinaciones exquisitas que se las obsequiaban a los hombres: el padre, el obispo o quien fuera.

Mi libro es una manera de engarzar esas cuentas sueltas que en un comienzo no podía entrelazar bien.

SYLVIA MOLLOY

MOLLOY

Entrevista con Sylvia Molloy en su departamento en Nueva York en noviembre de 1982

Magdalena García Pinto: ¿Qué es lo que más recuerdas de tu infancia, así, de golpe?

Sylvia Molloy: Miedo. Eso es lo que tenía cuando era chica, miedo, además tengo la sensación de haberme sentido muy sola antes de haber nacido mi hermana. No tengo recuerdos de esa época, pero es como si me viera en un jardín enorme donde estoy paseándome sola y recogiendo cascarudos que me encantaban, esos que en la Argentina llamamos vigilantes. Esa imagen de una enorme soledad y miedo es lo que está más grabado en mi memoria.

MGP: ¿Y miedo a qué tenías?

SM: Miedo a hacer las cosas mal. Había en mi casa un patrón ideal de conducta que yo tenía que aprender, y me era enormemente difícil entenderlo completamente, así que vivía preguntándole a una de mis tías, la que aparece *En breve cárcel,* a quien yo adoraba, cosas como por ejemplo de qué manera tenía yo que rezar, porque tenía un conflicto tremendo. Pensaba que podía hacer una de dos cosas, o pensar en Dios o decir las oraciones; me parecía imposible hacer las dos cosas al mismo tiempo pues según mi entendimiento del asunto una estaba bien y la otra mal. Esa es la sensación que tengo de mi niñez, salvo en los momentos en que me dedicaba a jugar. Y jugaba enormente. Tenía una vida de fantasía muy grande a partir de lo concreto; por ejemplo, jugué con muñecas hasta los trece años. También me fascinaba jugar con las bolitas que caían del jardín de al lado.

...ve su infancia poblada de disfraces...y de largas contemplaciones, disfrazada o no, entre espejos enfrentados. Manía de desdoblamiento y de orden, según series interminables. Recogía las bolitas que se les escapaban a los chicos del colegio de al lado (a quienes espiaba) y que caían en su jardín: las atesoraba, con ellas pasaba horas organizándolas en fila. Marcaba siempre del mismo modo el comienzo de la serie: con una ágata, mucho más linda que las otras. No olvida ese rito como tampoco olvida los espejos enfrentados...

[*En breve cárcel*]

SM: A partir de eso me podía pasar horas fabulando historias para las muñecas, haciendo mil cosas...

MGP: ¿Jugabas sola?

SM: Jugaba mucho con mi hermana que me seguía los juegos, casi como una muñeca más. Yo organizaba todo el esquema. Suponíamos que éramos la madre y la tía, pero en realidad ella era como una muñeca más pues hacía lo que yo le decía.

MGP: ¿Eras dominante con tu hermana por ser menor?

SM: Sí, muy dominante y muy intrépida en todo lo que me fabricaba. Pero en la vida real, nada. Me encantaban las vacaciones junto al mar, eran fuente de libertad, tanto cuando estaba en la playa como cuando montaba a caballo. Eso para mí era estar libre.

MGP: Es decir, salir al espacio abierto, al aire libre.

SM: Sí. En Miramar, a propósito, me pasó una cosa horrible que todavía recuerdo. Era Carnaval y para esa época *Billiken* sacaba máscaras y caretas para los niños. Yo me había disfrazado en esa ocasión de mamarracho, con bombachas de andar a caballo y fui al corso donde fui el éxito del desfile. Pero de pronto unos chicos me empezaron a rodear y uno de ellos me arrancó la careta. Eso fue el final de la espontaneidad. Cuando la gente dice que querría volver a vivir la infancia siempre pienso en la mía, aunque no te puedo decir que fue mala, tampoco tengo la sensación de que fue muy feliz.

Si me ayudaras a pasar esta semana, este día la hora en que escribo. Te siento lejos y sin duda siempre estabas muy lejos aunque yo estaba seguro de que me pertenecías. Anoche me dijeron que peroro en un vacío, que juego en la soledad, y sé que antes no era así. En el jardín estábamos juntos: yo te asustaba, montado en un palo de escoba y robándote tus muñecos, pero cuando llorabas me asustaba yo Sara, a quien sé que no ves desde hace tiempo, tomaba sol y se reía. De mamá, en esos momentos, creo que no nos acordamos: tomaría el té adentro, pensaría en el sauce llorón apuntalado con cemento que siempre estaba por caerse y que nunca se cayó.

[*Tan distinta de mamá*]

MGP: ¿Qué relación tenías con tus padres?

SM: A mamá la veía como una figura muy lejana, muy autoritaria, pero su autoridad no residía en el grito, por ejemplo, sino más bien en una distancia que ella creaba y que yo sentía muy grande. Mi tía era como si fuera mi madre en todo lo que se refiere al afecto. A mi madre me gustaba verla, porque me parecía muy linda, pero no la sentía muy cerca. Con mi padre tenía una relación muy complicada. El me quería muchísimo, me seguía muchísimo y quería jugar conmigo pero yo lo rechazaba bastante. Mucho más tarde, a los veinte años, volví a hacer contacto con él. También había una cosa que poco a poco se fue dando más clara, una división de nacionalidades entre mis padres que yo sentí mucho. Mi madre era de familia francesa y papá de familia inglesa; entre ellos dos y con nosotras hablaban castellano, pero nosotros con papá hablábamos inglés y mamá no lo hablaba. Por esta razón ella nos hacía sentir muchísimo la colonización de los ingleses y además, siempre se veía como víctima de la familia de mi padre.

MGP: En esa familia se hablaba inglés solamente, ¿verdad?

SM: Sí, eran muy insulares. Hablaban inglés entre ellos y mamá se sentía extranjera. Es muy típica esta actitud entre los ingleses. Para mí fue un problema porque yo iba a un colegio inglés, y no sabía qué era, inglesa, argentina o francesa. Era muy desagradable y a raíz de todo esto yo me metí con todo lo que fuera francés, muy inocentemente, a manera de reivindicación del lado materno, o sea, para revalorizar a mi madre. La Argentina, en todo esto, se pierde bastante o quizás este conflicto sea, precisamente, muy argentino. En todo caso empecé a entusiasmarme con lo francés, que sentía de algún modo como algo marginal, y a despreciar lo inglés. Más tarde, adolescente, tuve una profesora de francés que me marcó para siempre con la pasión de la literatura.

MGP: ¿Te acuerdas qué tipo de cosas hacías cuando empezaste a escribir?

SM: Escribía cuentos de tono moral. Los personajes eran chicos. Recuerdo que escribí unos cuantos hasta que a mi tía, que era la que los leía, le empezaron a gustar demasiado y empezó a pedir que escribiera más. Ahí se acabó la primera etapa de mi tarea como escritora.

MGP: ¿Te hacía algún tipo de corrección?

SM: No, le parecían una maravilla.

MGP: Es curioso que tan buena recepción no te sirviera de estímulo sino, por el contrario, actuara como elemento negativo.

SM: Sólo hasta cierto punto porque yo siempre decía que iba a ser escritora, desde muy chica. Esos cuentos los escribí en español. Yo creo que ahí tuvo algo que ver el colegio inglés porque dejé de escribir, y en inglés no escribía. Pienso que en ese momento se cortó algo, aunque seguí leyendo mucho.

MGP: ¿Qué leías en esa época?

SM: Naturalmente que hasta los doce o trece años leía muchas cosas, y muchas no eran muy buenas; leía a escondidas lo que veía en casa. Un libro que me impresionó muchísimo entonces fue *Cuán verde era mi valle*. Recuerdo una frase que me había dejado absorta: "Ese día cerraron todas las tiendas porque habían violado a una mujer." Tenía que averiguar de inmediato qué significaba "violación", así que la fui a consultar a mamá que estaba con un grupo de amigas, de modo que el momento era inapropiado. Trató de evitar la contestación y como yo insistía, finalmente salí despedida de la sala con una penitencia y sin una respuesta.

MGP: Es decir que el tema era tabú y estaba prohibido discutir el asunto. ¿Tampoco podías consultar con tu tía?

SM: Tampoco. A mi tía la veía como a un ser asexual, como a una igual. Era como una compañera de juegos.

MGP: ¿Y aquella maestra de francés que mencionaste?

SM: Era una mujer joven de 29 años que enseñaba en la Alliance Française. Yo tenía entonces 14 años. Me fascinaba y además me identificaba con ella, con su vida. Necesitaba saber todos los detalles acerca de su vida, de su marido, de sus hijos. Me daba perfecta cuenta de que esta mujer me obsesionaba. Por ella empecé a leer y a interesarme en otro tipo de literatura: Gide, Malraux y otros. Proust también me interesaba pero por otras razones. Gide satisfacía el lado moralizante, el de las preguntas, cómo encontrar una razón para vivir, en cambio Proust representaba el placer puramente literario, el chisme, una literatura no moralizante sino de goce.

MGP: ¿Hablaban sobre estos textos?

SM: Sí, era muy buena maestra; la literatura se combinaba perfectamente con la carga pasional que yo ponía, por lo tanto era la relación ideal: combinaba lo pedagógico con lo erótico.

MGP: ¿Qué hiciste después que terminaste los estudios en el instituto francés?

SM: Me fui a Francia a los veinte años. Me fui bastante aterrada y con una ilusión muy grande de ver Francia, como un modernista, pero habiendo vivido muy poco. Tenía una vida interior literaria bastante intensa pero despegada de la realidad. Todo lo que fuera sexual estaba completamente reprimido.

En fin, llegué a París y me pareció muy distinto de lo que yo me esperaba. Me parecía más chico. Pensaba que todo iba a estar junto: el Arco de Triunfo, la Torre Eiffel, el Louvre, en una sola manzana. Vivía en el pabellón Argentino de la Ciudad Universitaria, pero no quería hacer cursos para extranjeros sino con los franceses, con lo cual me encontré como sapo de otro pozo porque quería seguir en la Sorbonne pero no me sentía muy ubicada.

MGP: ¿Cómo te recibieron los franceses?

SM: Tenía muy poco contacto con ellos. Los encontraba cerrados, más lejanos que los estudiantes de la facultad en Buenos Aires. No quería estar con los argentinos y no podía establecer relación con los franceses. Pero un día llegó la solución. Hasta ese momento yo era protestante, otra cosa extraña de mi casa pues papá era protestante y mamá católica, pero casados por la iglesia católica. Y luego, bautizaron a sus hijas protestantes. En fin, en París me fui acercando a una iglesia católica muy activa, en la parroquia universitaria, con un cura muy abierto, de izquierda. Era la época de la guerra de Argelia. Ahí me hice amigos franceses y por añadidura, me convertí al catolicismo. Fue un acontecimiento muy serio y muy importante para mí, aunque no duró mucho. Me quedé en París cuatro años pero siempre pensaba que quería volver a la Argentina. Cuando volví, me costó mucho adaptarme y al principio me fue muy mal. Sentía que no sabía dónde estaba. Además no me aceptaban los diplomas de Francia, entonces decidí entrar a la Alianza Francesa como profesora. Enseñé desde 1962 a 1967. Me fui a vivir sola ante la desesperación de mi madre, pero con la total aprobación de mi padre, quien me ayudó y me apoyó en ese momento. Es entonces cuando me acerqué mucho a él.

MGP: ¿Es en este momento particular cuando decidiste volver a escribir?

SM: En Francia había conocido a Alejandra Pizarnik de quien me hice muy amiga. Por ese entonces empecé a escribir en español. Escribí poemas, fragmentos en prosa, nada demasiado armado. Cuando volví a Buenos Aires, seguí viendo a Olga Orozco, a quien había conocido en Francia a través de Alejandra. En ese momento conocí también a Victoria Ocampo, a María Luisa Bastos, a Enrique Pezzoni y a Héctor Murena. Empecé a escribir cosas para *Sur* sobre Güiraldes y Valery Larbaud, sobre Edith Sitwell, sobre cosas muy distintas. Conocí a mucha gente y muy diversa por aquella época. Es un momento algo confuso en mi vida. Me estaba poniendo al día en muchas cosas en todos los niveles. Buscaba compensar una especie de sensación de pérdida de mi adolescencia que fue muy desgraciada y muy caótica. Volver a Buenos Aires significaba retomar con esa adolescencia y rescatar el tiempo perdido viviendo todo muy intensamente: lo literario, lo personal, lo sexual.

MGP: Es una época de definiciones, de encontrarte contigo misma.

SM: Sí, me sentía muy vulnerable y mal preparada. No seguí escribiendo demasiado, aunque al principio escribí bastantes poemas.

MGP: ¿Publicaste algunos de ellos?

SM: No, pero algunos pasajes los he integrado a la novela. Son fragmentos muy desesperados, donde trataba de encontrarme pero no son publicables por separado; más bien pueden considerarse como ejercicios de preparación.

MGP: Tengo la impresión de que eres terriblemente crítica con tu propia obra y que tal vez esa postura te restringe en la publicación de tu trabajo.

SM: Creo que eso se debe en parte a mi infancia porque mi madre era de la escuela de que cuando no se tiene algo importante que decir, mejor quedarse callada. Yo no tuve el placer de la palabra.

MGP: Dijiste que estuviste en Buenos Aires unos cinco años. ¿Qué pasa después de esta época tumultuosa?

SM: Volví a París en 1967 con una beca para terminar mi tesis, con la idea de pasar por los Estados Unidos de regreso para la Argentina. Y aquí me quedé. Por esta época empecé a trabajar en los artículos sobre Borges y Silvina Ocampo que marcan el verdadero comienzo de mi labor crítica. La escritura de ficción queda pospuesta hasta el año 1970, unos meses después de la muerte de mi padre. Tuve un sueño en el cual un amigo mío y yo veíamos la misma escena: un árbol y un banco, él lo veía a mi padre, pero yo no lo veía. Era como si hubiera fragmentos pero no podía juntarlos. Pensaba que cuando se me fragmentara lo que quedaba, es decir, el banco y el árbol, que eran los objetos que apuntalaban la realidad, me iba a volver loca.

Querría permanecer. Por eso se aplica en la fabricación de los pedazos que deberían componer un solo rostro, en el peor de los casos, una sola máscara. Unir esos pedazos, tejerlos aunque sea por un momento: la alternativa—la fachada que se derrumba, los ojos impotentes—es la locura. Ha soñado que está con alguien ante una misma imagen. Un paisaje: un parque, un banco, un árbol. Un personaje: su padre, que está muerto. Las dos visiones, la suya y la del otro, coinciden en todos los elementos menos uno: el personaje de su padre. El otro lo ve, proyecta una visión que le da forma. En cambio ella busca a su padre y ve fragmentos que no puede componer. Se dice que la visión intermedia, componedora, es la locura. También se dice que cuando se fragmenten junto con su padre el banco, el árbol, el parque, estará loca. Piensa inmediatamente en sueños buenos, con dificultad pero a manera de conjuro. Querría dormir.

[*En breve cárcel*]

Eso me acuerdo que lo escribí cuando estaba parando en casa de una amiga, pero ella no estaba. Fue de pronto como descubrirme en ese lugar, sola, y pude volver a escribir. Todavía no tenía idea de que iba a ser una novela.

MGP: ¿Hiciste un fragmento?

SM: Hice como un fragmento similar a los que hacía en Buenos Aires y empecé, a partir del 70, a escribir fragmentos, a anotar sueños, estaba en análisis y empecé a tener sueños simbólicos, muy estructurados y muy arquitectónicos. Eran paisajes o escenas muy enmarcadas que yo iba anotando. Escribí algunos poemas en prosa, pero todos pedacitos que iban orientados hacia algo que no tenía yo muy claro entonces, algunos sueños con mi padre. Ese sueño tan raro que aparece al final de la primera parte de la novela, el de la Diana, es un sueño de esa época.

Mientras ella pasea la mirada por esa mesa, recordando... suena el teléfono. Es su padre muerto que la llama, la comunicación es mala, oye apenas su voz. Con dificultad empieza a distinguir palabras aisladas: primero la palabra Egeo, urgente, luego la palabra Efeso, repetida varias veces. Es necesario dejar todo—le dice la débil voz de su padre—y viajar para ver a Artemisa. Ella, a la vez que lo escucha, cada vez más lejano, mira los platos sobre la mesa (en uno de ellos le parece ver sangre), mira también las flores del jardín, y sobre todo un jazmín del país, por la ventana.

[*En breve cárcel*]

Aunque iba anotando esto, no sabía muy bien qué iba a salir pues no le veía todavía ni forma ni unidad.

MGP: ¿Ya en esta época hacías de la escritura una tarea diaria?

SM: A partir de entonces no dejé de escribir, e incluso empecé a trabajar en lo que luego sería el libro sobre Borges *(Las letras de Borges)* en 1972. En esa época ya había venido a Princeton. El Borges salió de mi preocupación con el personaje de Borges, fue un intento de localizar ese personaje y ver cómo este escritor impone un personaje. Uno de los descubrimientos fue que Borges no compone un personaje, sino que lo fragmenta, lo descompone. Y a través de esa idea de descomposición empecé a interesarme en la idea de hacer yo una ficción.

MGP: ¿Basada en este proceso de descomposición y fragmentación?

SM: Sí, totalmente. De una manera cercana a Felisberto Hernández, aunque no haya rastros directos de él en mi escritura, una manera de ver el mundo roto, de detenerme en las partes, y después tratar de juntar los fragmentos, o ver las cosas descompuestas. Me reconozco mucho en este tipo de visión del mundo.

MGP: Como lo ha señalado la crítica, una buena parte de la ficción femenina se construye en base a fragmentos que sirven como principio ordernador del mundo íntimo de los personajes femeninos. ¿Estarías de acuerdo con esta interpretación?

SM: En mi caso particular, la idea de los fragmentos surgió hace tiempo, desde que era adolescente. Pensaba que si alguna vez escribía, iban a ser cosas muy fragmentarias. No podía imaginarme un todo, un algo en bloque, una cosa unitaria. Eso ocurrió muy temprano en mi vida. Iba acumulando estas cosas desordenadamente, sin atreverme a pensar en un hilo conductor. Fue totalmente un azar. De pronto, un día se me dio algo exterior que me permitió empezar a elaborar un texto más extenso. Eventualmente ese alargamiento resultó en el texto de la novela.

MGP: ¿Cuándo te decidiste a darle forma a tu ficción?

SM: Cuando en el 73 voy a París. Lo que cuento al comienzo de la novela es totalmente cierto. Encontrar un departamento donde ya había estado me pareció una cosa tan tremenda que lo tomé como un desafío y me senté a escribir lo que estaba pasando para sacármelo de encima porque esa casa estaba muy cargada de memorias.

La historia empezó hace tiempo, en el mismo lugar donde escribe, en este cuarto pequeño y oscuro. Alguien que no la conocía, a quien ella tampoco conocía, la esperó en este cuarto una tarde como ella espera ahora, con la misma incertidumbre, a alguien que está por llegar...mientras espera escribe: acaso fuera más exacto decir que escribe porque espera: lo que anota prepara, apaña más bien un encuentro, una cita que acaso no se dé. Empieza a hacerse tarde.

[*En breve cárcel*]

Además yo estaba muy mal. Acababa de romper con una persona y realmente lo único que me quedaba era sacarme de encima los fantasmas que había en ese departamento por un lado y hacer algo: escribir para mantenerme viva.

MGP: En la reunión de Amherst* dijiste que toda ficción es una autobiografía...

SM: Sí, en la novela hay muchas cosas que son autobiográficas, y muchas que no lo son. Lo que quise decir en Amherst es que toda ficción es autobiográfica aunque los elementos no sean necesariamente autobiográficos. Yo creo que encuentro mi voz, la entonación de mi voz en esta novela. Lo autobiográfico no es forzosamente el dato, puede ser —y en mi caso es, quiero que sea—esa voz. Reconozco en mi novela mi lenguaje y mi palabra, que es la misma palabra de mi texto sobre Borges.

MGP: ¿Hay una necesidad de ficcionalizar la realidad y la experiencia a través de la memoria? Si el proceso es desmembrar o romper para volver a armar—repensar dijiste en otra ocasión—entonces se buscaría producir una especie de exorcismo?

SM: Sí, mi primer impulso fue ver cómo sacarme estos fantasmas de encima. La única manera era distanciarlos escribiendo pero no como lo había hecho antes. Ya tenía una idea clara de que lo que quería hacer no era un ejercicio analítico o psicológico, ni incluso catártico y nada más; lo que me estimulaba no era tan sólo la intuición de que estaba tratando de sacarme algo de encima, sino que quería alejar todo esto para hacer *algo más*. Había cambiado mi intención. Se trataba ahora de elaborar, de insertar activamente este material en un contexto de ficción, por eso no quise nunca usar la primera persona. Desde el principio salió en tercera persona.

MGP: Para objetivizar toda esa experiencia, para mirarla desde afuera.

SM: Sí. Además porque había un elemento que siempre me ha fascinado y del que todavía no hablé. Hay un escritor que me atrae mucho por su voyeurismo; este escritor es Onetti. Siempre me ha atraído el espiar, que es lo que yo

*Latin American Women Writers, Simposio llevado a cabo en Amherst, Massachusetts entre el 11 y el 13 de noviembre de 1982.

hacía cuando era chica, la idea de ver lo prohibido, lo escondido, de pescar algo insólito. Y la novela era una manera de espiarme, de espiar ese material que yo trataba de sacarme de encima al usar la tercera persona. Sin duda que es muy de narciso: mirarse por la tercera persona...

MGP: ¿Podría ser el rescate del narciso femenino? Hay una gran tentación y curiosidad por saber cómo uno es. Recuerdo que cuando empecé a leer tu novela, al principio me molestó la barrera que va construyendo la tercera persona, pero después de unas pocas páginas, deja esta distancia de ser un impedimento. Creo, por el contrario, que es uno de los logros e innovación de *En breve cárcel.*

SM: En el uso de la tercera persona hay grietas ocasionales, lugares donde como al descuido aparece una primera persona, un yo insólito. Por ejemplo cuando la protagonista cree ver una cuerda con la que se ha de ahorcar. Las irrupciones de este yo son deliberadas, como una manera más de romper una superficie reconfortante. No son deliberados los lugares de la novela en que ocurren, que elegí al azar, aunque ahora resultan, creo, casi perversamente pertinentes.

Ha dado claves, se siente tranquila. Pero sabe que ha caído en estas revelaciones tardías para no seguir enfrentándose con presencias femeninas, para protegerse de ellas. De pronto la acosan, tremendas, y lo único que puede decirse es: "yo las convoqué". Y de manera más modesta: "yo quería—madre, hermana, amante—que estuvieran conmigo, yo no vivo sino por ustedes".

[*En breve cárcel*]

MGP: ¿Con respecto a la violencia de la palabra y a la violencia física del acto de escribir, se explican ambas por esa necesidad de objetivizar ciertas experiencias, ciertos recuerdos?

SM: No, creo que no.

MGP: ¿Por qué hay violencia en el acto de escribir?

SM: Porque el acto de escribir es un acto "contra natura", de allí que no está de acuerdo con algunas escritoras que hablan de la naturalidad casi física del acto de escribir. Para mí escribir supone estar sacando demonios o fantasmas muy violentos—me vivo como una persona muy violenta—con gran autocrítica, con gran control sobre mí misma, siempre en estado de marmita, que está por saltar. Es decir se trata de destapar eso y al mismo tiempo imponerle la violencia de la palabra, darle cauce a través de la palabra; me parece que es una cosa muy antinatural, porque en lugar de ponerme a romper cosas, o a pegarle a alguien, o estallar o ponerme a gritar, me siento a escribir. Una ficción supercontenida y superdistanciada, que es como una doble violencia. Yo siento que vivo mi novela como muy pasional y violenta. Lo que sale tiene ese rasgo. Al mismo tiempo a la historia la estoy forzando a que sea fría, o a que parezca fría; le voy imponiendo la mordaza de las palabras. Para mí no veo para nada el escribir "lo que me sale," para mí sería todo lo contrario, eso diluiría el efecto y la función de la literatura.

MGP: Es en las fuerzas de oposición, de sacar pero dominando, controlando hasta el punto...

SM: ...de quedarse sin aire.

MGP: Para armar un texto que tiene que salir desnudo. Dijiste también que estás trabajando en un segundo proyecto. ¿Qué estás haciendo?

SM: Quisiera terminar algunos cuentos que son cuentos de rivalidades entre hermanos. Los celos entre hermanos me atraen, sin duda, por razones personales. Casi todos los cuentos son variantes de oposiciones entre hermanos, o seres que pueden ser hermanos.

Tengo otro proyecto que es otra novela que estaría más situada, más ubicada en una realidad tangible, existente, que sería Buenos Aires. *En breve cárcel* era como estar en un no lugar, es un cuento como aséptico, y ahora quisiera buscar un Buenos Aires que siempre siento que se me ha escapado. A Buenos Aires la vivo como a una ciudad muy misteriosa, muy llena de mitos, y hay algo, alguna llave, un camino que yo tengo que descubrir, es como una ciudad iniciática. Tendría que encontrar lo que se me ha escapado, lo que no he vivido. Sin duda, es el exilio, la distancia, pero quisiera integrar esa busca, ese misterio de Buenos aires en esta novela donde también habría mucha memoria, mucha mitificación, donde habría más personajes, más delimitados, pero no sé todavía. Me interesan mucho los textos de Mansilla o la primera poesía de Borges, que mitifican Buenos Aires, que se lamentan de un Buenos Aires tardío, desaparecido, y me gustaría usar esos textos un poco. De alguna manera, integrarlos en la novela. Me parece que sería una novela con más aire que *En breve cárcel,* justamente menos carcelaria. Pienso seguir escribiendo ficción y crítica. También tengo proyectos de crítica. Me quedé bastante vacía después de la novela, pero, por suerte me quedaban los cuentos. Algunos estaban en un principio dentro de la novela, los fui sacando y me quedaron como restos. Con los deshechos de la novela, hice cuentos, pero todavía quedan fragmentos no trabajados. Hay todo un aspecto—un campo que no queda bien explorado—que es el campo del padre, que es el campo de las amistades o de relaciones con hombres, hay todo un campo de lo masculino que me interesa explorar.

MGP: Se menciona una relación con un hombre pero muy de paso.

SM: Esa es la relación que va a aparecer en esta otra novela.

MGP: Es decir que hay hilos que han quedado pendientes y que piensas retomar y desarrollar en textos futuros.

SM: Sí. Me siento más asentada, más serena en mi narración. Quizás hasta menos violenta.

MGP: Pasando a otro aspecto importante de tu persona, ¿qué relación entiendes que hay entre la crítica literaria y la escritura de ficción?

SM: Creo que hay una relación. De hecho necesito hacer las dos cosas a la vez. Paralelamente a *En breve cárcel* escribí *Las letras de Borges.* Ahora mismo estoy embarcada en un doble proyecto, ficción por un lado, crítica por el otro. Me gusta escribir sobre autores que me dan placer y en los que reconozco algo mío. Por ejemplo cuando escribo sobre Onetti me interesa el chisme, el voyeurismo, porque los practico en mi ficción. El ejercicio crítico me fortalece cuando narro: y mi novela está hecha con hebras de todas esas voces de escritores que se agregan a la mía.

MGP: ¿Cuando estás escribiendo, trabajando tu texto, aparece el crítico que va mirando ese texto?

SM: No, la escritura de la novela, por ejemplo, fue muy impulsiva. No había mirada crítica consciente y detallista. Fue una actividad muy pasional. Me costaba incluso releerme, ordenar. A la novela la escribí en dos etapas. La primera: escribí y dejé de escribir, coincidió con mi estadía en ese cuarto. Se acabó el año, se me acabó el contrato de alquiler y me fui. Y después me costó mucho volver a retomar la novela, hasta tal punto que empecé a escribirla de nuevo, como para recobrar un nuevo envión, y así fue, como que tuve que volver atrás y seguirla sin pensarla. En un momento me di cuenta de que me estaba encerrando, y cerrando todas las salidas. Se volvía un ejercicio de quietismo total. Me di cuenta de que tenía que salir, que tenía que sacarla a la protagonista de alguna manera a tomar aire, pero cómo. ¿Cómo la saco? porque la mujer se estaba quedando desnuda, sin nada. Ahí fue cuando forcé la tendencia mía de quedarme dándole vueltas al asunto, en una especie de autocontemplación sin salida. De ahí salió muy deliberadamente el paseo al campo, el encuentro, y en la segunda parte empecé a meter algunos elementos de acción. Era una novela en la que quería vengarme y parte del plan era arremeter contra el personaje de Vera y torturarlo. La cuestión era cómo hacerlo. Di, entonces, con la treta de hacerla volver al cuarto para que fuera humillada. Ahí recurrí al préstamo literario: en *La educación sentimental,* la última vez que Madame Arnoux lo ve a Fréderic, va a verlo a su casa. Están sentados en la semi-oscuridad y hay de pronto una luz de afuera, de un coche. El ve que ella tiene el pelo blanco. Esas canas eran la venganza perfecta y la venganza literaria, tomada además, de Flaubert, que es un escritor que me marcó mucho.

MGP: ¿De qué manera te marcó?

SM: Tenía pasión por Flaubert cuando era estudiante. Yo haría la diferencia siguiente en mis lecturas de entonces: Gide y Malraux son como lecturas formadoras de adolescente que necesita valores. Eran subversivos pero eran valores. Por otra parte, estaría la lectura literaria, en donde pondría a Flaubert y a Proust. De Flaubert me fascinaba el desencanto. Tenía un cuaderno en donde anotaba fragmentos de sus novelas y de la crítica sobre Flaubert. Los Goncourt decían hablando de la tristeza en Flaubert que había un olor sórdido de cocina en sus novelas. Me atraía mucho lo gris, lo pesimista, lo desteñido. Me sigue atrayendo hoy. Por ejemplo, lo que me atrae en Jean Rhys es leer sobre el desencanto de la pasión que ha acabado o va a acabar, una pasión como malsana, con una morosidad que me atrae mucho. También me interesa la morosidad en Blanchot, me interesa la neutralidad aparente de esos textos llenos de fuerza, como amordazados.

MGP: ¿Tu lectura de Blanchot viene después, verdad? ¿Qué leías antes?

SM: Nathalie Sarraute me interesó mucho y también *Moderato cantabile* de Marguerite Duras. Para mí, hay una escena magistral en *Moderato* que es la escena de la comida, cuando traen el pato. En mi novela hay un recuerdo lejano de esa comida. Pero en general, Duras no me interesa demasiado. En cambio Sarraute, sí. Me interesó hasta que me pareció que se volvía tic, que esa subconversación se miniaturizaba, se amaneraba de manera insoportable. Pero sus primeras obras son importantes. Y también me gusta mucho su autobiografía.

MGP: ¿Te interesaba Simone de Beauvoir en esa época?

SM: No, no me interesa mayormente, salvo *Une mort très douce,* sobre la muerte de la madre. Pero me molesta su autocomplacencia en sus memorias, el dejar correr, sin rigor. Ayudé a traducirlas y luego, con Alejandra Pizarnik, hacíamos parodias de ella porque me sacaban de quicio. He leído a Colette mucho cuando tenía 17, 18 años. Me gustaban su ironía, su humor, su flirteo con lo prohibido, como en la serie de Claudine, no tanto los éxtasis de la naturaleza. Leía mucho autores ingleses, por ejemplo, Evelyn Waugh por su ironía, que es otra violencia de la palabra, y es también importante en Borges. Katherine Mansfield, a quien leí muy temprano en el colegio inglés, me pareció (y me parece) una maravilla. La descubrí por casualidad porque no la leíamos en clase. Por cierto, no me gusta tanto Virginia Woolf.

MGP: ¿Por qué no? Es la precursora de las escritoras.

SM: Me interesa, sí, la Virginia Woolf crítica. Todos los textos de *The Common Reader* me parecen una maravilla de rigor, de humor, de inteligencia, pero le tengo miedo a veces a ciertos aspectos líricos de su ficción, como que se le va un poco de las manos, me parece. Me gustaría que hubiese un poquito de Jane Austen en Virginia Woolf para contrarrestar. Pero los ensayos, todos, me interesan. También he leído mucho a Forster. *A Passage to India, A Room with a View,* son textos en donde siempre está por pasar algo, algo latente que luego no se da. Algo parecido veo en Onetti, algo que se deja ahí, que no se aclara, como una inminencia. Un poco lo que dice Borges: la inminencia de una revelación que no se da acaso sea el acto estético. Me fascinan todos los textos que tienen esa característica.

MGP: ¿Qué escritores norteamericanos te interesan?

SM: A Carson McCullers, Truman Capote, los he leído mucho, también a Flannery O'Connor.

MGP: Entre los latinoamericanos, ¿cuáles son los principales?

SM: Me interesa la literatura ambigua. Me interesa la literatura que no aclara, sino que más bien va borroneando, desviando: cuando está bien hecha y no se ven los desvíos ni las costuras. Borges, desde luego. También el Bianco de *Las ratas* y *Sombras suele vestir.* El Bioy del *Sueño de los héroes,* de los cuentos, en donde veo ese Buenos Aires tan misterioso, me parece una maravilla. Silvina Ocampo me interesa muchísimo por puro espíritu de contradicción. Silvina hace lo que no hago yo. Es una literatura de excesos, no de lenguaje sino de situaciones, de trama. Hace lo que se le antoja.

MGP: ¿Como en el caso de Delmira Agustini?

SM: También, tiene la misma dimensión de exceso. Ese meterlo todo, exagerar, repetir, que tan a menudo se descarta, erróneamente, como un escribir mal. No es un fluir del sentimiento, es otra cosa; pero me interesa más Silvina

Ocampo que Agustini. Rulfo me gusta mucho, otra vez, por la morosidad, por la economía, por lo poco que se dice, por el "understatement" para decir las cosas más tremendas.

MGP: ¿Y Cortázar?

SM: Lo veo cayendo en una parodia de sí mismo, muy amanerado.

MGP: El Cortázar de los cuentos presenta también un Buenos Aires misterioso...

SM: Sí, el Cortázar de los cuentos me gusta mucho, de *Bestiario,* o el cuento "Final de juego," me parece magnífico; otra vez uno se pregunta qué pasa, porque va a pasar algo y nunca se explica nada. Ese es el Cortázar que me interesa, no el de *Rayuela.* Hay textos de Donoso que me gustan, *El lugar sin límites,* que es una maravilla. Y cosas de *El obsceno pájaro de la noche,* creo que porque lo leí en un momento particular de mi vida, y lo tengo metido muy dentro. La locura, el desquicio de la novela me agarraron mucho. Yo estaba bastante mal y como por casualidad me puse a leer esta novela. Ese tipo de coincidencia me ha pasado otras veces, como con *Tristana* de Galdós, que leí cuando también estaba muy mal. He leído mucho a Onetti, desde luego, y a Felisberto.

MGP: ¿Qué poesía te interesa?

SM: Darío, me gusta muchísimo, a lo mejor porque estoy viendo su poesía muy de cerca en este momento.

MGP: ¿Estás trabajando en un proyecto más amplio con Darío?

SM: Sí, empecé a hacer un libro sobre Darío y ahora he dado marcha atrás y voy a rehacer lo que llevo hecho. Me interesa Darío como máquina devoradora, como aparato que va incorporando todo, como una especie de fenómeno...

MGP: Como molino que traga todo.

SM: Y de ahí escribe, y vuelve a incorporar y es un poco como una desesperación de incorporar, de escribir, de incorporar. Esa voracidad que se ve en Darío me interesa menos en Lugones porque ya empezás a oír la máquina. En Darío se ven menos las costuras. Me interesa también cómo el mismo Darío se fabrica su persona poética. Desde el punto de vista del crítico, me interesa ver cómo se crean los mitos literarios, y ver cómo el autor colabora. En el caso de Darío, políticamente, se hace amigo de fulano, de mengano, se acerca a los grandes, y así se va gestando esta figura pública. Me gustaría hacer lo mismo con Gabriela Mistral algún día.

MGP: ¿Y entre las mujeres latinoamericanas, a quienes recuerdas especialmente?

SM: Además de los cuentos de Silvina Ocampo pienso en varias lecturas que, a lo largo de los años, han resultado importantes para mí. *Los recuerdos del porvenir* de Elena Garro. *La última niebla* de María Luisa Bombal. Me impresiona en esta novela (que me gusta más que *La amortajada*) una suerte de enunciación en el vacío. Como si estos fragmentos, que parecen pedazos de cartas, de diarios íntimos, quedaran suspendidos en el texto, desafiantes y algo desesperados, sin interlocutor. Me gustan *Las muertes* de Olga Orozco (acaso porque veo allí una creencia sostenida en la palabra que yo no tengo), ciertos poemas de Gabriela Mistral: "Locas mujeres" de *Lagar* y los poemas a la muerte de su madre. Hay un poema de Mistral espléndido y poco conocido, "Electra en la niebla". Es un poema de matricidio, mejor dicho de matricidio fracasado. Además de estos nombres, me interesa mucho—y me ha marcado bastante—la poesía de Alejandra Pizarnik.

MGP: ¿Como escritora, y como crítica cómo entiendes la cuestión tan debatida acerca de la existencia de una literatura femenina que se distingue de una literatura masculina? Por una parte, como lo han hecho ya las francesas, se habla de una literatura femenina que se articula específicamente como la escritura del cuerpo. Por otro lado, está la opinión de los críticos latinoamericanos, no todos, pero muchos de ellos consideran falaz la distinción por asegurar, y hasta estar convencidos, de que la literatura no tiene sexo. En medio del debate están ustedes, las escritoras de hoy, que han adoptado diversas posturas al respecto. Elena Poniatowska, Marta Traba y Margo Glantz sostienen que existe una escritura femenina y reconocen algunas propiedades importantes de esta modalidad de escritura. Luisa Valenzuela, Elvira Orphée, Rosario Ferré piensan que no hay tal división. ¿Cuál es tu opinión?

SM: Hay aspectos señalados por Marta Traba con los cuales coincido. Hay un tipo de detalle que aparece en los textos de mujeres y se aprovecha de una manera muy peculiar. Hay una mirada más suspicaz en la mujer. No en vano se han ganado la reputación de ser chismosas; creo que en el chisme hay una capacidad de observación y una capacidad de interpretación y de lecturas diversas que tienen más las mujeres que los hombres. Sarraute y Compton-Burnett han podido sacar muchísimo de esas conversaciones tan aparentemente neutras por esta capacidad de observación e interpretación a las que me referí. Katherine Mansfield, por ejemplo, con muy pocos elementos, puede crear una situación dramática o un nudo narrativo mejor que muchos hombres. Con muy poco pueden armar más complejamente. En un cuento de Mansfield titulado "Bliss" hay una escena de una comida en casa de una joven pareja de recién casados, vista desde el punto de vista de la mujer. Hay además otra mujer, una invitada. La dueña de casa se da cuenta de que algo pasa con el marido, y efectivamente, algo pasa al final. La mujer se da cuenta de que el marido le pone el abrigo a la otra mujer de una manera especial, y oye, además, medias palabras. Se da cuenta entonces de lo que está pasando. Todo esto dicho como sugerencia, no directamente. O el cuento de Virginia Woolf sobre el vestido amarillo. Con muy poco hacen mucho, aunque también veo esto en algunos hombres. Hay otro aspecto que me parece muy importante en las mujeres, la capacidad de una ironía especial. Va de mano de la suspicacia y de la perspicacia, y a veces nos olvidamos de ella. En mi caso particular, al terminar la novela me di cuenta que se me había escapado toda una dimensión que ya no iba a tener cabida, no sé si decir humor, o ironía. Y, en efecto, se quedó afuera, pero es parte de mi voz. Me gusta pensar mi voz con ese ingrediente, y creo que puede dar mucho. Es como un poner al revés el mundo por el lado menudo. No son las grandes subversiones sino las pequeñas, como se ve en la prosa de Alejandra Pizarnik, o en Virginia Woolf.

MGP: También me parece importante la posición ideológica dentro del feminismo. Por una parte, no es necesario ser escritora feminista, como tampoco se debe confundir escritura feminista con escritura femenina, pues esta última es la rúbrica bajo la cual se integra toda la literatura escrita por mujeres, de ayer, de hoy y del futuro. Pienso que hay una resistencia subyacente dentro del grupo latinoamericano acerca de esta cuestión tan fundamental que se manifiesta en el tipo de argumento que se propone. Uno de ellos dice que el escritor o escritora en general, y por principio, no debe aliarse a ninguna causa ideológica porque pierde su autenticidad.

SM: Eso puede ser, pero no es necesariamente así.

MGP: Un ejemplo sería el caso de la literatura comprometida de tono marxista; pero al mismo tiempo, se puede ser marxista y escribir novelas que no incorporan esta ideología. Yo ciertamente tengo una posición radical con respecto al feminismo. Si las mujeres no se acercan a este movimiento, se está en contra de la causa de las mujeres.

SM: Claro, pero por eso me interesaría la participación más amplia en el feminismo para corregir las injusticias con respecto a la mujer en todos los planos. Me parece que estos problemas son difíciles de atacar desde la ficción. Lo que se hace con la escritura es limitado.

MGP: De todas maneras, es difícil aceptar la posición que dice que no hay diferentes maneras de escribir en cuanto al parámetro del sexo. Interpreto esta posición como una manera insidiosa de negar la realidad, y de negarnos el sexo de una manera importante.

SM: Estoy de acuerdo. De nuevo caemos en la simplificación de que el escritor no tiene sexo, o de que el escritor es bisexual. ¡Qué curioso que la gente que dice eso es por lo general de sexo masculino! Esa declaración yo la he oído en su gran mayoría a hombres. Yo no puedo decir que yo sea bisexual o no tenga sexo cuando escribo. Tengo mi sexo y eso de alguna manera tiene que salir en lo que escribo, en mi aproximación al lenguaje. Y cuando digo "tengo mi sexo" no me refiero simplemente a mi condición biológica. Quiero decir que tengo una *manera* de ser mujer que sin duda afecta mi aproximación al lenguaje y a la escritura. Esa manera está condicionada, sí, por mi sexo biológico pero también por cómo me percibo como mujer y cómo la sociedad en que vivo percibe a la mujer. Tener sexo es un hecho a la vez biológico y social.

MGP: Por ejemplo, Josefina Ludmer, que parte de una posición psicoanalítica, propone que el sujeto de la escritura es bisexual.

SM: Yo creo que el lenguaje es el mismo para todos; creo que lo que hacemos cuando escribimos es marcar o canalizar ese lenguaje según sea el caso. Al usarlo, le pongo una marca, la mía. Yo estoy condicionando el lenguaje que es anónimo, que es asexual o andrógino, lo estoy sexualizando de alguna manera al escribir.

MGP: Hélène Cixous habla de la mujer como la "voleuse du langage".

SM: ¿Por qué la mujer y no el hombre?

MGP: Juega con la doble acepción del verbo "voler" en francés, "volar" y "robar", y explica que lo importante no reside en tomar posesión del lenguaje para internalizarlo, sino más bien proyectarse hacia el infinito y volar, que es un gesto femenino. Pues no es accidente que el verbo "voler" significa "robar" y "volar" en francés, ya que las mujeres imitan a los pájaros y a los que roban. Es el forjar paso a paso, elemento tras elemento, un nuevo lenguaje, pues el lenguaje falocéntrico excluye a la mujer y a su palabra.

SM: No me parece que se trate exactamente de una exclusión. Más que excluir a la mujer, ese lenguaje le adjudica a la mujer un lugar subalterno y desde su autoridad desautoriza la palabra femenina. Es decir la incluye, pero en posición débil. Esto ocurre en más de un nivel, desde la práctica del lenguaje—el obispo de Puebla desautorizando a Sor Juana, Darío desautorizando a Delmira Agustini—hasta la política editorial. Pongo por caso las fortunas muy diversas de dos libros espléndidos y sorprendentemente parecidos: *Los re-*

cuerdos del porvenir y *Cien años de soledad.* Fijate cómo la novela de Elena Garro, cuatro años anterior a la de García Márquez, fue relegada, amordazada, pasada por alto mientras se promovió triunfalmente la novela patriarcal. *Recuerdos* ni siquiera mereció ser incorporado al dudoso *boom,* desde luego exclusivamente masculino.

Lo de crear un nuevo lenguaje no lo entiendo bien porque para mí el lenguaje es uno y cada hablante o grupo de hablantes lo actualiza a su manera. Lo que las mujeres pueden hacer, o lo que de hecho hacen, es instaurar una nueva *práctica,* subvertir el lenguaje autoritario que las pone "en su lugar" desubicándose con lo que Ludmer llama "las tretas del débil". Es ahí donde sin duda está su especificidad, que se manifiesta de maneras diferentes según cada época. Hay quienes dicen que no se puede hacer cortes como "la mujer a través de los siglos" y en parte tienen razón, porque se tiene que ver a la mujer en su época y en el contexto de la literatura de su época, pero también puede hacerse un corte con mucho cuidado a través de los siglos, sin descuidar el contexto. Después de todo, los temas y las actitudes de las novelas masculinas suelen ser los mismos. Del mismo modo, se puede imaginar que hay una continuidad en la literatura femenina, sin caer en la generalización excesiva, atemporal e ahistórica.

MGP: Retomando la idea de los géneros menores como el diario o el género epistolar, se ve una continuidad dentro de la escritura femenina.

SM: Sí, pero también, a veces, se exagera. Por ejemplo, en el caso de Sor Juana, es frecuente cierta lectura que la hace decir más de lo que esta escritora dice, lo cual ocurre cuando la sacan de su contexto y por lo tanto la empobrecen. Es decir, yo puedo hacer una lectura de Sor Juana en el siglo XX y ver ciertos elementos, ciertas constantes que se dan en la literatura de mujeres de hoy, como la protesta, pero no tengo o no debo olvidarme que Sor Juana escribe en el siglo XVII, que hay una serie de convenciones literarias que dictan su escritura, como hay convenciones literarias que dictan la mía.

ELVIRA ORPHEE

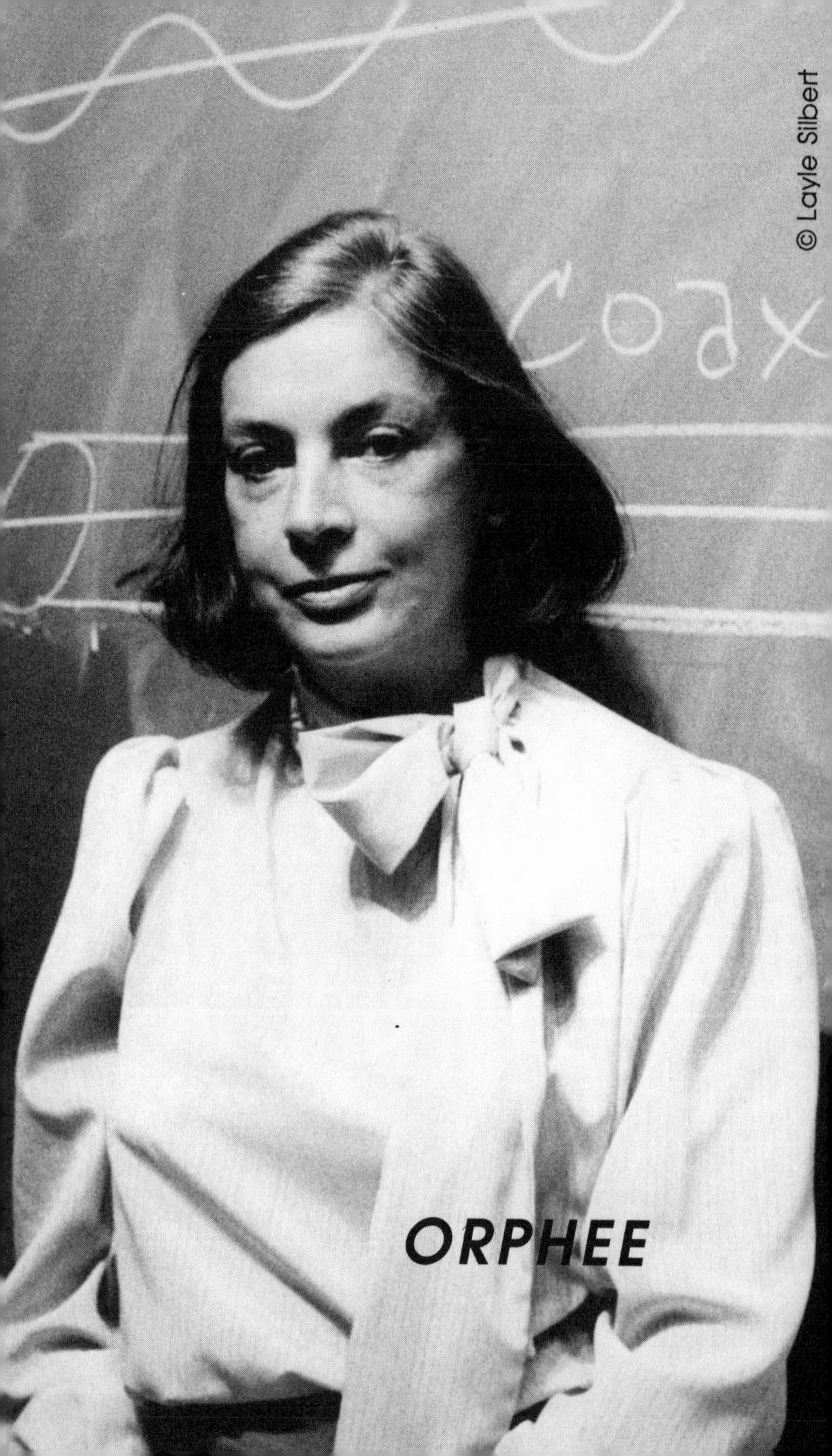

ORPHEE

Entrevista con Elvira Orphée en Nueva York en noviembre, 1982

Magdalena García Pinto: ¿Cuál es tu lugar de origen?

Elvira Orphée: Vengo de una provincia subtropical al norte de la Argentina, Tucumán, llena de cañas de azúcar, azahares y algo de leprosos. Tengo un apellido importado de Grecia a través de un pasaje por Francia. Escribo desde que pude sostener un lápiz en la mano.

MGP: ¿Qué recuerdas de tu niñez?

EO: Pasé la vida condicionada por la enfermedad que me confinaba, entonces me obligaba a crear en un cuarto todo lo que no tenía en el espacio del mundo. Así fue como volaba sobre el mosquitero, me veía a mí volar en el delirio de la fiebre.

MGP: ¿Qué enfermedad padecías?

EO: Tenía enfermedades digestivas, una cantidad, probablemente serían parásitos, y la vesícula no me funcionaba bien. Me rebelé contra esta importunidad y finalmente, la acepté como uno de los elementos que me llevó a escribir. Si hubiera tenido tantas posibilidades de vida exterior como los otros, quizá no habría escrito. En todo caso, la enfermedad extrae de un ser resonancias tan lejanas, que lo convierte en una especie de prisma atravesado por todas las luces.

MGP: ¿Pasabas mucho tiempo en cama?

EO: Casi siempre estaba en cama, entonces mis padres y parientes se dedicaron a regalarme libros de cuentos con los que aprendí a leer desde muy chica. Tenía una colección enorme entre los que estaban, según recuerdo, los cuentos del *Tesoro de la juventud,* los libros de Emilio Salgari, pero no los de Jules Verne, porque éste era demasiado científico y sus novelas carecían del elemento exótico y de la aventura que abundaba en el primero.

Debido a mi enfermedad, alguien de la familia me regaló a los cuatro años un minúsculo librito de cuentos para matizar las largas estadas en cama. Ya tenía revistas para mirar las misteriosas figuras. Pero el librito era algo que había que descifrar, contenía secretos que abrirían una puerta hacia...? el vuelo? Lo descifré con ayuda y terminé de leerlo sola. Entonces me llegaron cantidad de libritos parecidos, cada uno con una historia distinta, como si las historias por contar fueran infinitas. Toda la familia se ponía a aligerarme las enfermedades con libros o cuadritos para colorear. Los dibujos ayudaban a pasar el tiempo, pero no transportaban al reino de la verdadera vida, aquella en que sólo la fantasía tiene realidad.

MGP: ¿Había algún estímulo literario en tu casa?

EO: No, ninguno. Mi madre no leía literatura y mi padre era un científico que no se interesaba por este tipo de libros. No tengo ningún antecedente literario en la familia salvo el ambiente de provincia, que a mí me sorprende siempre. Se dice que las escritoras son tactiles en su escritura. Yo soy olfativa. Me extraña que una provincia como Tucumán, con tantos olores, no produzca más místicos. En los místicos castellanos se repiten las imágenes olfativas. Ese olor de flores blancas: los azahares, los jazmines, las magnolias, todas ellas son flores, como digo en *Aire tan dulce,* que compensan su falta de color con la intensidad de su aroma.

MGP: ¿Qué relación tenías con tu madre, cómo era ella

contigo?

EO: Tenía una relación inhábil conmigo. No sabía absolutamente cómo llevarme. Por ejemplo, me puso a estudiar piano a los cuatro años, y seguí estudiando durante ocho años. Odié las blancas, las negras, las corcheas, las fusas y las semifusas. Las odié como sólo puede odiar una enamorada a lo que le impide encontrarse con el amado. La música quiso impedirme los libros durante ocho años. Por suerte, sólo un ser tan inepto para los sonidos como mi madre podía creer que lo que oía en el otro extremo de la casa eran los ejercicios de Czerny. En realidad, yo ponía los dedos sobre las teclas al puro azar, y entre tanto, tenía sobre el atril un libro apasionante.

MGP: ¿Crees que tu afición por la lectura y por la literatura está directamente relacionada con el hecho de que estuviste confinada a un espacio limitado, el de tu cuarto de enferma?

EO: Yo supongo que el estar encerrada te obliga a tener una vida interior, pues no hay nada que hacer y no puedes tener una vida exterior. Me hubiera gustado tener una biografía exterior, haber participado en acciones, siempre que eso no me hubiera sacado la capacidad de escribir. Ni participé en hechos importantes ni trabajé nunca, como no fuera en trabajos esporádicos y azarosos. Porque no podía. No tenía vida exterior, sólo enfermedad. Pasaron vagas multitudes por mi adolescencia, trabajé entre brumas con dos médicos que aparecen retratados en mi libro *Uno*. ¿Cómo consigo una vida interior? No tenía afición por la pintura, ni por la música, pero sí por la lectura. Además, desde muy chica me dije que yo tenía que hacer una carrera, una actividad que demostrara que no era tonta, para luego ser tonta con comodidad, para demostrar que podía pensar, que era un ser pensante.

MGP: ¿Por qué tenías que mostrar que eras capaz de algo? ¿Sería, tal vez, una manera de compensar tu inmovilidad?

EO: Lo sentía como absolutamente necesario para sobrevivir. Pensaba que podía intentar dos posibilidades: ser abogada, con lo cual hablaría mucho, haría argumentos y diría cosas interesantes, o ser aviadora, estar en contacto con el aire, con el desprendimiento de la tierra. Más adelante pensé que, en realidad, los escritores son actores fracasados o actores cobardes.

MGP: ¿Por qué?

EO: Porque yo no me presentaría ante el público. Cada vez que lo hago, sufro un horror. Siempre quise ser presencia indirecta. Todo el mundo quiere ser presencia, pero los actores se animan a hacer una presencia directa y a hacer tal o cual papel. Yo me decía que no podía hacerlo porque yo escribo sola en mi casa donde nadie me mira, donde mando a mis personajes y donde estoy representando pero soy presencia indirecta.

MGP: ¿Eres muy tímida?

EO: Soy tímida pero lanzada.

MGP: Es casi una contradicción.

EO: No me gusta estar como centro focal, ni haciendo un papel, el papel de intérprete de Elvira Orphée.

MGP: ¿Cuánto tiempo estuviste enferma?

EO: Siempre. Un don que la enfermedad me hizo fue el de los delirios. Conviví con cariñosos elefantes y con flores fatuas, como las azucenas. La costumbre del delirio por enfermedad me permitió entrar en otros delirios, como el provocado por el olor exaltado de las flores blancas. Los perfumes también se elevaban, volaban por el aire.

El hubiera querido transformar las dos casas haciéndolas una. Ya son blancas; la quería más blanca. Ya no se ve demasiado afuera, porque no pasa nada; la quería más ciega. Cercada por muros bajos que formaran corredores abiertos al cielo, que tropezaran con otros corredores, siempre sin techo, y se mezclan entre ellos hasta desembocar por fin en un patio central, lleno de flores blancas, y en el medio del patio la casa, de un blanco encandilante, con los pisos friísimos. Una casa en el corazón de corredores laberínticos. Embebida de magnolias, de jazmines.

[*En el fondo*]

MGP: ¿Te acuerdas de los días de escuela?

EO: Sí. Era muy buena alumna. De vez en cuando tenía que faltar, hasta un mes entero, pero lo recuperaba porque me lo permitían. Iba a una escuela pública durante la primaria; luego fui a un colegio de monjas durante la secundaria, al Colegio del Huerto en Tucumán.

MGP: ¿Seguía entonces tu afición por la literatura?

EO: Más que nunca. Recuerdo que ya ahí leí a Dostoievski.

MGP: ¿Había algún tipo de censura en lo que leías?

EO: Sí, pero la podía burlar sin problemas. Como era chica no aprecié a Dostoievski. Los cuentos de Andersen me fascinaron siempre porque allí había más que cuentos de hadas; había mitos. En ese momento no sabía que los hubiera, pero recuerdo muy bien a una sirenita que quería conquistar su alma inmortal, lo cual me parecía desgarrador. Recuerdo también a un niño que es robado por el Hada de las Nieves. Para poder escapar de ese palacio tiene que formar la palabra eternidad con cubos de hielo, pero le es imposible. Todo eso estaba ya vislumbrando una realidad que, aparte del misterio que me rodeaba a mí todo el tiempo, estaba ya ahí. Yo no sé cómo fue tu infancia en la provincia, pero para mí todo era misterio. Para explicarme te doy ejemplos. Yo pasaba frente a las rejas de un convento cuando le daba la luz de la luna y sentía miedo. Algo pasaba de muy extraño, que se daba mezclado con el olor de los azahares. Recuerdo también que no te podías acercar a ciertas casas porque había enfermedades, entonces consideradas como castigo divino. No era el caso de que un pobre señor o una pobre señora tenía una enfermedad. Estas eran cosas muy misteriosas. Una vez me enteré que el padre de unas amigas mías vivía en un hospital y ellas iban a verlo allí, pero las trataba muy mal este señor. Años más tarde me enteré que era una forma elegante de estar preso.

MGP: ¿Escribías cuando eras jovencita?

EO: No siempre, pero sí me acuerdo que escribía cartas de amor a personajes imaginarios. Un día una de las monjas del colegio encontró una de las cartas y creyó que estaba dirigida a mí y armó un escándalo tremendo con mi madre.

MGP: ¿Cuándo terminaste el colegio?

EO: A los quince porque me pusieron en primer grado a los cinco años. Yo era una tirana terrible. Al enfermarme me transformé en la piel de Judas.

MGP: ¿Qué recuerdos tienes de Tucumán?

EO: Allí no había nada dulce que marcara la infancia, salvo el perfume de las flores. La ciudad era fea, tenía poco invierno, pero en ese invierno, las casas con todas sus puertas abiertas, los pisos de mosaico, el parcialísimo calor de los braseros o el débil de la estufa eléctrica no calentaban nada. Aun con el cuerpo abrigado por las noches, la nariz se helaba. En el verano parecía que todo se hacía cómplice del sol, hasta la luna. Las noches eran candentes y llenas de mosquitos. Bajo el sol, "lo único que se podía ser con placer era una carroña" ["La calle Mate de Luna" de *Su demonio preferido*].

Los mosquitos eran transmisores de paludismo en el sitio de mi infancia. Lo depositaron en mí, y yo lo albergué por años. Tiritaba bajo ocho mantas, en verano, con cuarenta y dos grados a la sombra. El delirio me ayudaba a volar por mi cuarto ya a los tres años. Desde la cama me veía entre velos, tocando el techo, y tenía una felicidad sólo comparable a la que me sigue dando soñar que vuelo. Uno de los vuelos más bellos lo hice en un cielo turquesa, de atardecer, sobre una palmera altísima y gente que me miraba desde abajo pasar cantando un aria de Puccini con una voz tan pura como el aire. Aria significa justamente aire. Era todo aire, y una sensación de felicidad muy grande. Después de haber experimentado el vuelo, las otras sensaciones se deslucen. Ningún sueño equivale al sueño del vuelo.

MGP: ¿Qué relación tenías con tus padres?

EO: Con mi padre tenía una relación algo difícil porque lo juzgué desde siempre, desde mi más temprana edad. Siempre estaba esperando sus próximos pasos, gestos o movimientos, me anticipaba a lo que iba a decir, etc. Lo tenía como predeterminado, como sabido y eso me disgustaba profundamente. En cuanto a mi madre, yo no tenía suficiente capacidad como para juzgar su gran cualidad, que era el sentido del humor. Entonces, juzgaba sus idas a la iglesia, sus novenas, su disciplina, sus imposiciones, su orden.

MGP: ¿Eras única hija?

EO: Sí.

MGP: ¿Crees que te mimaban demasiado por ser única hija y enferma?

EO: Hasta cierto punto. Mi madre me mimaba, pero eran mimos aparentes, pues lo que yo deseaba me era concedido. Me quería mucho pero sin caricias. No era una madre de "olla y caricia" porque ni sabía cocinar ni daba caricias. Pero entonces yo hubiera esperado una madre que me hiciera unos chistes que yo entendiera, sin embargo, los chistes que me hacía no los entendía para nada. Sólo mucho más tarde empecé a pensar que tenía un excelente sentido del humor.

MGP: ¿Cuándo fuiste a Buenos Aires, en seguida que terminaste el colegio?

EO: Mi madre murió y mi padre se quedó solo. Resolvió decirme con un gran placer que eligiera con quién iba a vivir, entendiendo que tenía que ir a vivir con alguien de la familia en Tucumán, pero en vez, yo le comuniqué que había decidido irme a Buenos Aires. No quiso mantenerme si me iba de Tucumán, pero me fui de todas maneras porque tenía una tía y una abuela que me adoraban. Esa tía me dio lo suficiente como para mantenerme y subsistir en Buenos Aires. Tenía dieciséis años.

MGP: ¿Qué hiciste en Buenos Aires?

EO: Traté de estudiar Medicina. Fui a un colegio que era como un internado para vivir y hacer la carrera. La directora me disuadió de seguir tal carrera porque no tenía realmente salud para esa profesión. Entonces entré en Filosofía. Ahí me enamoré instantáneamente de todas las materias que estudié: Historia de las religiones, Lógica, Literatura francesa, etc.

MGP: ¿Hablaban francés tus padres?

EO: Ellos no, pero mis abuelos sí lo hablaban y yo lo podía leer muy bien.

MGP: ¿Qué escritores te interesaron en particular?

EO: Sé que me apasionó Montaigne porque decía cosas que me llegaban muy a fondo, como por ejemplo esta frase que aún recuerdo: "Con artificio tanto van Las Parcas destejiendo nuestra vida". Montaigne quería vivir aislado, pero eso le quitaba el placer de frotar y limar su cerebro con el ajeno. Eso me daba una imagen muy gráfica de todas las cosas que están de más en el cerebro que tengo que lijar para que quede lo esencial. Los poetas latinos me interesaron, entre ellos Catulo. Escribí algo al respecto. Fue el primer intento de volver a escribir. Escribía cositas pero no me daba suficiente para conectarlas. Pensaba que el héroe es una aberración, una excrecencia de lo humano. Hace poco encontré un título en una revista que decía: ¿Para qué queremos mujeres héroes? Esta idea la transformé en un cuento muchos años más tarde. Pensaba que había que vivir tan sólo hasta los veinticinco años, porque quien a los veinticinco no había hecho todo lo que tenía que hacer en este mundo, no lo hacía nunca o lo hacía mal. Aparece en la colección de cuentos *Su demonio preferido,* y se titula "Círculo".

MGP: Es una idea un poco tremenda y violenta. ¿De dónde procede?

EO: Creo que después de esa edad se comienza a transitar el camino de la declinación de la vida, en una interminable cuesta abajo que cuanto más se prolongue, será más dolorosa.

MGP: ¿Has cambiado de opinión?

EO: No. Por eso me parece que María Callas tuvo una muerte elegida por los dioses. ¿Qué hacemos nosotros con Greta Garbo? ¿Qué hace ella consigo misma? No son héroes. El ser humano debe llegar a su tope y morirse. Cuando tuve mi primera hija, me sentí tristísima sin saber por qué. Me pasó con las tres. Cuando me fui a examinar, me di cuenta de que era una tristeza del cuerpo. Cuando nació la primera, comprendí que algo que se da ya no se tiene más. Yo he dado la vida, yo ya no tengo vida. Entonces pensé que me quería morir porque estaba en un momento de gran plenitud, de gran amor, de realización de esa criatura, era el momento de morirse.

MGP: Muchas escritoras utilizan material autobiográfico para la elaboración de su ficción. ¿Crees que éste es el caso tuyo, sobre todo en cuanto a tus recuerdos de infancia?

EO: Un autor difícilmente deja de aparecer en sus libros. En los míos aparece la enfermedad pues como dice Valéry: "El dolor es una atención suprema". En las ciudades chicas nuestras—quizá en toda ciudad chica—hasta no hace mucho, los seres enfermos estaban como malditos. Nunca tenían enfermedades normales, siempre les provenían de alguna culpa, propia o de antepasados. Un enfermo era un ser doblemente segregado: por la enfermedad y por el pecado que la había provocado, como ya te señalé. La enfermedad era el Mal, casi como en el sentido demoníaco que se le da a la expresión "el Mal". En la infancia, ser segregado era una tragedia. Pero no fue mi caso. La enfermedad no me dejaba darme cuenta de mi alrededor. Más tarde, cuando empecé a darme cuenta de que estaba excluida del mundo normal, tampoco me importó en exceso. Tenía un mundo "anormal" mucho más interesante. Ya adulta, maldije la enfermedad y a todo aquel que me recomendaba psicoanálisis. Llegó un momento en que comprendí cuánto me había servido la enfermedad, cómo me había preservado de la vida con minúscula. En fin, llegó el momento en que la enfermedad fue domada y dejó atrás al tiempo en que veía como balsámica la imagen de un horno a todo gas, sin fuego, y con mi cabeza dentro. Pero aun domada, la enfermedad obliga al más estricto equilibrio, a un tiempo cuadriculado, donde tal cosa debe ser hecha a tal hora y bajo tales circunstancias. Mucho de esto aparece en mi ficción.

MGP: ¿Qué tipo de cosa escribiste primero?

EO: Escribí cuentos y reflexiones que luego se transformaron en cuentos años más tarde.

MGP: ¿Ibas guardando ese material?

EO: Sí, pero no todo. Quemé muchas cosas que tenía escritas. Esas reflexiones eran acerca de lo que me pasaba por fuera, por dentro, lo que leía, lo que pensaba, lo que suponía. Hay una historia que tiene que ver con Don Quijote. Yo no entendía por qué la gente tenía tanto amor a este personaje y por qué lo ensalzaba tanto mientras disminuía a Sancho. Al fin y al cabo, la locura del Quijote será perdonable, pero no hace sino molestar a la gente y perjudicarla constantemente. Es un caballo con orejeras porque no ve más allá de lo que tiene en sus narices e ignora lo que su cabeza le dice que tiene que ver. En cambio, Sancho actúa por amor, ese Sancho tan denigrado, que ya ha visto que todo es ilusión, cuando Don Quijote se retira, es el que quiere seguir con las aventuras por amor a su amigo. Una vez le dice: "Te quiero, Señor, con las entretelas de mi corazón." Por amor, Sancho llega a ser un caballero andante. Este es el tipo de reflexiones que escribía.

MGP: ¿Que hiciste cuando terminaste la facultad?

EO: Me fui a España con una beca. Creo que fue un año perdido porque no me sentía bien en Madrid. No me acuerdo haber leído nada allí. Me encanta Barcelona, pero en Madrid me chocaban hasta los adoquines.

MGP: ¿Qué fuiste a hacer en Madrid?

EO: Me dieron media beca para estudiar literatura pero no asistí a ninguna clase. Iba a los museos, salía a caminar por las calles porque me sentía mal adentro. Finalmente, me fui a París, a la Casa Argentina, que recibía estudiantes. Allí hice un curso en la Sorbonne y resultó que era la estudiante que sabía más porque ya había leído Kafka, Thomas Mann y gente de otros mundos. Me quede allí dos años y empecé a escribir y lo hice con mucha frecuencia pero sin publicar nada.

MGP: ¿Cuándo comenzaste a publicar?

EO: Cuando nació mi primera hija. Me casé en París con un pintor argentino, Miguel Ocampo. Volvimos a la Argentina. Estuve en cama durante todo el embarazo así que aproveché para escribir un libro. Ahí es cuando empecé a escribir con ganas.

MGP: ¿Cuándo publicaste tu primer escrito?

EO: La revista *Sur* publicó mi primer cuento, cambiado en parte por el jefe de redacción, sin mi permiso. Más tarde ese cuento se transformó en una novela: *En el fondo.*

MGP: ¿Eras parte del grupo de *Sur*?

EO: No. Yo no me acabo de dar cuenta quiénes son los del grupo de *Sur*.

MGP: ¿La veías a Victoria Ocampo?

EO: Bueno, era tía. La veía los veranos en Mar del Plata. No la veía ni como escritora admirada ni como a alguien que me fuera a dar un empujón. No me lo dio porque cuando publiqué mi libro fui yo la que buscó al publicador. Tampoco creo que Victoria lo hubiera recomendado.

MGP: ¿Por qué no?

EO: Porque a Victoria le gustaba mucho la gente consagrada. No sé si tenía demasiado criterio como para darse cuenta de la gente que empezaba.

MGP: ¿Tenías algún círculo de amistadas relacionado con la literatura?

EO: No, nunca participé de ruedas literarias y tampoco me gustan las peñas del mismo género.

MGP: ¿Estabas en contacto con Silvina Ocampo? ¿Conocías a Borges?

EO: No, a Silvina la conocí mucho más tarde, cuando ya había escrito dos libros. A Borges lo conocí más tarde también. Le hice numerosos favores callejeros, como llevarlo cuando él ya no veía, a la Biblioteca Nacional en automóvil; también lo paseamos en París cuando fue allí. Hay mucha gente en la Argentina que no ha salido, como Fernando Elizalde o Inés Malinov, que se conocen poco.

MGP: ¿Se quedaron a vivir en Buenos Aires después de la estadía en París?

EO: Estuvimos cuatro años en Buenos Aires y después vivimos en Italia porque mi marido, además de pintor, es miembro del cuerpo diplomático argentino. Allí nos veíamos mucho con Moravia y Elsa Morante, su amiga de aquella época. Esta escritora italiana no es muy conocida pero creo que es muy buena; también conocimos a Pratolini y a otros escritores italianos. Después hice viajes frecuentes a Venezuela.

MGP: Varios de tus libros se han publicado allí. ¿Hay una razón especial para que no los publicaras en la Argentina?

EO: No podían publicarse en la Argentina y no hubieran

durado ni un día en vidriera, los hubieran sacado; además, ningún librero se hubiera animado a tomarlos.

MGP: ¿Participaste en la producción de alguna revista literaria?

EO: No, porque lleva mucho trabajo y consume mucho tiempo. Yo tengo muy poco tiempo para escribir porque necesito tiempo subjetivo. Una revista me quitaría ese tiempo. No tengo mucho tiempo para escribir. Me interrumpen las cosas de la casa, los impuestos que hay que pagar, pues si no se pagan de inmediato, te amenazan, o te matan o te expulsan del país. También me consume mucho tiempo el viajar.

MGP: ¿Viajas mucho?

EO: Sí, pero me parece que voy a quedarme un tiempo tranquila porque tengo contratado un libro de ensayos.

MGP: ¿Podríamos hablar de este proyecto?

EO: Prefiero no comentarlo demasiado, pero te puedo decir que es sobre religiones antiguas. Me interesa el tema de las religiones y me maravilla el saber inútil. Leí una vez una biografía de Gandhi en la que se menciona el interés que este hombre tenía por los intestinos. Hay una explicación racional. En todos los lugares del mundo hay un laberinto. Por ejemplo, la cruz esvástica es un laberinto mutilado. Entre los hindúes existe un tipo de iniciación que considera que hay poder en ciertas partes del cuerpo, y esa zona pasa por la base del ano; una forma de iluminación es el coito anal. Por esta y otras razones, el laberinto de los intestinos es importantísimo. Otro aspecto que me parece interesante es el ritual alrededor de la diosa Kali. Esta diosa tiene cuatro manos: en una tiene una mano cortada, en otra sangre chorreando, en otra una espada y en la cuarta una serpiente. La explicación de toda esta iconografía es que Kali es el tiempo.

MGP: ¿Qué escritores han influido o han tenido algun impacto en tu escritura?

EO: Con respecto a mi literatura, no hay ninguno, porque no escribo como ninguno de ellos. Yo quisiera escribir como los japoneses pero llevan adentro una serie de experiencias extrañas que no puedo compartir. No creo que tenga yo influencias.

MGP: ¿Tampoco reconocerías precursores o mentores?

EO: No. Todo escritor tiene sus admiradores. La palabra es una cosa de la que el hombre se ha apoderado. Hay un mito australiano antiguo que dice que las mujeres tenían todos los instrumentos del poder, entre ellos estaba la palabra. Un día, cuando las mujeres estaban durmiendo, los hombres les robaron todos los instrumentos. Cuando se despertaron las dos hermanas, la mayor le señaló a la otra que no importaba en realidad haberlos perdido porque ellas se acordarían de todo, pero yo creo que sí importa. Desde ese momento, las mujeres perdieron la palabra. Hay una falta de simpatía por la palabra desplegada. A mí me interesa la palabra concisa.

MGP: ¿Te interesa o eres lectora de la literatura escrita por mujeres?

EO: Sí, he leído a Elsa Morante y a Colette, son mis preferidas.

MGP: ¿Y en nuestra literatura, hay algunas autoras que te interesen?

EO: En español hay, pero menos gente. Tendría que hacer mucho recorte.

MGP: ¿En dónde ubicas tu literatura? ¿Perteneces a un grupo específico dentro de la literatura argentina o dentro de la literatura latinoamericana?

EO: No sé. Sería como ponerme un marco, y no soy un retrato sino una persona. Mi marco, a lo sumo, puede ser mi alrededor provinciano. ¿Puede un retrato saber qué marco le corresponde? Lo único que puedo decir es cuáles escritores me gustan en el presente o en un pasado reciente. Pero no creo parecerme a ellos escribiendo porque los seres someten a una alquimia interna hasta las preferencias o rechazos. El resultado no es una semejanza con sus preferidos ni una diferencia absoluta con sus rechazados. Estos narradores que me gustan son los japoneses: Yukio Mishima, Junichiro Tanizaki, Ryonosuke Akutagawa, Osamu Dazai. Entre los occidentales, la ya citada italiana, Elsa Morante.

MGP: ¿Cómo has ido desarrollando tu escritura?

EO: En los dos primeros libros, *Uno* y *Dos veranos,* trato el tema de la vida de provincia, y busco de evitar la tercera persona para evitar caer en el narrador omnisciente. En el tercero evito totalmente eso. Es más bien comunicación directa del personaje con el lector. Cuando estaba en Italia, recuerdo que había una fuerte opinión en contra del narrador omnisciente, lo cual reforzó mi rechazo por esta forma de narrar. En *Aire tan dulce* la acción está recortada, proyectada, e incluso vivida en ese momento, pero no descrita desde afuera sino desde adentro. Es tan convención el escritor omnisciente como el que escribe en la primera persona, puesto que tampoco yo sé cómo piensa tal o cual persona. Sin embargo, la primera persona me da acceso más directo que el narrador de tercera persona.

La lluvia mansa del medio tiempo se descuelga en goterones de las hojas de la parra. En algún lado ella está acurrucada bajo una manta, piensa en su infancia como si fuera pasado, recuerda el horno de adobe, la ventana de eudoro, el olor de los limeros de mi casa, los guayabos donde atábamos sus hamacas. Piensa: no puedo más de fealdad, ayudáme. No sabe a quién pide ayuda.

Si vinieras, si salieras de bajo esa sucia manta, verías la lluvia conmigo y te volvería la infancia. Nos acurrucaríamos y miraríamos caer el agua limpia, el olor de las parras y los limeros pasaría como un hilito en el viento, tendría para taparte una manta blanca con flores de color tejida por mujeres que perdieron las palabras hace mucho tiempo. ¿Qué has perdido vos, sara? ¿Qué se te ha perdido, almita de cáscara de durazno? Una pelusa parada de escalofrío, que me deja escalofriada cuando quiero acariciarla.

[*Aire tan dulce*]

MGP: ¿Sientes más directa en este sentido la comunicación con el lector?

EO: Sí. A mí me gustan los libros que se comunican directamente con el lector.

MGP: En uno de tus últimos libros, *La última conquista*

de El Angel, haces hablar al personaje central desde el yo. ¿Por qué escribiste este libro? ¿Por qué elegiste este tema tan tremendo que es el tema de la tortura?

EO: Por odio. Pero ¿quién sabe si es el escritor quien elige un tema o viceversa: si el tema se va insinuando en los recovecos del espíritu, eligiendo al escritor, rozando zonas sensibilizadas? Este debe de haber sido el caso. El tema se me infiltró tocando puntos de odio, de repugnancia por todas las formas del insulto a la vida indefensa como las que se les infieren a los niños y a los animales mártires, a los seres acorralados. Abominaciones que me aparecen como la transgresión a un orden divino, o en todo caso, demasiado importante como para ser violado. En *Aire tan dulce,* una frase dice que la sangre no es inquietante por su color ni por su olor sino por su misterio. Quien hace brotar ese cauce conductor de misterio, debe de sentirse todopoderoso, siendo apenas un siniestro aprendiz de brujo.

En relación con esto, uno de los personajes del libro afirma: "la tortura pertenece a un orden sobrenatural". A tal punto que uno llega a preguntarse si el torturador inicial no fue Dios. Al menos lo demuestra en varias ocasiones, como cuando manda a Abraham a matar a Isaac o cuando se ensaña con el infeliz Job.

MGP: ¿Cómo desarrollaste literariamente el tema de la tortura, cómo lo fuiste conceptualizando?

EO: El tema fue naciéndome quizá como una naúsea, una impotencia, un aborrecimiento frenético de la prepotencia, hasta que un día me cayó en las manos—literalmente casi fue así, no lo busqué—un librito donde un hombre, Santiago Nudelman, parlamentario, hacía el recuerdo de las torturas efectuadas en su época, hace unos veinticinco años. Enumeraba hechos, declaraciones de presos, testimonios de personas que vieron tal prenda manchada, que oyeron tales gritos. Y entonces empieza el primer cuento del libro—tal vez fuera mejor llamarle capítulo—en el año sesenta y sigue escribiéndose descorazonadamente hasta el año setenta y cinco. Digo descorazonadamente porque cada cuento, cada capítulo, una vez terminado, me parecía literatura frente al estilo desnudo del librito ese, llamado *La era del terror y la tortura,* mucho más contundente con su mera enumeración sin adjetivos que cualquier recreación literaria.

—Ya deberían venir vendados. No deben ver los ojos aquí adentro. Ni dónde están exactamente ni quiénes somos. El trabajo tiene que ser perfecto. Engordar el miedo, sí, pero no en medio de la porquería.

....

La lamparita colgada del techo en medio de la pieza mandaba rayos oblicuos desde la visera verde. Nos pusimos en círculo, cada uno al final de un rayo luminoso. Detrás del círculo la oscuridad nos tanteaba las espaldas. Todavía no había asomado ninguno de los otros jefes. Pero en la mesa, justo bajo la bombita de luz, está artísticamente colocado el hombre. Ojos vendados como corresponde, ropa sacada en parte. La que le quedaba se la subimos por donde se la teníamos que subir, descubriendo pequeñeces que hicieron decir a Roque Abud: —un angelote.
Los muchachos se rieron en sordina. Lo estaqueamos que ni Tupac Amaru. El empezó a salir de su aturdimiento o desmayo.

[*La última conquista de El Angel*]

Al final dejé de descorazonarme: no se trataba de mostrar una realidad, en sí más sincera, más soez y escatológica que cualquiera de sus retratos, sino por qué un hombre se convierte en torturador. ¿Qué mecanismos, aparte de los patológicos, lo llevan a convertirse en oficiante de esas misas negras?

Todos conocemos el hecho de la tortura: repetidamente los periódicos nos han contado las aberraciones nazis, ugandesas, guerrilleras, policiales—KGB o Gestapo—lo mismo da. Pero queda el porqué.

MGP: ¿Te animarías a hacer una especie de inventario repugnante de las torturas?

EO: Aparte de las torturas utilitarias para sacar información, de las que pretenden una colaboración a la fuerza, de las realizadas por venganza del señor presidente que no considera calmada su dignidad ofendida por veinte años de prisión al lisiado o al anciano, aparte de éstas, ninguna justificada pero al menos explicables, hay otra: la gratuita. O hay un aspecto de gratuidad en estas enumeradas, que las sacan de la órbita meramente humana. Es en este punto donde empieza el porqué. ¿Por qué la delectación en infligir sufrimientos? ¿Por qué la unión del escarnio a la tortura parece tocar un punto máximo de deleite espiritual? Allí es donde encuentro la médula a la que quería llegar. Hay algo metafísico en la tortura. No se trataba de analizar ni de demostrar un mecanismo, simplemente debía hacer cuentos con hechos reales trascendidos. Y para que no fueran solamente realistas, quizás era mejor no situarse en el puesto del torturado para quien su dolor era una "atención suprema", sino en el torturador para quien este mismo dolor era...? ¿qué? La aproximación a ese *qué* intenté en el libro.

MGP: ¿Hay alguna diferencia entre el tratamiento que tú haces de la tortura y otros tratamientos que ya se han hecho literariamente?

EO: Lo habitual en la literatura latinoamericana es estudiar las altas jerarquías del poder. Sólo en ciertas novelas como *Amalia* de José Mármol, se estudia el punto de vista de la víctima. *La última conquista de El Angel* es una de las pocas novelas en las que se ve el problema del poder desde la perspectiva de los sicarios de las bajas jerarquías.

MGP: ¿A qué motivo se debió la elección de trabajar este ángulo del problema?

EO: Como las altas jerarquías son un poder indirecto, las bajas son las que ejercen el poder manual. Amasan en la materia del poder: los seres humanos. Para las altas jerarquías se trata de un poder abstracto, sin toqueteos. Incluso hasta podrían ignorar las atrocidades cometidas por órdenes emanadas de ellas que no previeron todos los movimientos de los ejecutores. Hay numerosos intermediarios entre la orden de arriba y el ámbito del ejecutor. Este es el que está a cargo de manejar el dolor, la vida y la muerte de sus víctimas. El poder abstracto atañe a la mente. El contacto directo, abominable, con algo que lo sobrepasa, atañe al espíritu. Por eso me parecía mejor para una elaboración literaria, el desarrollo de la mentalidad de los torturadores, deducir cómo es esa psique. Incluso el lenguaje debe ser inventado. Es un lenguaje que parece real, pero, por ejemplo, cuando uno de ellos dice, dejando el cuerpo que está torturando, "moderado interés hubo en porcinos", es algo que sale en los diarios para el mercado de los cerdos. Yo no sé si un torturador hubiera dicho eso.

MGP: El personaje Winckel es bastante humano, ¿a qué se debe esta decisión de tratarlo así, con más humanidad?

EO: No quería hacer el retrato de un torturador esperpéntico, como han hecho otros, que es absolutamente algo que no tiene ningún resquicio de humanidad. Hay uno que ama la música en mi texto; otro, el llamado Cajoncito, no quiere ir a ver una película sobre las torturas nazis en Alemania porque hay demasiados cadáveres, y después no puede dormir de noche.

MGP: ¿Dónde se ubica este texto en relación con el resto de tu obra?

EO: Algún crítico distingue en mis libros anteriores los objetivos de los subjetivos. Al parecer, si el lector es poeta o mujer, prefiere al escritor saturado de lirismo: si es hombre o puro narrador de hechos, prefiere la narración con movimientos y exterioridades, porque, como ya se sabe, los hombres (salvo los poetas o potencialmente poetas) encuentran el mundo en el superficie y variación de los hechos, no en la profundidad del individuo. Pero "en ninguna parte habrá mundo, oh amada, salvo en el interior", dice Rilke, a menudo repudiado por no ocuparse de la "realidad", como si fuera un político. El mundo de afuera sin el mundo interno, ¿qué es sino una enumeración? Lo saben hasta los psicoanalistas.

La última conquista de El Angel, con respecto a mis libros, podría situarse como objetivo (el escritor no se transparenta), pero con respecto a mi único libro objetivo, se situaría como trascendiendo el hecho en una forma no lírica. *Aire tan dulce,* por el contrario, es desenfrenadamente interior y lleno, sin embargo, de hechos que se viven como proyectos, como recuerdos, y aun como presente.

MGP: ¿Dónde te sitúas con respecto al feminismo y a la escritura femenina? ¿Crees que es importante este movimiento? ¿Crees que hay una modalidad distinta en la creación literaria que practican las mujeres?

EO: Hasta ahora, se puede hacer una distinción entre la escritura femenina y la masculina. Ahora, desde este momento en que el mundo está abierto a las mujeres, vamos a ver qué trae el futuro. Cuando se habla de la violencia en la escritura de las mujeres, es una violencia muy distinta de la violencia masculina, que es la violencia de bofetadas y puñaladas.

MGP: ¿Crees que la mujer maneja el lenguaje de una manera diferente?

EO: Tradicionalmente, sí. Mirando hacia atrás, sí, pero de aquí en adelante, no sé cómo lo va a manejar.

MGP: ¿Cuáles serían las marcas de esta escritura?

EO: Para empezar, la idea de Dios. Para los hombres es una cosa desbarrada: la zarza ardiente, la telaraña, lo que impide el paso, la búsqueda. Pensemos en Kafka o en Dostoievski. En cambio, encuentro ejemplos en Virginia Woolf, por ejemplo, que representa la idea de Dios de otra manera: en un hombre que piensa entrar en una catedral para depositar una cartera con papeles ante la búsqueda. Las mujeres tienen una sensación de divinidad que es distinta de tener un Dios que se produce en cualquier momento. Es una luz, como un reflejo en el agua. El hombre vive desgarrado por esa idea de Dios, es decir, que vive desgarrado por sí mismo, o la idea de sí mismo, ya que Dios es la imagen del hombre. La prueba está en los hombres que entran en el manicomio por creerse Dios. Como Dios no fue creado a imagen y semejanza de la mujer, o viceversa, ¿qué mujer llegó a un asilo creyéndose la Virgen María?

MGP: ¿Qué otra marca crees importante?

EO: No digo sensibilidad porque está muy usado, pero sí

el tratamiento de las sensaciones es distinto porque las mujeres, al estar encerradas, no tienen nada que hacer: no tienen safaris, no tienen viajes de arriba a abajo, ni guerras. Tienen que tomar las cosas más pequeñas que tienen a su lado. Recuerdo que una vez que entré en un colegio en Francia, abrí un libro que habían hecho las alumnas. Estaba dedicado a Notre Dame des Petites Choses. Eso es lo que me parece. Las mujeres pueden redimir la pequeñez a través de un determinado tratamiento. Hay que imaginar más con menos elementos, la sensación se despliega, como se puede desplegar en Proust. En Colette es lo que sucede con el uso de una cantidad de cosas.

MGP: ¿Estarías de acuerdo con la tesis de Marta Traba de que la literatura de las mujeres tiende más a explicar una realidad que es relativamente inmediata, que se opone a la interpretación que el hombre hace del mundo, que siempre está al nivel de la elucubración?

EO: Eso es exacto. Siempre está haciendo una elucubración, que es a lo que yo me refiero cuando decía que el mundo de la palabra pertenece a los hombres. Se tiene como prejuicio que lo que más se habla y lo que se habla con aspecto de importante es lo que más vale. Las mujeres, por cierto, tocan temas importantísimos al pasar, como quien no quiere la cosa: la muerte, la vida, el amor, es decir, todos los temas, salvo la religión. Pero no lo veo como una falla. En todo caso, no es la religión sino la idea de Dios que la mujer casi no trabaja. A las narradoras se les ha reprochado no tener moral, y eso creo que es exacto porque hay la frase de una heroína de Dostoievski que le dice a un hombre: "Usted es justo. Usted no es bueno. Por lo tanto, es Ud. injusto". Eso, traducido a la realidad, es una inmoralidad: Yo, jueza, si dejo en libertad a una mujer que ha matado a su marido porque vuelve borracho todas las noches, porque les pega a sus hijos, porque les da mal ejemplo, porque vive entre insultos, la suciedad y las vomitaderas, en defensa propia y en defensa de sus hijos, decido absolverla, seguramente se consideraría que no tengo moral. En ese caso, bueno, no tengo moral.

MGP: Eso es otro estándar de principios morales, los femeninos. Recuerda que los códigos morales fueron establecidos por los hombres, que son los inventores, además, de las religiones que comandan el mundo y organizan el orden ético y moral.

EO: Sí, son las religiones de Estado que son el Judaísmo, el Islam y el Cristianismo. Los códigos de las mujeres en la época en que había diosas, en el Neolítico, eran basados en la naturaleza. Sin embargo, esa imagen de la divinidad reunía la unión de los contrarios, que hace exactamente un diologema: maternal y lejano al mismo tiempo.

MGP: ¿En qué proyecto estás trabajando ahora?

EO: En ese libro de ensayos que te mencioné y también en una novela, pero el trabajo va bastante lento. En este libro, que quizá titule *Basura y luna,* utilizaré la narración lírica. También trabajaré el erotismo en la forma más lírica posible. Porque esto existe. Para una mitad de la humanidad quizá, y aun si fuera sólo para una cuarta parte, no hay por qué ser mayoritaria.

ELENA PONIATOWSKA

PONIATOWSKA

Entrevista con Elena Poniatowska, octubre de 1983, en su casa de Coyoacán

Magdalena García Pinto: ¿Dónde naciste?

Elena Poniatowska: Nací en París, en 1933, de madre mexicana y padre francés de origen polaco, de los que fueron expulsados de Polonia después de la primera partición de Polonia. Eran polacos franceses todos los Poniatowski; por ejemplo, uno había sido mariscal de Napoleón, José Poniatowski. Habían sido expulsados de su país, justamente, porque el último fue Estanislao Augusto, el último rey de Polonia. Mi papá se enamoró de una mexicana que se llamaba Paula Amor, aunque en realidad su nombre es Dolores de Amor. Como era bastante horrible le pusieron Paula por Pablo, su papá. Ella era de los mexicanos que tuvieron aquí haciendas y con la revolución las perdieron. En la administración de Lázaro Cárdenas, con la reforma agraria, vivieron muchos años de viaje; vivían en hoteles y en casas. Creo que mi mamá jamás tuvo una casa o un departamento hasta que se casó con papá, y allí, vivió con sus suegros.

MGP: ¿Pasó tu mamá mucho tiempo en Europa?

EP: Sí, claro. Mi mamá nació allá. Mi madre habla mucho mejor francés que español. Cuando me habla a mí me habla en francés, lo que hace que Guillermo, mi marido, diga que son esos cochinos mexicanos, colonialistas, que después de tantísimos años no pueden ni siquiera hablar español, que tan solo hablan francés.

MGP: Entonces tu madre no vivió en México.

EP: Sí vivió. Venía aquí a la hacienda, como de vacaciones, a montar a caballo, a galopar por los campos mexicanos, y por las milpas y todo eso. Pero ella regresaba a Francia. Aquí creo que estuvo un año o dos en el Colegio del Sagrado Corazón. Pero las temporadas que venía aquí eran de uno o dos años. Entonces dice cosas muy bonitas. Por ejemplo, cuenta que cuando ella va a un lugar donde tuvieron su hacienda, que es cerca de Querétaro, allí cerca de San Juan del Río, en una hacienda que se llama "La Llave", que ya está completamente destruida, de repente, se encuentra a campesinos ya muy viejitos que le dicen que "la Revolución" —según mi mamá—"ay, ahora que no están ustedes, ¿quiénes nos van a dar nuestros dulces?" Yo creo que el cambio social para ella es durísimo porque yo la he acompañado a ver "La Llave" y he sentido el sufrimiento porque dice: "aquí era el comedor, y ves todo agujereado, aquí era la capilla" porque era una hacienda que tenía trojes, capilla, caballerizas, establos, en fin, una cosa increíble. En fin, te va enseñando todo: y lo que ves es puro cielo o puros techos agujereados o puras escaleras desfundadas o peldaños a puros cuartos donde solamente hay resto de molduras. Creo que para ella es muy agobiador, pero, en fin, lo enseña y te cuenta cosas asombrosas de su pasado de niña hacendada. Por ejemplo, el tren llegaba solamente para que ellos se bajaran. Eran los únicos pasajeros a "La Llave". Detrás de la hacienda se ven todavía los rieles del tren que llegaba a dejar esta familia que era de don Felipe Iturbe, porque mi abuela se llamaba Iturbe. Y luego toda la familia de la cual mi mamá formaba parte. Me cuenta por dónde y hasta dónde galopaba, del ojo de agua, de la troje tal donde se guardaba tal...

MGP: Es decir que la hacienda está totalmente abandonada.

EP: Esta hacienda fue expropiada y ahora está abandonada. La hicieron escuela pero jamás funcionó. Entonces nomás están los árboles talados, no hay nada; la capilla está completamente destruida, el coro que parece que era una maravilla, está hecho pedazos, las cruces están tiradas en el suelo. Haz de cuenta que hicieron de eso una porqueriza. Es tremendo porque dice "para eso nos la quitaron, para no hacer nada y dejarla pudrirse". Nada más que también tiene conciencia de que ahorita ya no tiene posibilidad de mantener esa hacienda.

MGP: ¿Entonces cuando tus padres estaban viviendo en Francia, naciste tú?

EP: Yo nací en París y luego nació mi hermana. Y luego, muchísimos años después de la Segunda Guerra, nació mi hermano, el chiquito que murió en 1968, Jan.

MGP: Algunos de tus libros están dedicados a él.

EP: Todos. Murió en un accidente de auto, el ocho de diciembre de 1968.

MGP: Yo creía que su muerte estaba conectada con los acontecimientos del año 1968.

EP: No. El participó, como todos los jóvenes estudiantes, pero su muerte no se debe a eso. Claro que se puede decir que, en cierta manera, está conectado porque fue la gota en el fondo, porque ver tantos jóvenes que murieron y todo eso, y encima de todo mi hermano. Claro que no murió en la Plaza de las Tres Culturas, ni murió en una redada ni fue a la cárcel pero tiene algo que ver porque era también la muerte de un joven. ¿No?

MGP: Es cierto. ¿Cuánto tiempo viviste en París?

EP: Yo viví muy poquito. Durante la guerra mi mamá manejaba una ambulancia y mi papá ya estaba en la guerra, entonces nos llevaron al sur de Francia, al campo. Allí hicimos nuestros estudios en una *école communale*. Me acuerdo que allí aprendí el pistilo, las diferentes partes de la flor, que yo dibujaba con mucho cuidado, las sumas y las restas. Estudiaba con mucho temor, con una profesora que curiosamente se llamaba Madame Cocu, que quiere decir la señora cornuda. Ella nos daba clases y siempre tuve mucho temor a que se me regara la tinta, esa violeta, que la ponían en uno de esos tinteros de porcelana blanca que incrustaban en el pupitre, y teníamos pluma. Había que hacer la letra a veces muy delgadita *les pleines* y *les déliées*. Había que hacer una caligrafía muy bonita. Aunque me gustaba ir, siempre le tuve un gran temor a la escuela. Allí nos daban un trato especial porque éramos dizque las princesas.

MGP: ¿Estaban solas o con otros niños?

EP: Con muchos chicos en la clase, pero no recuerdo haber tenido amigos de la clase. Por eso mismo quizá íbamos en bicicletas. Muchas veces me iba sola porque me encantaba ir por los campos de lavanda. Es una flor que aquí no existe y que la tengo como metida en el fondo de la memoria, o en el fondo en un lugar de la cabeza; siempre la busco. Me acuerdo que había grandes campos de lavanda. Otra cosa que me gustaba mucho era meter la mano en los lomos de los borregos porque era muy grasoso. Yo nunca pensé que los borregos pudieran ser tan resbaladizos; era como meterla en un bote lleno de manteca porque estaban siempre engrasos. Esos años fueron muy bonitos. Luego ya vinimos para México.

MGP: ¿Qué edad tenías entonces?

EP: Vinimos en un barco de refugiados y luego he sabido que muchos refugiados han venido en eso que se llamaba "El Marqués de Comillas", y llegamos aquí en 1942 o principios de 1943. Sin mi padre. Entonces empezó la separación de mi padre. Llegamos con mi mamá. Fue cuando descubrí a mi mamá, porque antes realmente habían sido puras institutrices y los abuelos que eran los que nos cuidaban. Luego tuvimos "señoritas". Me acuerdo de una señorita polaca que habían mandado, que tenía toda su faja rosa salmón, hecha cuando se abotonaban adelante, toda forrada de billetes de banco. Nunca entendí si ella era un gangster. Había también esa atmósfera de guerra. De noche pintaban todas las ventanas de azul y se oían los aviones, y alguna vez que mi papá nos fue a ver, iba vestido de soldado.

MGP: ¿Tu padre estaba en el frente?

EP: Mi papi estaba en la guerra, y mi mamá manejaba ambulancias. Una vez salvó un burro y lo subió a la ambulancia por lo que la regañaron; eran muy jóvenes, muy guapos, muy poco conscientes del peligro.

MGP: ¿Qué edad tendrían en esa época?

EP: Pues, mira, mi mamá cuando yo nací tendría 24 años. Cuando la guerra tendría 28 o 30. De todos modos, era una pareja muy joven. Me acuerdo que aquí en México iban a muchos bailes, era muy guapa mi mamá, y la invitaban mucho, era muy festejada.

MGP: ¿Tu papá se quedó en Europa?

EP: Nosotros lo alcanzamos a ver siete años después. Entonces fue como una ausencia de muchos años. Después de la guerra vino a México y le gustó. Le dijeron que había muchas posibilidades para él. En todas fracasó porque no era hombre de negocios. El había hecho la guerra; entró a Alemania, a Rusia...

MGP: ¿Cuando regresaron a México, estaba allí la familia de tu madre?

EP: Estaba nada más mi abuela y el que había sido dueño de la hacienda—ahora expropiada—que se llamaba Felipe Iturbe.

MGP: ¿Y quedaron sin dinero?

EP: La abuela sí tenía porque todos los ricos siempre dicen que no tienen y luego resulta que sí tienen. Este Felipe Iturbe decía que no tenía nada y vivía casi de la caridad de sus amigos, pero cuando murió dejó una herencia. Como todo el mundo lo quería mucho, porque había sido espléndido, lo invitaban mucho a comer y a cenar, y no sabían éstos—todos los Popoffs de la época—que tenía una libretita donde anotaba el resultado de cada comida, que por lo general era clasificada de "infecto". Yo abrí esa libretita. En vez de estar agradecido de haber compartido el pan y la sal, decía que estaba infecto. Además a él le importaba mucho la comida, es decir, que tengo todos los estigmas en mi familia.

MGP: ¿A qué edad llegaste tú a México?

EP: Yo llegué a los 8 años.

MGP: ¿Y solamente hablabas francés?

EP: Sí. Y aquí aprendí rápidamente con las sirvientas, de ahí mi apego a las criadas, o como las quieras llamar. De ahí mi apego a la Jesusa Palancares. Aprendí español porque no había necesidad de aprenderlo. Era un poco el idioma de los colonizados, no era un idioma que se necesitaba. Cuando llegué allí, me metieron en una escuela inglesa absurda, donde cantábamos "God Save the Queen", y donde nos enseñaban a contar en "pounds, shillings, and pennies." Yo no fui a Inglaterra sino hasta hace cuatro años y para lo que me sirvió... Pero cuando uno es chica, aprende cualquier cosa; si le propones a un niño que aprenda chino... Entonces ya aprendí tres idiomas antes de los diez años y es una cosa que siempre voy a agradecer.

MGP: ¿Qué idioma hablaban en tu casa de México?

EP: En la casa se hablaba francés o inglés porque mi abuela tenía un novio que se llamaba Archie, y este novio la cortejaba. Por fin, se casó cuando tenía casi 70 años, porque ella era viuda. Con Archie se hablaba en inglés.

MGP: Dime, ¿Jesusa Palancares existe en la realidad?

EP: Jesusa Palancares todavía existe. A fin de año voy a ir con ella a Tehuantepec.

MGP: ¿Es *Hasta no verte Jesus mío* un testimonio?

EP: Ella me dice que no lo es porque a ella yo se lo di a leer después y se enojó. Me dijo "eso usted no entiende nada. De qué le sirve haber estudiado tanto. Ud. todo lo cambió. Ud. no lo entendió." Ahora es verdad que está basado en muchas conversaciones con ella pero es una novela ¿no?. No es lo que ella me dictó ni en el idioma, pero el fondo siempre es ella. Eso ella no lo reconoce porque ella quisiera que yo le hubiera hecho otra cosa, quién sabe qué. Es como si quisiéramos que hicieran una novela sobre ti y quisieras que yo hablara sobre ciertas cosas.

MGP: ¿Buenas, bonitas?

EP: No, no bonitas, por ejemplo, ella quería que pusiera énfasis en una cosa que a ella le importa mucho, la Obra Espiritual, su casa de Mesmer, Roque Rojas, Luz de Oriente y todo ese tipo de cosas. Entonces se siente defraudada de mí y dice que yo invento personajes y que yo maté gente y que quién era ése, quién era el otro.

MGP: Jesusa es entonces una excelente lectora y crítica.

EP: Yo hice, en base a un relato absolutamente real, una novela. Claro que mucha gente dirá qué suertuda es Elena que se encontró a alguien que le dictara una novela capítulo por capítulo.

MGP: Ciertamente que se lee como novela. En eso no hay duda alguna.

EP: Sí, es una novela, pero mucho es un testimonio en base a una realidad, pero una realidad que ella no reconoce como suya. Por eso le cayó mal. La hubiera hecho con su nombre de ella, con fotografías de ella. No se llama Jesusa Palancares. Yo quería hacer un texto que, aunque yo no soy antropóloga, ni socióloga, reflejara la realidad, pero ella le tuvo una enorme repugnancia. Las fotos las rompió todas cuando las vio, las hizo pedacitos. Dijo que no quería esas fotos. Quería una única foto sepia de ella, muy borrosa, en donde no se reconoce si es ella o cualquier otra gente y luego el texto también. Dijo que no tenía nada que ver con eso. Fue un rechazo absoluto.

MGP: ¿Donde conociste a Jesusa?

EP: Es una mujer que ahora tiene 83 años. Yo la conocí, a raíz de haberla oído hablar en un lavadero. Me llamó mucho la atención, en una calle del centro, en la calle de Revillagigedo. Me gustó mucho cómo hablaba y la busqué.

MGP: ¿Cómo te acercaste a ella?

EP: Empecé a entrevistarla con muchas dificultades porque ella es muy desconfiada. Decía que yo la hacía perder el tiempo. Luego me quería hablar de lo de ella. Me quería decir durante horas que estaba tapada la cañería y que la dueña no la componía. Ella tenía sus obsesiones. Fue muy difícil conquistarla. Ahora yo creo que dentro de mí debe haber una influencia por haber trabajado un mes y medio con Oscar Lewis. Lo conocí antes de que él fuera famoso por *Los hijos de Sánchez*. Le ayudé con otro libro que se llama *Pedro Martínez*. Lo vi trabajar. Vi cómo él se daba a la gente. Nada más que estuve muy poco con él porque tenía muchos problemas. Era muy paranoico. Lewis utilizaba grabadora porque tenía un equipo norteamericano. Yo para ver a la Jesusa utilicé una grabadora prestada de unos impresores que eran los únicos que sabía que tenían grabadora. Era un cajón enorme. La primera vez que se la llevé a la Jesusa no dijo nada; la segunda, me dijo "Llévese esa chingadera, quién va a pagar por eso; esa luz que Ud. me está robando (porque no había pilas) quién va a pagar por eso, ¿Ud. o yo?" Y yo trataba de calmarla y decirle que yo me haría cargo de la cuenta. Y continuaba: "¿Y cómo voy a calcular? No, eso aquí es nada más un estorbo."

También cuando le llevé el libro manuscrito a máquina y lo encuaderné en una cosa que se llama queratola azul cielo para que le gustara, me dijo cuando se lo empecé a leer: "No, Ud. no entendió nada. Y llévese eso, esa chingadera también sáquela de aquí, aquí me estorba, me quita mucho espacio y yo no tengo lugar para guardar eso."

MGP: ¿Podía leer Jesusa?

EP: No, no podía. Yo le leía pedacitos, a ver si le gustaban, pero no, no le gustaban en absoluto.

MGP: Qué curioso que se enojara.

EP: Ahora después, cuando ya lo vio impreso y cuando vio que yo había colocado en la cubierta al Niñito de Atocha (ella tenía ese santo en su cuarto) ya le gustó. Recuerdo que un día vi en la calle al Niñito de Atocha, entre esos señores que venden santos en la calle; lo compré y me dije "si pongo esta portada le va a gustar". Lo hice por esa razón. De allí la portada.

Dicen que habla muy finito, muy bonito: que me deja los saludos y que no me olvide de él: que él vela y vigila porque grandes responsabilidades tiene con el señor que le ha confiado mi carne. De eso me cuida todavía con toda su caravana. ¡Cuántos cientos de años habrán pasado y él todavía no me deja sin su protección! Pero a éste nomás lo he visto en revelación, sino que está su retrato a colores en el oratorio de Luis Moya, la calle ancha que se llamaba antes. Está metido en un cuadro así de grande y tiene los ojos abiertos y negros, negros, renegridos, encarbonados. Lleva su turbante enrollado y le brilla en el centro una perla-brillante blanca: y al brillante ése le sale como un chisguetito de plumas.

[*Hasta no verte Jesús mío*]

MGP: ¿Cuál fue la reacción de Jesusa?

EP: Yo sentí que le gustó pero no me dijo nada. Después me pidió veinte libros para regalar aquí a la gente del taller. Entonces le llevé los libros.

MGP: ¿Por qué crees que lo rechazaba?

EP: No sé. No sé qué pensaba ella.

MGP: Sin duda, es una réplica de la cualidad hermética de la Jesusa de la novela. ¿Por qué te decidiste a hablar con ella?

EP: Yo creo que por resonancia de infancia. Después de México, estuve en un convento del Sagrado Corazón en Filadelfia, Eden Hall. El gran mérito de la escuela era que habían jugado hockey con la escuela de Grace Kelly. Eden Hall le había ganado y se hablaba mucho sobre el romance del Príncipe Rainiero y Grace Kelly. Eran las épocas de Clark Gable y de Gregory Peck, Tyrone Power y Vivien Leigh. Todas queríamos parecernos a ellas. Yo me acuerdo de Jennifer Jones. Me parecían maravillosos. A mí personalmente me gustaba Cary Grant, y mi hermana decía que se iba a casar con Tyrone Power.

MGP: ¿Qué edad tenían en esa época?

EP: Teníamos 16 o 17 años. Yo regresé al convento a los 17 años. Esa época, esas cosas se pegan a la memoria. Y recuerdo que cantábamos "Somewhere over the rainbow, way up high," de las canciones de Judy Garland, de *The Wizard of Oz*.

MGP: ¿Serían los años de la década de 1950?

EP: Mediados. Sí, porque yo empecé a hacer periodismo ya muy pronto, cuando regresé del convento. Aunque Jesusa fue muchos años después, me llevó a tratar de recuperar la infancia que el convento me había hecho perder, quizás.

MGP: El mundo de Jesusa no tiene nada que ver con el tuyo. Ni siquiera se tocan.

EP: Yo siempre he hecho libros, salvo *De noche vienes,*

que no tienen nada que ver conmigo.

MGP: Volvamos un momento a tu juventud. Tú fuiste al colegio en México.

EP: Sí, pero nunca españoles. Cuando terminé el inglés, fui al Liceo Franco-Mexicano un año y después al convento en Eden Hall, del Sagrado Corazón. Español yo nunca estudié. Yo aprendí español con las sirvientas. Y además, de hecho, yo hasta hace poco todavía hablaba usando formas como "yo vie", "nadiem".

MGP: Hablabas como Jesusa.

EP: Sí, por eso lo entiendo muy bien. Es el español que conozco. Si me hablas del español de *Platero y Yo* o de Cervantes, es para mí un español desconocido.

MGP: ¿Alguna vez has escrito en los otros idiomas?

EP: Sí, he escrito en inglés. Era tesorera de "The Current Literary Coin," una revista que hacíamos las alumnas allí. Escribíamos: "I am Joan of Arc, I am Napoleon", "Nothing to wear", ya más creativo. En fin, varias cosas.

MGP: ¿Cómo te sentías en esa época? Era un convento o un colegio secundario?

EP: Era un high school pero exageraban la religión. Te la pasabas en la capilla y a tus amigas, por ejemplo, el día de su cumpleaños les regalabas un "spiritual bouquet", que significaba hacer treinta misas, 400 jaculatorias, "God bless XXX", hacías un montón de tarjetitas y escribías un recadito de amor y todos los sacrificios que habías ofrecido. Era un ambiente de lo más religioso. Tenías que ser "Child of Mary, Blue Ribbon". Yo fui todas esas cosas. Los primeros meses un poco reticente pero luego me gustó, porque me gustaba hacer sacrificio. Toda esa cosa un poco masoquista que te hacen hacer. Lavaba yo todos los trastes de la escuela cuando ayudaba a las "hermanitas", pues era una escuela racista. Había "sisters" que eran las criadas y las "madres" que eran las enseñantes. La Superiora era una monja francesa, y había otra que se llamaba Saint Margaret Allicot, todas envueltas en unos tubos. Teníamos muchos "crushes": "Oh, we love Mother Heisler, Oh, we love mother x." Nos enamorábamos de las "Mothers" más guapas. Para Cuaresma se ponían de muy mal humor porque hacían mucha penitencia y comían muy mal. Hice muy buenas amigas y sí me llevé bien. Estaban allí las hijas de los dictadores sudamericanos, por ejemplo, la hija del sobrino de Somoza, Liana Debayle Somoza. Una de Cuba y todas las niñas ricas mexicanas de Monterrey. Había muchas irlandesas de pelo rojo y de pecas, porque a las irlandesas les da muchísimo por el catolicismo. A mí me gustó. Había mucha posibilidad de hacer sacrificio. Cada vez que me decían que me hincara sobre unas piedritas de hormiguero para que ganara un "hockey game" en vez de jugar, me hincaba y me daba golpes de pecho.

MGP: ¿Además de sacrificios, leías?

EP: Pésimos estudios. Aprendíamos todo el Antiguo y el Nuevo Testamento de memoria. Lo recitábamos de memoria. Era la antigua educación que no estaba hecha para pensar.

MGP: ¿Para qué te educaban? ¿Para señorita de salón?

EP: Me decían que tenía que ser "Child of Mary", "God" or "the Holy Spirit". No sé quién venía, me agarraba y me llevaba al cielo. Te decían que en "cocktails you shouldn't get drunk, you shouldn't neck." Era chistoso y en cierta manera, muy tierno. Y creo que luego se modernizaron mucho. No había nada más. A pesar de esto, estaba allí una niña embarazada que hacía ejercicio todo el tiempo para que desapareciera su panza hasta que la corrieron de la escuela. Pero no la embarazó nadie del "insane asylum". Creo que se fue de vacaciones de "Holy Week" o algo así...

MGP: ¿Nunca viviste en México cuando eras niña?

EP: Después me saqué una beca en un "college" en Manhattanville. Luego volví aquí y me dijeron que podría ser secretaria trilingüe. Me quedé en México a no hacer nada. Taquigrafía. ¡Ah! En el convento me enseñaron a coser...

MGP: ¿No fuiste a la Universidad?

EP: No. Fui a una academia en San Juan de Letrán a aprender taquimecanografía, que no me sirve de nada pues sólo me sé cuatro palabras. Empecé a hacer entrevistas porque mi abuelo conocía mucha gente. Mi vida son puras casualidades. Estaba en una reunión donde estaba Leonora

Carrington. Alguien le preguntó cómo se decidió a instalarse en México. Ella guardó silencio y dijo después "Yo, que nunca he tomado una decisión en mi vida..." Yo siento que ésta también puede ser mi respuesta. Yo nunca he tomado una decisión en mi vida. Yo no decidí ser periodista. Pensaba que podría ser periodista, pero podría tocar la guitarra, cantar... Aunque sí tenía un diario y copiaba fragmentos de libros que me gustaban, pero no era una vocación como te dicen otros escritores.

Mi mamá me llevó a un cocktail que le daban al embajador de los Estados Unidos. Al día siguiente le hice una entrevista a este personaje que todavía no había dado conferencia de prensa a nadie. Además, en esa época *El Excelsior* era pro-americano. Con un golpe de suerte me publicaron la entrevista. Y me pidieron que trajera otra. No sabía a quién. *El Excelsior* estaba cerca del Hotel Del Prado. Vi que una cantante, Amalia Rodríguez que cantaba fados, paraba en ese hotel. Fui a verla a su cuarto, me hizo pasar, le hice la entrevista y así empecé.

Hace casi treinta años que hago periodismo con mucha suerte, con mucha continuidad, con mucha tenacidad. Ya me agarro a la máquina de escribir como de un ancla, que no sé si me va a hundir en el fondo del océano pero es, si quieres, mi manera de estar sobre la tierra, mi manera de vivir. A veces, me digo que voy a dejar todo. A ver si puedo pintar o si puedo hacer otra cosa. Digo aquí hay una residencia para ancianos, voy a ver si los puedo cuidar. Me pregunto para qué estoy haciendo esto tanto. A veces, uno quiere acabar con la rutina ¿no? ¿No te pasa a ti?

Además, yo estoy muy dada a la depresión. Yo creo que esos años de convento en que estuve lavando tantos trastes y haciendo tantas buenas acciones, como que me hice con tendencia a la depresión.

MGP: ¿En qué años volviste a Francia?

EP: En 1955, nació mi hijo Mane, mi hijo mayor, pero no me casé. Luego regresé a México e hice periodismo. Y desde que empecé lo hice con una gran seriedad.

Ya había publicado una pequeña novela, *Lilus Kikus,* que

inició una colección que dirigía Juan José Arreola, "Los Presentes".

El concierto

Un día decidió la mamá de Lilus llevarla a un concierto en Bellas Artes. Ese edificio bodocudo, blanco, con algo de dorado y mucho de hundido.

Lilus tenía tres álbumes de discos que tocaba a todas horas. Como era medio teatrera, lloraba y reía al son de la música. Y hasta en la Pasión según San Mateo *hallaba modo de hacer muecas, sonreía y se jalaba los pelos... Deshacía sus trenzas, se tendía sobre la cama abanicándose con un cartón y fumando en la pipa oriental de su papá... A Lilus no le vigilaban las lecturas y un día cayó en este párrafo: "Nada expresa mejor los sentimientos del hombre, sus pasiones, cólera, dulzura, ingenuidad, tristeza, que la música. Usted encontrará en ella el conflicto que tiene en su propio corazón. Es como un choque entre deseos y necesidades; el deseo de pureza y la necesidad de saber". Así que cuando su mamá le anunció que la llevaría al concierto, Lilus puso cara de explorador, y se fueron las dos...*

[*Lilus Kikus*]

En esa misma colección publicó Carlos Fuentes su primer libro, *Los días enmascarados,* también José Emilio Pacheco y cantidad de otros escritores. Yo seguí con una sátira a los intelectuales tomada de *Meles y Peleo,* dos personajes griegos, que se llamaba *Me Lees y Te Leo,* son ciento sesenta escenas y vuelven a la edad de las cavernas y acaban pegándose batacazos en la cabeza. Una obra de teatro o guión de cine. Luego publiqué *Palabras cruzadas,* en Editorial Era, su segundo libro, una serie de entrevistas que escogió Vicente Rojo.

MGP: ¿A quiénes hacías esas entrevistas?

EP: A Sabattini, François Mauriac, Luis Buñuel, Lázaro Cárdenas, Fidel Castro en 1959. Luego salió la segunda edición de *Lilus Kikus* con otros cuentos. Luego *Todo em-*

pezó el domingo, que es lo que la gente pobre hace los domingos, con dibujos de Alberto Beltrán. En 1969 y años subsiguientes salieron *Hasta no verte Jesús mío, La noche de Tlatelolco, Querido Diego, te abraza Quiela, Fuerte es el silencio, El último guajolote, El domingo siete, La casa en la tierra,* un libro de fotografías con texto sobre la casa campesina más pobre. Hice un prólogo larguísimo a un libro sobre la vida de las mujeres que se dedican al servicio doméstico, que se llama *Se necesita muchacha,* pero es casi un libro en sí porque el prólogo tiene ciento setenta páginas.

MGP: ¿Dijiste que estabas trabajando en un proyecto nuevo?

EP: Sí, en Tina Modotti, pero lo dejé porque me estaba saliendo horrible. Lo dejé, me deprimí muchísimo y regresé al periodismo. Estoy en el capítulo siete y son veinte; tengo mucho trabajo. Luego, antes de que el libro salga, me han atacado mucho.

MGP: ¿Por qué?

EP: Porque yo le puse de título al libro *Tinísima* y entonces Octavio Paz sacó un artículo titulado *Esta Linísima.* Es una novela. No estoy haciendo una santa de Tina Modotti. Yo no la escogí. Es otra de esas cosas que me suceden. A mí me pidieron una vez un guión de cine sobre Tina Modotti. Entonces yo la descubrí a través de un libro de Mildred Konstantin que se llama *Fragile Life.* Cuando me dijeron que yo tenía que hacer un guión en un mes y medio, es como cuando te dicen necesito esto pero para ayer. Yo les dije que lo que yo podía hacer era copiar todo lo que dice Mildred Konstantin sobre ella pues yo no sabía nada de esta señora. Si Uds. quieren que se sepa algo más de esta señora y hacer algo original, una aportación de México, tengo que investigar. Así es que empecé a hacer entrevistas y ya se pasó el tiempo y no hice ningún guión de cine para lo cual estoy muy poco dotada. Decidí que con tanto trabajo de investigación mejor hago una novela. Es un personaje interesante, una fotógrafa de los años treinta. Una campesina italiana que vino a México con Edmund Weston, fotógrafo americano. Aquí empezó a tomar fotos porque él era un gran fotógrafo.

Se hizo fotógrafa, discípula de él. Luego tuvo varios amantes. Uno de ellos fue Julio Antonio Mella, a quien mataron cuando iba de su brazo. Su último amante fue Víctor Vidal o Carlos Contreras, el comandante del V Regimiento de la Guerra Civil Española. El de la defensa de Madrid. Fue "maría", el término mexicano para enfermera en España. La vida es como una novela. Yo hubiera querido hacer un trabajo más exacto y es muy difícil. Entonces estoy haciendo una novela con datos lo más reales posibles.

MGP: Este proyecto sobre Tina Modotti se parece en cierto modo al que pusiste en marcha para escribir *Hasta no verte Jesús mío,* pero en otro registro.

EP: Pero mucho más difícil porque allí se trataba de un solo personaje. Aquí tengo mil páginas de entrevistas con personas que la conocieron. En fin, es un trabajo muy amplio y mucho más complejo porque la Jesusa era una sola voz y nunca fui a comprobar si las anécdotas eran ciertas. Lo de Modotti es más complejo porque intervienen muchas personas. El trabajo de reconstrucción es mucho más serio.

MGP: Es una biografía novelada, al estilo de André Maurois.

EP: Sí, como *Ariel ou la vie de Shelley* o las hermanas Brönte. Pero no creo que sea así, sino más novela.

MGP: ¿Qué otras cosas has escrito?

EP: *Gaby Bruner,* que apareció en Alfaguara. Es sobre una niña que tiene parálisis cerebral y otro *De noche bienes,* en Alianza Editorial. *Hasta no verte Jesús mío* está en la edición número veintidós y *La noche de Tlatelolco* está en la edición número cuarenta y cuatro.

MGP: El texto sobre Jesusa a mí me parece un libro maravilloso.

EP: Pero ahora me parece que le sobran algunas cosas y que debí profundizar en cosas de ella, de su vida interior, no tantas anécdotas ni tantas aventuras. Yo tenía tanto afán con las anécdotas: "Y ahora rompí los platos, y ahora me subí al caballo, y ahora..." Parece un poco como de la picaresca. Una anécdota detrás de otra. Hay gente que la considera como novela del género picaresco, como *La pícara*

Justina.

MGP: Esa lectura de *Hasta no verte Jesús mío* me parece errónea, pues en la picaresca el progonista es un/una joven aventurero/a, egoísta, bastante holgazán, rufián y cínico, que utiliza la trampa y el ingenio para subsistir. No es el caso de Jesusa Palancares, quien trata de hallar un lugar posible en la sociedad. Lo único que tendrían en común sería una representación de la capa social, el ambiente popular.

EP: Sí siento que debí haber profundizado en su vida interior pero siempre tengo terror de que la gente se aburra, entonces pensé que debían pasar muchas cosas. Lo que no hay es una reflexión sobre qué diablos es ella ¿no?

MGP: Creo que de alguna manera se filtra a través del interés de Jesusa por la Obra Espiritual. Explícame qué es esto aquí en México.

EP: Es bien interesante. Tú seguramente habrás oído hablar del Espiritismo. Aquí es una secta del Espiritualismo con bastantes templos. Es una comunicación con el más allá. Entran en trance, cierran los ojos, como si entraran a un recinto especial. Lo más interesante es que las mujeres son sacerdotisas. Además, es como un psicoanálisis de los pobres porque se posesiona de ellas el Ser Supremo que es Roque Rojas. Se posesiona, entra en su cuerpo, las posee y en ese momento ya no son ellas las que hablan sino su protector, el Ser Divino, entonces pueden decir: "Anoche mi marido no volvió y me engañó y anda con sutana y mengana." Es una catarsis de todos los problemas. "Mi hija me hizo tal y la dueña de la casa adonde vivo me..." Te cuentan una serie de cosas, se vacían y acaban llore y llore; una verdadera catarsis. Les ponen una loción en la nuca que se llama Siete Machos y las sacuden. Es una verdadera terapia.

MGP: Es similar a algunos ritos negros que se dan en el Brasil y creo que también en el Caribe. ¿Tienen conexión con algunas prácticas vudú, tal vez?

EP: Sí, porque se paran y se columpian hacia adelante y hacia atrás, como rezan los judíos.

A cada quien su protector la posee de una manera distinta. Es cuando empiezan a hablar: "Hermanos míos, ..."

empiezan como a enloquecer, a delirar y dicen una serie de cosas y se desahogan de todo. Además, como no son ellas sino que están poseídas, no hay posibilidad de timidez, de vergüenza.

MGP: ¿Y estas comunidades atraen a muchas mujeres?

EP: Hay mujeres y hombres pero ahí las mujeres son tomadas mucho en cuenta porque son las sacerdotisas. También hay pedestales. Hacen operaciones físicas. Si tú dices que estás enferma, te hacen una operación espiritual, pero tú sientes que te están quitando el apéndice, por ejemplo.

MGP: Como la hermana Sebastiana en *Hasta no verte Jesús mío* que estaba toda podrida por dentro...

EP: Todo eso. Ella te cuenta todas esas cosas y quizás yo me aburrí y no le di tanto énfasis. Un poco de lógica francesa. Tanta mariguanada no voy a contar...

MGP: El otro aspecto interesante es el principio de la reencarnación.

EP: Sí. Eso es muy bonito. Luego, luego, vienes a pagar porque está justificado que sufras, porque en la próxima reencarnación ya vas a ser reina. Aunque ella dice que fue reina anteriormente porque fue un hombre muy malo entonces que está pagando y por eso tiene una vida tan dura.

Esta es la tercera vez que regreso a la tierra, pero nunca había sufrido tanto como en esta reencarnación ya que en la anterior fui reina. Lo sé porque en una videncia que tuve me vi la cola. Estaba yo en un salón de belleza y había unas lunas de espejo grandotas, largas, desde el suelo hasta arriba y en una de esas lunas me vi el vestido y la cola.

....

En la obra espiritual les conté mi revelación y me dijeron que toda esa ropa blanca era el hábito con el que tenía que hacerme presente a la hora del juicio y que el Señor me había concedido contemplarme tal y como fui en algunas de las tres veces que vine a la tierra.

[*Hasta no verte Jesús mío*]

MGP: Es una manera de explicar el sufrimiento ¿Y eso funciona dentro de un nivel bajísimo de la sociedad?

EP: Pues en ella sí funciona. Si tú vas a Dolores, hay unos seguidores de eso. En México hay unos espiritistas que funcionan en el centro. ¿Tú sabes que Francisco I Madero fue espiritista y también la hermana de López Portillo, Margarita López Portillo? Ella dice que se comunicaba con el más allá.

Francisco Madero para todo consultaba a los espíritus en un nivel mayor de cultura. En el nivel de la Jesusa yo no sé de dónde viene esa creencia. Pero para ella, le dio más satisfacción que la Iglesia Católica, por ejemplo.

MGP: Jesusa le hace una crítica severa a la Iglesia. Pasando a otro aspecto de tu trabajo, ¿qué te motivó a hacer la serie de entrevistas que conforman los textos de *La noche de Tlatelolco*?

EP: Creo que es una forma de adquirir conocimiento. Piensa que mis estudios fueron tan nulos y que no tengo formación académica...

MGP: Pero serás muy lectora.

EP: No te creas. Tampoco leo muchísimo. Leo cuando se trata de un tema y sí leo a los escritores mexicanos que están trabajando al mismo tiempo que yo ahora, a algunos americanos y franceses como Michel Tournier o Patricia Highsmith, Germaine Greer, etc. y las feministas, pero no soy lectora fanática.

MGP: ¿Cuando eras jovencita, eras lectora?

EP: Sí, leía.

MGP: ¿Y las entrevistas?

EP: Era una forma de adquirir conocimiento pues al tener que entrevistar escritores, tenía que leerlos, o pintores. Ya estoy tan acostumbrada a este método que ya no puedo hacer ningún trabajo si no es a base de entrevistas.

MGP: Es tu género.

EP: Después de esta novela de Tina Modotti, tengo que hacer una de un líder ferroviario que se llama Demetrio Vallejo, porque es otro compromiso que tengo. Después voy a hacer una novela sobre mi medio, que es la reacción, claro, que lo haré con entrevistas pero ya con una investigación de otro tipo.

MGP: Un aspecto particular de tu obra y de tu persona pública que llama la atención es que una persona de tu educación y de tu nivel social se haya interesado por el destino de la gente más baja de la sociedad mexicana, de los sucesos de Tlatelolco, uno social y el otro político. Y es evidente que tienes una postura política muy definida.

EP: Aquí me llaman la comunista. Hay una línea política fuerte. Pero es absurdo considerar que una gente por un afán personal, se va del lado de las causas un poco perdidas.

MGP: ¿Qué te lleva a interesarte en este tema?

EP: Se habla de culpabilidad de la gente burguesa. A mí Victorio Vidali, senador del Partido Comunista, me preguntó cómo me calificaba yo políticamente. Le dije que yo soy una reaccionaria romántica, no te puedo decir que soy comunista o socialista. Yo quisiera ser o aspiro...

MGP: Pero está muy marcado en tus libros. El ser feminista, además, implica una línea radical.

EP: Yo soy feminista. Pero todas estas cosas yo las veo no a pesar de mí misma ni en contra de mí misma sino un poco en desconocimiento de mí misma ¿sabes? No por jugar a la inocencia, sino como una gente que sigue lo que cree, por eso soy feminista, socialista, por un afán que viene de otro lado, que viene de mucho más lejos, pero que no tiene que ver con un endoctrinamiento, ni siquiera con un aprendizaje. Yo ni siquiera he intentado leer a Marx. Si acaso habré leído algunos extractos en francés, pero nunca he tenido el menor afán ni creo que lo vaya yo a tener. Pero, desde luego, si a mí me dicen Rosa Luxemburgo, me interesa Rosa Luxemburgo, si me dicen Rosario Ibarra de Piedra, me interesa más Rosario Ibarra de Piedra. Voy más hacia las gentes. Y ahora es un poco terrible esto que te voy a decir. Voy más hacia un hecho contundente y hacia una persona que hacia una idea. Las ideas vienen después.

MGP: De todas maneras, tus escritos reflejan claramente una preocupación tuya por ciertos problemas...

EP: Y por ciertas injusticias, y por ciertas condiciones. Y

además porque recibo el rechazo, el ostracismo, el hecho de que te cataloguen por parte de muchas gentes.

MGP: ¿Te hacen mucha guerra en México?

EP: No, no me hacen mucha guerra pero hay muchas cosas en las cuales yo no tengo cabida y yo lo sé a priori.

MGP: ¿Podrías darme un ejemplo?

EP: Por ejemplo, en televisión, en donde yo no quisiera estar, pero de todos modos se toman represalias en contra mía.

No tienes foro en la Televisión. Pero ni quiero. No me llamarían porque dirían: "ésta es comunista" o "ésta va a decir las cosas que ella acostumbra decir o defender lo que ella defiende".

MGP: Es evidente que a un segmento de la intelectualidad mexicana le molesta lo que dices.

EP: Sí. Además tampoco me consideran una periodista.

MGP: ¿Te consideran periodista de segunda categoría?

EP: Fíjate, no es verdad. Al decirte esto quizá esté "fishing for compliments", o no siendo muy honesta porque he tenido muchas respuestas y críticas muy buenas de gente muy valiosa como Carlos Monsiváis, o como Octavio Paz, José Joaquín Blanco, Héctor Aguilar Camín, en fin, respuestas escritas. Estaría yo mintiendo pero quizá otros escritores piensen que soy periodista.

MGP: ¿Y cuáles son tus relaciones intelectuales en México?

EP: Soy amiga de Carlos Monsiváis, lo veo a José Joaquín Blanco, a Aguilar Camín. Entre las mujeres se ha dado una relación de amistad y de solidaridad que he sentido bastante grande. Entre Margo Glantz, María Luisa Puga, Sylvia Molina siento que hay una amistad, una lealtad, un interés de las unas por las otras que en parte se debe al feminismo y en parte quizá a protegernos las unas a las otras.

Cuando se hizo aquí un congreso de escritoras que organizaron Elena Urrutia y Margo Glantz, también yo sentí claramente la solidaridad de las presentes. Creo que es una cosa muy nueva y muy hermosa. Además, están muy dispuestas las escritoras de otros países. Cuando me han invitado a los Estados Unidos siempre ha sido por otras escritoras y ellas han venido aquí. Esto no se debe a que las haya traído Octavio Paz o Carlos Monsiváis o quien sea, sino porque otras escritoras se han preocupado por traer a otra mujer escritora. Claro que en el caso de Susan Sontag, por ejemplo, vino aquí invitada directamente por la universidad. Siento que las mujeres estamos muy dispuestas a ayudarnos. Te lo digo no sólo por pertenecer a *Fem* sino que yo lo siento en general. ¿No lo sientes?

MGP: Sí. Creo que tienes mucha razón. Hay como un acuerdo entre todas nosotras para ayudarnos, apoyarnos en nuestros proyectos, conocer la gran cantidad de mujeres que está haciendo una labor magnífica en el área de la cultura. ¿Cómo se creó *Fem*?

EP: Se creó a raíz de la amistad entre Alaíde Foppa que desapareció, como tú sabes, y Margarita García Flores, que era la directora de los Universitarios y de Prensa, y de publicaciones de la universidad. Tuvieron la idea de hacer una revista para mujeres que surgió en un largo viaje que hicieron a Uruapan, Irapuato para dar una conferencia. Fue Alaíde en vez de mí en ese viaje. Allí se hicieron amigas, y nació la posibilidad de una revista. Llamaron a otras escritoras, a Margarita Peña, que ya no está, a Elena Urrutia, y así se inició *Fem*. Después tomó una línea muy determinada. Primero, la desaparición y luego la muerte de Alaíde Foppa ya le dio un sentido muy político y muy terrible a la revista. Ahora me hablaron unas mujeres de Guadalajara, que quieren fundar una revista.

MGP: ¿Entonces te consideras feminista?

EP: Sí, me solidarizo mucho con las mujeres y quiero que tengan las mismas oportunidades que tienen los hombres sobre su cuerpo, sobre su trabajo, la igualdad de salarios y las mismas posibilidades de desarrollo. Me dijo Carlos Monsiváis que inconscientemente ese prólogo sobre las sirvientas es gran alegato feminista.

Yo soy la sirvienta del Señor, hágase conmigo según tu voluntad

En general, los hombres y las mujeres tendemos a olvidar la humillación y la infelicidad apenas salimos de ella y en el caso de las sirvientas, el olvido es una tentación casi irresistible. Se acostumbran a que les vaya mal y por más mala que sea su situación siempre hay otra "más peor". O, como lo dice Rosario Castellanos, hemos recibido tan poco, somos tan poco, que también nos conformamos con muy poco. Grita Rosario: "¡Nos consolamos con tan poco!" Por eso las mujeres NO pedimos y si lo hacemos es en voz tan baja, con tanta timidez, un miedo tan grande a desagradar que nuestra misma actitud invalida la bondad de nuestro propósito. En el caso de mujeres menos afortunadas, también con sus machos han sido sirvientas, así como lo fueron con Dios: "Yo soy la sirvienta del Señor, hágase conmigo según tu voluntad". Su situación anterior siempre ha sido peor, por lo tanto apenas dejan de sufrir (y eso no es estar bien, es simplemente no sufrir) olvidan que han pasado las de Caín y caen en la tentación del nirvana. Son pocas las mujeres que recuerdan los dolores del parto y hablan de ellos; sólo los revive un nuevo parto y entonces se abren a la comunicación y quieren o pueden hablar. Pero si no, pasan a un estado de inconsciencia y así lo afirman: "Oiga Elena, eso hasta se me olvidó." Están tan acostumbradas al dolor que protestar les parecería impúdico. Además la larga tradición cristiana les ha infundido la resignación y entre todas las lecciones ésta les ha entrado con sangre, y ésa sí, jamás la olvidan. Por eso mismo lo notable de estos relatos —que desentierran los recuerdos, los despiertan y los sacan a la luz— es que rompen el aislamiento de la sirvienta y su grito es un llamado: "¡Ustedes que están encerradas en casa de ricos, no están solas, hay otras iguales en igual situación! ¡Juntémonos!"

Las consecuencias sicológicas del maltrato y la explotación

Ante la inminencia de su divorcio una mujer de buena posición social se puso a llorar desconsolada: "¿A dónde puedo ir? Mi madre ha muerto. No sé hacer nada." Si esta situación dramática se le presenta a una mujer por el simple hecho del repudio ¿qué pueden esperar las demás que están en absoluta desventaja? ¿A dónde irían, a ver a dónde? A las sirvientas violadas, en México las llamamos "fámulas" porque no son ya sino mujerzuelas, abusivas, cuzcas, aprovechadas, zorras, taimadas, provocadoras, mustias, bien que se lo tenían guardado, bien que a eso vinieron. Con su muchachito a cuestas es difícil que consigan trabajo. Si la patrona las admite, les baja el sueldo porque ¿quién va a alimentar a la criatura, tú o yo? Devaluadas, sí, las mujeres lo han sido a lo largo de la historia; seres golpeados, vilipendiados, y nadie más atropellado que estas muchachas sobre quienes caen todas las maldiciones del mundo. Una agrupación humana sometida durante mucho tiempo a tensiones y degradaciones, sufre a largo o a mediato plazo las consecuencias. El 33% de los norteamericanos que estuvieron en Vietnam tienen conflictos sicológicos, están sujetos a depresiones, un 24% ha cometido crímenes, actos delictivos. Se puede alegar que las sirvientas no viven en estado de guerra, que nadie las bombardea, que nadie intenta matarlas. Si la opresión es menos abierta, no es menos insistente. Y las secuelas sicológicas están a la vista de todos.

Yo sí me siento muy solidaria con las mujeres pero yo siempre he querido a las mujeres. Me acuerdo que de joven cuando las otras decían que les chocaban estar con mujeres, yo siempre sentí que las quería. Será por el convento de monjas, en donde estuve con mujeres dos años, de día, de noche y a todas horas. También había enamoramientos entre mujeres. Yo tenía un "crush" que jugaba volleybol. Era una cosa de lo más inocente, pero me moría de admiración por esa niña. Yo creo que siempre he tenido un gran afecto, un gran apego por las mujeres; una gran admiración por la sensibilidad de las mujeres. Creo que las cosas que han inventado para separarnos son cosas en el fondo ficticias, como la competencia. Entre escritoras mexicanas no hay mucha posibilidad de competencia. No es posible porque cada quien hace cosas distintas. Yo no podría hacer lo que hace Margo, Margo no podría hacer lo que hago yo. Yo no puedo hacer lo que hace otra escritora. Si hay competencia, es una competencia saludable. Yo estoy segura que todas saben que si una de nosotros triunfa, el triunfo de veras es de todas porque hay la posibilidad de que se abran mayores puertas para todas.

MARTA TRABA

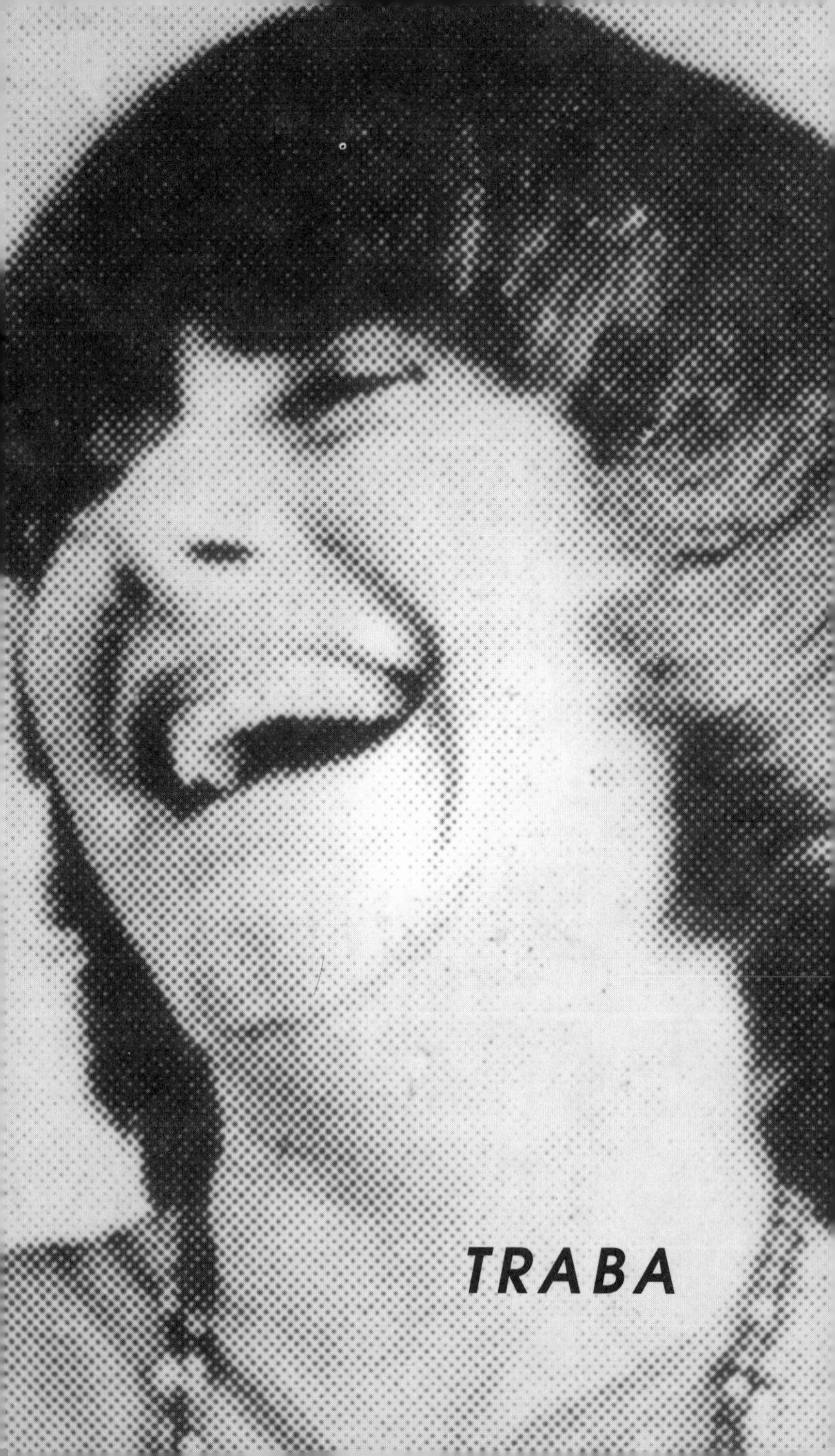
TRABA

Entrevista con Marta Traba

Magdalena García Pinto: Para iniciar este diálogo, me gustaría que me cuentes algo de tu lugar de nacimiento y de tu infancia, lo que recuerdas de tu familia, dónde cursaste tus estudios. ¿Te acuerdas de tus primeras lecturas?

Marta Traba: Nací en Buenos Aires en 1930. Mi padre era un periodista bohemio y alcohólico, que fue un tiempo secretario de "Caras y Caretas". Por ese lado, entró a mi casa una biblioteca bastante nutrida, pero de mala literatura, de libros regalados al secretario de redacción, tipo Capdevila y Cía. Mi madre se dedicó a mi padre. Mi infancia se caracterizó porque nos desalojaban de todas partes por no pagar arriendo, como en las novelas rusas. A los diez u once años cayeron en mis manos los *Leoplán,* revista semanal que publicaba a dos columnas, en cuerpo 6, las novelas más famosas del mundo. A esa revista debo toda mi cultura literaria, mi pasión por la novela y mi astigmatismo. Todo Tolstoi, Dostoievski, Turgueniev, Gontcharov, Dickens, Victor Hugo, fueron devorados a esa edad. *La madre,* de Gorki, se la leí en voz alta a mi madre, mientras planchaba o cocinaba. Llorábamos como locas. A los doce años, a Leoplán agregué los libros de Editorial Tor, donde adoré a Panait Istrati y supe lo que era la injusticia en el mundo. Leí completamente sola y a los quince años, descubría que, además de ediciones populares, podían leerse otros libros en las bibliotecas; así conocí a los ingleses, y la pasión por Conrad y las Brönte deriva de ese momento. Henry James me introdujo en otro mundo, que compartió con Melville. Al leer por primera vez la literatura en lengua inglesa, todas las demás pasaron a segundo plano. (Hasta ahora. Sólo la literatura alemana, y en particular Broch y Döblin, comparten esa preferencia.)

MGP: ¿Crees que hay un grupo de escritores o escritoras que te ha influenciado de un modo especial?

MT: No estoy muy segura de tener *influencias*; me gustaría más llamarlas *"preferencias."* Preferencias y afinidades. Siento que *comparto* el trabajo literario, por ejemplo, con Carson McCullers, Sylvia Plath, Jean Rhys, Djuna Barnes, Flannery O'Connor. Algunas veces, con Doris Lessing (en los libros sobre el Africa, no en los actuales). No tengo nada que ver con Virginia Woolf y sólo siento afinidad con escritores cuando éstos tienen una naturaleza femenina. Por eso soy "proustiana" de tiempo completo.

MGP: ¿Cómo se inició tu investigación sobre crítica de arte? ¿Crees que hay una integración de la tarea crítica y la escritura de ficción en tu obra?

MT: Fue, durante muchos años, un trabajo de investigación y análisis. Mi primer libro sobre arte, "El Museo vacío," que publicó Mito por 1952, cuando Jorge Gaitán Durán dirigía la revista del mismo nombre en Bogotá, pretendía ser "crocciano." (Pretendía más de lo que podía, realmente.) En Colombia comencé a estudiar de modo sistemático el arte latinoamericano y en 1961 publiqué un librito bastante incompleto, pero que fue el primer ensayo de dar una visión global de la pintura del continente, asignándole valores peculiares y diferentes a los europeos y norteamericanos. Se tituló *La pintura nueva en Latinoamérica* y lo publicó la Librería Central de Bogotá, como resultado de un ciclo de conferencias. De ahí arranqué ya sin dudas hacia la especialización en América Latina, aunque mi cátedra en la Universidad de los Andes me obligaba a revisar la historia del arte completa y a proponer nuevos cursos que nadie aún había dado, como fue el curso sobre el expresionismo abstracto norteamericano, por 1953. En 1973 publiqué, con el auxilio de la Beca Guggenheim ganada en 1968, otro panorama llamado *Dos décadas vulnerables en las artes plásticas latinoamericanas, 1950-1970* publicado en Siglo XXI de México. Entretanto, publiqué varios trabajos sobre arte colombiano. La relación cada vez más fuerte entre texto crítico y texto literario se me hizo patente en el libro *Los cuatro monstruos cardinales,* publicado por Era, México, en 1964. Más que interpretación o análisis, era un texto literario. En 1966, dos años después, escribí de un tirón *Las ceremonias del verano,* y lo mandé al concurso de Casa de las Américas, en ese momento el concurso literario más prestigioso del continente. Carpentier, Manuel Rojas y Juan García Ponce le dieron el premio, y la edición apareció con un elogioso texto de Mario Benedetti. El entusiasmo que me produjo esta tardía incursión en la literatura, me lanzó frenéticamente a seguir escribiendo lo que nunca me había atrevido hasta entonces.

Me reconozco poco en ese espejo dorado, turbio, de las ollas y sartenes relucientes que están colgadas en la cocina: pero sí, la cara se distorsiona, se borra y regresa, ahí estoy, haciendo visajes con una cara insignificante, el pelo lacio y pegado por el calor y ya no hay modo de tener tranquilidad porque mi tía vio, claro, las manchas amarillas en el vestido y ha puesto el grito en el cielo; ha dicho—criatura ¡hasta cuando, no te fijas en nada!—, siempre me sobresalta su pronunciación española y que diga "fijas" y no "fijás", me parece a ratos que está fingiendo y a veces me da nostalgia imaginándola en la orilla de un río con un pañuelo en la cabeza exhalando esos suspiros profundos que parten el alma y que parecen más bien el resuello de un buey, espantado, que va al matadero. Ella y también la abuela que no conocí, son como otro mundo para mí, algo seductor y perturbador al mismo tiempo, algo clavado en un paisaje tan insólito, tan solitario, como el desierto del "mi-kinito".

[*Las ceremonias del verano*]

Tuve la buena suerte que la segunda novela, *Los laberintos insolados,* cayó en mano de Victor Seix, al pasar éste por Bogotá. Nunca tuve un editor más atento y entusiasta, pero también severo corrector del texto. *Los laberintos* aparecieron en Seix Barral y tuvieron una excelente crítica en España. Mi tercera novela *La jugada del sexto día* tuvo también dos padrinos extraordinarios, como Juan García Ponce y Pedro Lastra. Lastra la sacó en la Editorial Universitaria de Santiago y se perdió en el caos político chileno. Casi al tiempo sacó Angel Rama en Arca, Montevideo, mi único libro de cuentos *Paso así.* Ahí paré el maratón. Durante muchos años estuve escribiendo el libro para mí más importante, *Homérica latina.*

Primera crónica
Les avisaron con demasiado retraso la fecha exacta de la llegada del papa y por eso la redada no pudo hacerse sino hasta el último día ¡un desastre! las señoras no habían visto nunca un espectáculo semejante: sueltos, arriconados en los umbrales, metidos en las cajas de cartón o envueltos en montones de periódicos, no eran tan impúdicamente visibles como ahora, uno tras otro en esa inmensa cola. Los comentarios de las organizadoras eran recurrentes: no paraban de hablar de la sorprendente capa de mugre que les había impedido, hasta el momento, ver una sola de las caras de los gamines. Calculaban con curiosidad morbosa el tiempo que debía emplearse para conseguir una costra semejante. Dos años, tres, uno, sin ver jamás el agua ni el jabón: las opiniones variaban.

[*Homérica latina*]

Pero los posibles editores no compartieron mi opinión sobre este enorme texto, que siempre resultaba muy largo. Valencia Editores, finalmente, se atrevió a publicarlo en Bogotá, pero el libro tuvo muy poca suerte en Latinoamérica y, paradójicamente, mucha en Estados Unidos donde entró con fuerza en varios cursos universitarios. La última novela, finalmente, *Conversación al sur,* fue un éxito de venta, de crítica y de proyección en otros mercados. La editó, valientemente, Siglo XXI de México. Están por salir las traducciones en Suecia y Noruega y están pendientes la alemana y la francesa. La *Homérica* y la *Conversación* son textos de desesperación y rabia; ya no hablo de mí, sino de lo que pasa a mi alrededor, y lo que pasó en nuestros países que fue y es espantoso. Me afilio con gusto a la nomenclatura "literatura de los oprimidos," que le da Elena Poniatowska, cuyos elogios han sido mi mejor recompensa. Literatura y crítica no son divergentes, al menos en mi caso. Para ser un buen crítico hay que ser, también, un buen escritor. Y no se puede ser un gran escritor sin espíritu crítico. Mi teoría sobre *un arte latinoamericano diferenciado,* que registra las peculiaridades profundas de nuestra cultura, y mi necesidad de escribir sobre lo que nos pasa, en la narración literaria, se alimentan de la misma preocupación por el lugar: América Latina.

MGP: ¿Piensas que este concepto de un arte latinoamericano diferenciado puede aplicarse también a la literatura?

MT: Creo que el texto literario ha pasado en este siglo por las mismas tentaciones y competencias que las artes plásticas. Buscar una representación o una expresión, que siguiendo el modelo científico requiriera un proceso de mediación, fue la ambición de ambos a comienzos de este siglo.

El texto literario no puede salir sino de una elaborada técnica literaria. Creo que hay que situar el trabajo del escritor entre los fragmentos de un mundo que se da sin ninguna unidad ni coherencia, y reconocer su capacidad abstracta, para pensar un sistema o una solución artificial capaz de organizar el caos, o expresarlo como tal, pero distinto y sistematizado.

MGP: De acuerdo a tu experiencia como escritora, ¿cómo entiendes el trabajo lingüístico del escritor?

MT: Es una tarea muy compleja que, en primer lugar, descarta el lenguaje común, y en seguida, debe abocarse a la creación de unidades semánticas autónomas que armen el cañamazo de un lenguaje simbólico. El espacio de ese lenguaje estará tanto más separado de la ideología cotidiana cuanto más aumente su complejidad, que es lo que ha ocurrido en este siglo al haberse complicado la técnica por sus ambiciones de ruptura con los modelos precedentes, o por su ansiedad por saber dónde y en qué radica su autonomía.

MGP: ¿Cómo relacionas la presencia de tu militancia política en tu obra de ficción? ¿Piensas que hay una presencia política deliberada en tu narrativa?

MT: No he tenido, estrictamente hablando, una militancia política. Creo firmemente que no puede haber un buen gobierno lejano de las ideas socialistas, y odio frontalmente y a muerte toda forma de fascismo, es decir, de abuso prepotente del poder. Mis adhesiones o alejamientos de los procesos políticos reales corresponden a aquella simpatía y a este odio. Por lo único que hice realmente proselitismo fue por la revolución cubana, de la cual me separé en 1971, cuando ya no cabía duda de la alineación —inevitable o no— con Rusia, donde, en mi opinión, se ha perpetrado la peor traición a las ideas socialistas. Nada que esté al lado de Rusia; como nada que esté controlado y dirigido por los mecanismos represivos del sistema norteamericano, Pentágono, CIA y Departamento de Estado. El tema profundo de la *Homérica* y de la *Conversación,* es, justamente, el del abuso del poder y la aspiración a la libertad dentro de ese poder triturador.

MGP: ¿Cómo podrías caracterizar la literatura escrita por mujeres? ¿Crees que existe una diferencia entre literatura femenina y literatura masculina?

MT: Creo que sí hay un texto, *o una literatura femenina diferente;* entendida *como diferencia de texto a texto, de escritura a escritura.* Este es el punto de partida de una hipótesis de trabajo que he presentado en otra parte.

En primer lugar, hay una diferencia de tratamiento. La literatura escrita por mujeres ocupa un espacio mínimo en relación con la de los hombres en los textos tipo *Literatura hispanoamericana* de Anderson Imbert, y los críticos que se ocupan del tema periódicamente, la ignoran casi por completo. Se la trata, en general, como una sub-literatura, respecto al trabajo de los hombres. Es insólito un trabajo como el que la crítica Jean Franco leyó hace poco tiempo, estructurado sobre tres "conversaciones"; *El beso de la mujer araña* de Manuel Puig, la *Conversación en La Catedral* de Mario Vargas Llosa, y mi última novela, *Conversación al sur;* o la dedicación especial que el crítico Angel Rama le ha puesto a la obra de la puertorriqueña Rosario Ferré. Los casos de "reconocimientos tardíos" forman legión. La escritora caribe-inglesa Jean Rhys es un buen ejemplo.

Pero la diferencia más importante radica en el texto mismo. En la escritura y en el modo de abordarla.

MGP: ¿Cuáles factores parecen marcar el discurso literario femenino, según tu hipótesis?

MT: Si aceptamos que *la insistencia en el emisor* es una constante característica de la literatura femenina, como sería el caso de Doris Lessing o de Jean Rhys, y que la orientación es *hacia afuera,* hacia el contacto o *canal de comunicación,* se puede aplicar a toda la literatura escrita por mujeres, y habríamos situado dos características del discurso femenino en lo referente a la producción del lenguaje.

Si además consideramos la elaboración misma del lenguaje, se pueden aislar algunos otros factores que lo distinguen. Estos textos tienden a encadenar los hechos, en vez de llevarlos a un nivel simbólico. Se interesan por una explicación en vez de una interpretación del universo. Los cuentos de Inés Arredondo son un ejemplo de este última característica. De la primera, la producción literaria de Griselda Gambaro es un buen ejemplo. Un tercer elemento es que se produce una continua intromisión de la esfera de la realidad en el plano de la ficción, lo cual tiende a empobrecer y a eliminar la metáfora y acorta notablemente la distancia entre significante y significado. Aquí también estoy pensando en mi propia experiencia como escritora, ya que este punto fue para mí constantemente perceptible *pero inmodificable* en mis dos últimas novelas, *Homérica latina* y, sobre todo, *Conversación al sur,* donde mi esfuerzo continuo fue situar la estructura narrativa,—*su forma especular de sonata*—por fuera del lenguaje y dentro del tiempo histórico.

Finalmente agregaría que el texto femenino vive del detalle, de manera similar al relato popular. Esto contribuye a conferirle una característica expansiva y un alcance particular que no tiene la literatura autorreferencial.

MGP: ¿Cuál es el público lector de los textos escritos por mujeres?

MT: Me parece que se dirige a una audiencia mayor y más iletrada; carece de las audiencias cerradas, traductoras de jeroglíficos, que han ido desarrollándose en las últimas décadas. Es una *literatura marginal* para marginados, más que una *literatura fetiche* para iniciados. Y esto ofrece suficiente ilustración para explicar la ausencia casi general de textos femeninos no sólo como base de teorías literarias, sino como parte integrante de antologías, que siguen el modelo del texto masculino.

MGP: ¿Encuentras algún otro lazo de conexión para la literatura femenina, además del cuento popular?

MT: Se emparenta también con las estructuras de la oralidad, con sus repeticiones, con los remates preciosos y los cortes aclaratorios que explican las historias. La memorización y la repetición, puntos fundamentales de la literatura oral, no sólo tienen que ver con la estructura del texto, sino y especialmente con su proyección y recepción. Esta literatura oral forma el trasfondo de la literatura documental, que en México cuenta con la figura mayor de ese género en Latinoamérica, Elena Poniatowska.

La importancia del diálogo en los textos de la brasilera Lygia Fagundes Telles también está relacionada con la aceptación de la oralidad.

MGP: Estas ideas me parecen importantes, en especial en nuestra literatura por faltar propuestas teóricas que permitan una interpretación de esta producción.

MT: Quedan muchas preguntas importantes por contestarse. Por ejemplo, ¿ha sido esta modalidad literaria capaz de crear otro modelo? ¿Podemos hablar de un modelo más cercano a las analogías y las imágenes del signo artístico, que a la arbitrariedad y a la homología del signo lingüístico? ¿Ha sido la teoría literaria incapaz de establecer los límites y singularidades del modelo de texto femenino porque simplemente los hombres que redactan tales códigos piensan en las mujeres escritoras como sub-productoras de un modelo único? ¿Caen en el mismo error las mujeres que hacen teoría literaria y que aceptan ese model único? Son algunas de las cuestiones que hay que investigar.

MGP: ¿Cuál es tu postura con respecto al movimiento feminista? ¿Sientes o tienes contacto con este movimiento?

MT: Hay tantos movimientos feministas, que prefiero no pertenecer a ninguno. Tengo cierta alergia a las afiliaciones. El movimiento feminista beligerante y agresivo de los sesenta me da cierto pánico, aunque reconozco que gracias a esa actitud se consiguieron muchas cosas relacionadas con la igualdad y los derechos de la mujer, dentro de una sociedad de hombres.

En ese momento yo vivía en Colombia, donde se da una situación bastante peculiar; la cultura está dirigida por mujeres. Mujeres al frente de los museos, la televisión, teatro, festivales, periodismo, institutos de cultura. Hay también hombres, claro, pero son las excepciones. Hay que reconocer que las mujeres fueron capaces de organizar y dar forma a todos estos aspectos de la cultura colombiana con una eficacia incontestable. A niveles populares, en cambio, la mujer colombiana, como en casi todos nuestros países, es una víctima, explotada y sin defensas legales de ninguna clase. En este campo, que es el prioritario, todo está por hacerse.

MGP: ¿De qué manera formaste parte del desarrollo cultural de Colombia durante los años que viviste allí?

MT: Desde que llegué a Colombia, en 1952 ó 53, no recuerdo muy bien, me dieron grandes oportunidades de trabajo. Pude comenzar muchas cosas; la televisión cultural, que considero importantísima por su gran radio de acción; la cátedra de historia de arte, particularmente latinoamericano; la revista de arte *Prisma* y el Museo de Arte Moderno. El país no sólo me dio luz verde, lo cual es bien notable tratándose de una extranjera, sino que me estimuló y acompañó en todos estos proyectos, que se realizaron plenamente.

MGP: Quisiera que regresáramos al tema del feminismo para que explicitaras tu apreciación del mismo. ¿Le asignas importancia al futuro de las mujeres en el campo profesional?

MT: Yo creo que hay que tomar en serio el feminismo. Siento un gran respeto por las mujeres que se entregaron de lleno a esta tarea y consiguieron avances definitivos en el plano laboral y socio-económico o jurídico. El grado del desamparo de las mujeres del pueblo en nuestros países es casi inimaginable; frente al compañero, al empleador, a los propios hijos, al Estado, a los otros grupos sociales más favorecidos. Por eso es admirable el feminismo de dedicación exclusiva, que mira por resolver estos problemas.

Mi relación con el feminismo es tangencial, porque me he dedicado a escribir y enseñar temas muy específicos, como el arte latinoamericano; y, últimamente, a la narrativa casi por completo. No hay tiempo para todo. Pero, cuando se presenta la ocasión, manifiesto mi adhesión y solidaridad sin retaceos.

MGP: ¿De qué manera se refleja esta visión social en tu escritura de ficción?

MT: En que todo lo que escribo, sea ensayo o narrativa, está impregnado de esa simpatía social, alimentada desde una perspectiva socialista. Agrégale a eso que, siendo mujer, no puedo sino escribir como mujer, y por consiguiente me siento parte de lo que Pierre Bourdieu llama acertadamente las "contraculturas," refiriéndose a los grupos minoritarios, étnicos, y también a las mujeres. Escribo lo que llama Elena Poniatowska, la "literatura de los oprimidos"; escribo algo que sea verdad, que siento la imperiosa necesidad de comunicarlo y que tiene una gran carga de rabia, de cólera revanchista ante las injusticias y las atrocidades que nos rodean.

MGP: ¿De qué manera funcionan estas ideas en relación con la escritura femenina?

MT: Volvemos al problema esencial, que es el problema del texto. El texto masculino, en mi opinión, corresponde exactamente a las definiciones del texto literario dado por los críticos y lingüistas. Hay una distancia entre el tema, motivo o percepción de un hecho, y el texto; llámala deconstrucción, racionalización, capacidad metafórica, composición, estructuración, como quieras. Esa distancia implica también un enfriamiento de la vivacidad de la percepción; llámalo trabajo literario, creación del cañamazo del texto. Yo no veo esa distancia ni ese enfriamiento en la *escritura femenina tipo*; por el contrario, es una narración directa, reiterativa, emotiva, más semejante a la tradición oral que al texto masculino. La literatura masculina es más especulativa, más capaz de armar un panorama general que englobe los detalles, más impúdica en la confesión de relaciones humanas, más sexual (en la actualidad, claro). La femenina, paralelamente, resulta más emocional, mejor dotada para ver los detalles que la totalidad, más púdica (o romántica) para contar la relación amorosa; prefiere, sin duda, el erotismo a la pornografía.

MGP: ¿Crees que debemos seguir el ejemplo del movimiento feminista americano, o crees que debemos buscar una solución dentro de nuestro propio contexto y atendiendo a nuestras necesidades específicas?

MT: Sin duda debemos explorar en nuestro contexto y atenernos a nuestras propias carencias y necesidades.

MGP: De la misma manera que lo has hecho a nivel sociológico, ¿podrías decirme lo que piensas con respecto a la formulación de un aparato teórico que sirva de apoyo para el análisis de la obra literaria en nuestra/s cultura/s? ¿Crees que debemos adaptar los modelos de análisis literario que se proponen en los países más desarrollados?

MT: Todo el aparato teórico que usamos para el análisis de la obra literaria (y también de la plástica), ha sido formulado en Europa o en Estados Unidos; pero eso no es grave si sabemos adaptarlo. Hay que ser lo suficientemente modestos para reconocer que no hemos sido capaces hasta ahora de elaborar teorías, y lo bastante criteriosos como para intentar adaptarlas y no aplicarlas de manera mecánica a un material creativo de diferente signo y naturaleza, como es el latinoamericano.

MGP: ¿Piensas que la literatura de la vanguardia ha dado algún impulso al deseo de independizarnos de nuestros mentores intelectuales (Europa y Estados Unidos)?

MT: Tendríamos que definir primero qué entendemos por literatura de vanguardia. Si pensamos que las mayores figuras nuestras, un Rulfo, un Onetti, un Carpentier, un García Márquez, un Vargas Llosa, un Fuentes, escriben de un modo bastante, o del todo, tradicional. Hasta el propio Cortázar, que podría ser colocado más a la vanguardia. En la última Bienal de Venecia se acaba de proclamar que las vanguardias ya no existen. Pienso que habría que diferenciar las vanguardias que siempre han existido y existirán como elementos de ruptura con lo precedente (y que por eso son fecundas y creativas), de la estupidez sin sentido de las meta-vanguardias, autoras de jueguitos inocuos de masturbación, que no sirvieron para nada. Estas últimas poco tuvieron que ver con nosotros, realmente; nos ha salvado el subdesarrollo.

MGP: En los años 1920-30 hay una serie de revistas que se fundan para perseguir un proyecto de carácter nacionalista; al mismo tiempo se manifiesta la aspiración a formar parte de una literatura más amplia, sin fronteras políticas. Los mejores ejemplos son por un lado Vicente Huidobro, por otro Borges.

MT: Está bien que se hayan dado paralelamente los movimientos nacionalistas (tendientes a salvaguardar la tradición) y las vanguardias de ruptura. Fue interesante que entraran en colisión, como ocurrió en Buenos Aires en algunos momentos, o que se conjugaran, como pasó con la Semana de Arte Moderno de São Paulo en 1922, definitivamente el movimiento más interesante en cuanto a exploración de nuevas posibilidades expresivas, vinculadas al mismo tiempo con la idiosincracia nacional.

MGP: ¿Cuáles son las escritoras que consideras de importancia? Y para empezar, voy a citarte a Victoria Ocampo.

MT: Victoria Ocampo es un personaje importante para la Argentina por la creación de la revista SUR y la difusión de grandes figuras de la literatura europea en espléndidas traducciones. Yo no soy nada "ocampista"; sus reverencias literarias no me interesan demasiado y su aristocracia, menos todavía. Hay un grupo sólido de escritoras en el continente. Te cito sólo algunas: Griselda Gambaro, Elvira Orphée, Luisa Valenzuela, Liliana Hecker, de Argentina. Rosario Castellanos, Elena Poniatowska, Inés Arredondo, Luisa Josefina Hernández, de México. Laura Antillano, de Venezuela. Rosario Ferré de Puerto Rico. Julieta Campos de Cuba. Clarice Lispector (la figura mayor de todas) y Lygia Fagundes Telles, de Brasil. Armonía Sommers y Cristina Peri Rossi en Uruguay. Fanny Buitrago en Colombia. La Argentina ha dado también fabricantes de best-sellers, baratos en todo sentido, como Silvina Bullrich y Martha Lynch. Felizmente, el género no se propagó en el resto del continente...

MGP: ¿En la poesía, a quiénes incluirías?

MT: Varias poetas estupendas; como Blanca Varela, del Perú y Antonia Palacios, de Venezuela. Y las uruguayas, espléndidas, como Amanda Berenguer, Ida Vitale, Idea Vilariño y Marosa de Giorgio. Y Alejandra Pizarnik, de Argentina...

MGP: ¿Quiénes son los lectores de la narrativa femenina? ¿Quién crees que es tu público?

MT: No sé cuál es el público de la obra literaria femenina. Sé cuál es el mío; mayoritariamente, mujeres (a pesar que mis *padrinos,* como viste, fueron hombres). La *Conversación,* sin embargo, ha tenido críticos entusiastas, pero la mayor emoción de la lectura, al menos en lo que he podido saber, la sintieron las mujeres.

LUISA VALENZUELA

VALENZUELA

Entrevista con Luisa Valenzuela en New York, noviembre de 1982 y junio de 1983

Magdalena García Pinto: ¿Cuáles son tus relaciones literarias en la Argentina, aparte de Borges?

Luisa Valenzuela: La gente joven de mi generación: Libertella, Jorge di Paola, Sara Gallardo...éramos amigas. Sara es muy especial y a mí me gusta mucho. Alicia Dujovne Ortiz es mi gran amiga, es una gran escritora; Inés Malinov, una serie de poetas: Hebe Solves, Ruth Fernández,...

MGP: ¿Tenían un círculo de escritores en esa época?

LV: No, no necesariamente porque yo me uno a la gente que me gusta. A veces nos encontrábamos en los bares y ese tipo de cosas. Los 18 años fue un período muy divertido porque teníamos un grupo que se llamaba el *Teatro de Arte de Buenos Aires.* De vez en cuando hacíamos una representación de teatro, pero el gran proyecto fue hacer la representación de un Auto Sacramental en las escalinatas de la Facultad de Derecho de la Universidad de Buenos Aires. Esa ciudad se prestaba a espectáculos, en donde florecieron las representaciones teatrales, como los teatros de verano. Realmente había una actividad enorme. Yo te hablo de cuando tenía 18 años, pero la ebullición de la ciudad duró mucho más. Sobre todo, en la época de Illía, 1966, cuando sacaron de circulación los tranvías y habían dejado tan solo un par de líneas, entre ellos, el de Plaza Francia. Los manejaba una amiga mía, Vicki Linares, que era la mujer del Director de Cultura de la Municipalidad de la ciudad de Buenos Aires. Surgió así un espacio para hacer un festival de folklore. Era muy lindo porque era verano, en medio de la plaza, donde cantaban los folkloristas, con un fogón al medio, en pleno centro de la ciudad de Buenos Aires.

Con Vicki organizamos una fiesta de brujos o Halloween, que fue alucinante. Creció, además, como reguero de pólvora: venían los escritores a leer sus poemas de brujas, y llegaban pintores que tenían que ver con cosas de brujas; en el trasfondo se tocaba música rara. Vinieron por primera vez *I Musicisti,* que recién empezaban, y cantaron la Cantata del Laxante, que era genial. Además, para contribuir a crear el ambiente, se levantó un viento agorero. Es decir, que en aquella época podíamos hacer una serie de cosas creativas que ya se acabaron. Luego el ambiente fue decayendo, aunque no tanto porque había una serie variada de teatros.

MGP: Durante el régimen militar de Onganía había todavía bastante actividad.

LV: Sí. Sobre todo en el teatro. Nos reuníamos con toda esa gente, primero, en el Bar Moderno, después en otro lugar. Nos fuimos trasladando de bares, pero estas reuniones no eran de un grupo literario. Nunca pertenecí a ningún grupo, aunque había varios y me invitaban con frecuencia. En eso soy también muy independiente. Por haragana, porque son esos proyectos que hay que pelearlos mucho para que salgan. He colaborado con revistas, pero no he pertenecido a la dirección de ninguna de ellas. Colaboré mucho en todas las revistas pequeñas que había, por ejemplo.

MGP: ¿Cuándo vuelves a salir de Buenos Aires?

LV: Viajé mucho durante esa época. Lo que pasa es que empiezo a hacer una vida medio errante. Mientras estaba en *La Nación,* viajaba mucho para hacer notas. Esa fue una época única, un período brillante, en que hacíamos unas notas que se llamaban "Imágenes del Interior Argentino." Cubrimos todo el país durante dos años. A todas las provincias las recorrimos de cabo a rabo. Fue una experiencia maravillosa, y descubrimos lugares que a veces ni los mismos lugareños conocían. Por esa época se enfermó el director de la revista, Ambrosio Vecino, que fue el que me enseñó a escribir, realmente. Yo aprendí muchísimo con él porque era Profesor en Letras. Se había dedicado al periodismo porque le interesaba más. Había sido condiscípulo de Cortázar y su amigo. Me enseñó muchísimos detalles acerca del estilo, con mucha paciencia, porque yo era entonces muy joven. Era, además, un rigor muy interesante, porque había que escribir notas muy densas y muy cortas. Era un esfuerzo muy importante para mí. Lo aprendí muy bien. Me pasé un año dirigiendo ese suplemento. Claro que en ese momento nadie me lo reconoce, lo cual se refuerza al hecho de que *La Nación* y las mujeres son dos cosas que no andaban muy bien juntas. Cuando Ambrosio Vecino vuelve, me dice que quiere premiarme por ese esfuerzo o labor con un viaje al lugar que yo quisiera ir. Y me mandaron al Amazonas. Era el año 1967. Recorrí toda la zona desde Bolivia, Perú, al Amazonas y al Brasil. Ese material nos sirvió para hacer una serie de notas. En el año 1969 me salió la beca Fulbright, y me vine a los Estados Unidos para participar en el programa de escritores de la Universidad de Iowa. Allí escribí *El gato eficaz*. Aquello era un conventillo de escritores. Era muy interesante y además tuve mucha suerte. Tuve un grupo fantástico pero neurótico: Juan Sánchez Peláez, Néstor Sánchez, el argentino Nicolás Escur, Carmen Naranjo, Fernando del Paso... En un momento dado después de un largo *impasse,* se dio el milagro y todos nos pusimos a escribir.

MGP: ¿Qué relación se desarrolla entre este tipo de grupo de escritores?

LV: La idea y la intención es darles a los escritores un espacio y un tiempo en el cual no tengan nada que hacer, ninguna otra obligación que la de escribir. Una vez por semana uno del grupo daba una conferencia. Al principio era difícil la tarea de la escritura, pero después uno se acomoda al lugar, y comienza a escribir. Y así fue como escribí casi todo *El gato eficaz*. Quedó la última parte que luego terminé en México. Esta experiencia fue para mí muy impresionante porque fue una experiencia creadora distinta. Yo no estaba haciendo nada. Estaba bastante neurótica al punto que ni siquiera podía leer. Llegó un momento en que no había ninguna capacidad de concentración y no hacíamos más que sentarnos a discutir y pelear sobre literatura. Teníamos el horario al revés. Nos acostábamos a las 5 o a las 6 de la mañana. Horario argentino... Luego nos levantábamos a las dos de la tarde. Y nos íbamos a almorzar al pueblo, con gran esfuerzo, caminando sobre la escarcha. Y volvíamos amargados. Después, a la noche, era más divertido. Poníamos música, bailábamos, cantábamos y charlábamos. Y una mañana me despierto al alba y pienso que tengo que escribir. Se me ocurrió una idea genial, que llegó con una lucha interna, con un funcionamiento un poco onírico. Dejé la idea porque pensé que era uno de esos sueños que uno cree que son muy buenos, aunque raros. Este era muy extraño, pero, eventualmente, llegó a ser el comienzo de *El gato eficaz:*

Cómo me gusta vagar de madrugada por el village y espiar a los gatos basureros de la muerte: escarban loquihambrientos en los tachos hasta dar con la basura que bajo sus uñas pueda matar de un rasguño.

. . . .

Me gusta vagar por el village con el débil primer rayo, mientras solapados desconocidos desandan su camino de espaldas para recuperar portales y los gatos de la muerte se erizan y se vuelven pura corriente de afilados cuchillos.

Este texto me sorprendió mucho. De allí comenzó a salir como un manantial, la idea de la muerte que yo estaba resistiendo cuidadosamente durante las charlas nocturnas con mis amigos de Iowa.

MGP: ¿Podríamos hablar un poco más extensamente de

esa idea? ¿Hubo influencias mutuas entre ese grupo?

LV: Sí. Muy importantes. Y bastantes. Nos leíamos las cosas y esto nos sirvió de estímulo muy rico. Allí fue cuando Fernando del Paso comenzó a escribir *Palinuro de México*. Lo vimos nacer.

Sánchez Peláez siempre hablaba de sus poemas como fantásticos. Había, en efecto, una influencia recíproca. Y sin querer. Vivíamos en una realidad muy rica, más de la que creíamos vivir. Nos veíamos aislados, como separados de la realidad, pero participábamos de otra realidad muy poderosa. Y para mí, la experiencia de Iowa fue fundamental. Fue un gran estímulo con mucha carga negativa. Nada viene solo. Sentía una angustia espantosa. Creo que en parte era la transición de una edad difícil; teníamos todos más o menos unos treinta años. No estábamos lo suficientemente maduros como para desligarnos de la nostalgia, pero, de todos modos, a mí me hizo mucho bien.

MGP: ¿Adónde fuiste después de Iowa?

LV: Fui a México y descubro un México que, en realidad, no conocía.

MGP: ¿Por qué te atrae México?

LV: Porque es un mundo mágico. Hay todo un submundo, hay toda una otra verdad escondida. Hay un pensamiento mágico, lateral, que funciona paralelamente en esa cultura, el albur, el lenguaje del mexicano. Junto a eso está el mundo indígena, soterrado, muy aplastado, pero, al mismo tiempo, muy vivo, y eso se siente. Me fui a vivir a un pueblo pequeño que se llama Tepoztlán. No ves nada, no pasa nada y sin embargo, tantas cosas están ocurriendo subterráneamente, pero eso es una cuestión de piel. Lo puedes sentir en la piel y transmitirlo a la literatura, pero al compararse, queda chato. Parece Castañeda, pero es así. Por ejemplo, un día pasa una pequeña procesión, otro día ves en la calle una cruz pintada con cal y una flor; otro día que había viento fuerte, de tornado, pasamos por una puerta abierta con mi hija y vemos todas esas velas mexicanas que hacen con dibujos de cera, colgando del techo. Les preguntamos si las vendía y nos contestaron que no, pero esa noche velarían la cera. Nos invitaron a llegarnos. La gente toda estaba sentada como en un velorio, alrededor de este salón, en unos bancos de madera. Pasaban un ponche de granada cada tanto. La gente conversaba entre sí, pero como en un velorio. Luego empezaron a cantar, cada tanto canta uno, toda la noche, velando las velas para llevárselas al santo patrono del otro pueblo en procesión. Salen esas personas llevando las velas en palos largos con pabilos, todas cosas misteriosas de la religión que se respetan sin decir nada. Todas esas cosas tienen distintas posibilidades de lectura; parece un ritual religioso superficial, pero tiene subyacente un mundo mágico arcaico que se va descubriendo poco a poco.

MGP: ¿Por qué te interesan estos rituales mágico-religiosos? ¿Qué buscas y qué has encontrado en estos eventos?

LV: Me sirve para establecer una conexión con México que para mí es importante. Por ejemplo, hace un año conseguimos con unas amigas (cuatro mujeres en un Volkswagen) ir al norte de México para asistir a una reunión de unos danzantes que se disfrazan de indios con plumas para la danza de unos bailecitos muy simples, absurdos. Cuando bailan, oran. La intención es mantener toda la idea de las religiones de la época prehispánica en una forma muy simple. Había una reunión en un lugar perdido del norte de México, el de los Huehuenches, en un lugar que se llama El Llanito. Fue maravilloso. Participamos de todas esas procesiones con flores. Lo extraño es esta mezcla del mundo. En un lugar horrible, desierto, de la planicie mexicana, te encuentras con dos iglesitas, una de ellas, barroca. Entonces entras en la capilla y llega el brujo a hacer una limpia con ramas. Venía gente de todas partes, muy pobres, muy humildes, a pasar el Año Nuevo.

MGP: ¿No era un factor de disturbio la presencia de ustedes en este lugar?

LV: No. A estas sociedades pertenece toda clase de gente que viene de todos lados. Se arma una verdadera romería.

MGP: Después de tu estadía en México, ¿fuiste a Buenos Aires?

LV: Sí. Es el año 1970. En 1972 me fui a Barcelona por un

año. Seguí haciendo notas periodísticas mientras daba vuelta por Europa.

MGP: ¿Para quién escribías en esa época?

LV: Para *La Nación,* para algunas revistas: *Maribel,* por ejemplo. Hago notas de tipo general. Y también comienzo a escribir *Como en la guerra.* Es uno de los peores momentos de mi vida porque me sentía muy sola.

MGP: ¿Con quién te ves en Barcelona?

LV: Con Alberto Custe, con Mauricio Barques, Cristina Peri Rossi, pero poco, porque ella andaba circulando por alguna otra parte. Pepe Donoso andaba por allí en esa época, pero lo veía poco porque vivía en Calaceites. También conocí a muchos pintores conectados con la Galería Pecanins, que era el punto de las reuniones. Ese ambiente de Barcelona era muy poco amistoso, muy extraño, así que yo acabé inventándome esta Barcelona mítica que es en donde transcurre *Como en la guerra.* Escribía mucho y me vino muy bien. Había un grupo con el que teníamos un proyecto muy lindo: hacer un paseo románico. Ibamos, por ejemplo a una capilla románica, o a un pueblo románico. Luego mi hija, que estaba conmigo, se volvió a Buenos Aires y yo me fui a París; de allí a Escocia donde vivía Norman di Giovanni, quien iba a traducir un libro de cuentos, *Los heréticos.* Trabajamos juntos en la traducción pero finalmente no se publicó, aunque la traducción estaba muy bien hecha. Hubo conflictos con Hartcourt and Brace, no muy serios, pero lo suficientemente molestos como para perder esa traducción. Luego, fueron traducidos por otra gente.

De Escocia pasé a Madrid porque el Instituto de Cultura Hispánica me había dado una beca para un trabajo periodístico. Finalmente, regresé a la Argentina, cuando ya estaba Perón otra vez en el gobierno, en 1973.

MGP: Retomemos esta idea de la muerte que es central en *El gato eficaz,* por marcar una vuelta de tuerca en tu escritura.

LV: Esta obsesión con la idea de la muerte no era mía, sino que éramos muchos escritores encerrados en el conventillo de Iowa, digamos, entonces esta coincidencia de gente genera mucha angustia. Cada uno, cada una tiene sus fantasmas, sus obsesiones, y de golpe, esos fantasmas y obsesiones se iban sueltos por los corredores. Lo que pasaba era que ellos hablaban de la muerte, de los aviones, de los vértigos, y yo pensé que estaba totalmente fuera de esos temores; pensé que no tenía nada que ver conmigo, y de golpe, empecé a escribir *El gato eficaz,* un libro sobre la muerte, es decir que de golpe todos estamos imbuidos por ese miedo. En ese momento yo no lo había reconocido a ese miedo, y fue precisamente eso, un reconocimiento del miedo que es bueno porque creo que los miedos son positivos, son estimulantes, en la medida en que uno los reconozca, los pueda nombrar, y pueda actuar a partir de ellos; de lo contrario, el miedo es paralizador.

MGP: Pensé que tenías una preocupación específica, tuya, íntima, con respecto a la muerte.

LV: Era esta cosa general, era también una sensación de encierro, de separación con nuestro medio; yo no estaba acostumbrada. Nunca había visto un *campus* universitario norteamericano; nunca había vivido en una pequeña ciudad; nunca había estado en un ambiente tan esquizofrénico como puede ser ese ambiente de escritores internacionales que no se conocen entre sí, durante nueve meses. En realidad, es mucho tiempo que va acompañado por un invierno muy crudo, atrapados por la nieve.

MGP: Es lo que cuenta en su novela José Agustín, en *Ciudades vacías:* la zaga de los escritores en el programa de Iowa.

LV: Al final resultó positivo pues Fernando del Paso empezó esa gran y larga novela, *Palinuro de México.* Todos empezaron a escribir cosas muy importantes.

MGP: En *El gato eficaz,* los gatos de la muerte te están acechando, están al acecho de la narradora. ¿Qué te lleva a trabajar esa obsesión?

LV: Lo que me empezó a estimular fue la visión de Nueva York. Tenía mucho miedo de llegar aquí. No quería. Y de pronto me encontré con ese Nueva York del fin de la década de los sesenta, tremendamente vital y duro, más la guerra de

Vietnam, la gente como autodestruyéndose. Eso me movió muchas cosas. Pero en realidad, uno no escribe por lo que viene de afuera; lo que viene de afuera lo único que hace es despertar las cosas que están dentro de uno, evidentemente es una obsesión mía.

MGP: Veo en tus textos una tensión, una búsqueda hacia algo no muy definido.

LV: Lo que pasa es que uno verdaderamente no sabe qué es lo que hay detrás. Yo creo que perseguir las obsesiones es importante en todo sentido porque finalmente es donde vamos a poder vislumbrar algo; si uno persigue sus obsesiones en algún momento las alcanza a acorralar. De esto hablábamos el otro día con Carlos Fuentes, porque él también es un tipo de muchas obsesiones. Sus libros que persiguen sus obsesiones son para mí los más interesantes, como es el caso de *Terra nostra, Una familia lejana* o *Aura,* donde todo esto tiene su origen, pero no se sabe qué hay detrás. Lo importante de escribir es sorprendernos, es la única razón para escribir. Y descubrir y develar un poco lo que hay dentro de uno, lo que puede haber dentro de todo ser humano. Si yo supiera si es la muerte o si es la búsqueda de otra verdad, de otra cara de la realidad, quizá no escribiría, si ya supiera adonde voy.

MGP: ¿Y los gatos de dónde surgen? Es un animal que está entre medio de la pareja de *Hay que sonreír.* Molesta al personaje femenino, se le mete en la cama, comparte su habitación, etc. Es decir, que los gatos aparecen desde un comienzo en tu ficción.

LV: El gato es un animal muy mágico, muy misterioso. Yo creo que es algo que me debe venir desde chica, pues yo siempre tuve gatos. Mi madre también tiene muchísimos gatos y esa cantidad aparece en *El gato eficaz,* pero pueden aparecer como representaciones de otra cosa, son representaciones del deseo, de una cara más bien positiva del mal, son el demonio casero, familiar, encantador.

MGP: ¿Y la máscara que te pusiste en la foto que aparece en la contratapa del libro?

LV: Ese es el gato eficaz. Cuando terminé de escribir el

libro, estaba en Buenos Aires, pero ya lo tenía contratado por Joaquín Mortiz y lo iban a sacar en México. El título original era *Los gatos de muerte, Salud!* tomado de "Al Gran Pueblo Argentino, Salud!" Díez Canedo me dijo que los mexicanos no se iban a dar cuenta de la referencia. Iba por las calles buscando un título y de repente me topo con esto que es llamado un gato eficaz, que es un espantapájaros. Como todavía no había terminado el libro, aparece un capítulo titulado "El gato eficaz". Lo que tengo como máscara es ese gato eficaz, pero es otro de los puntos nodales de mis obsesiones porque las máscaras es otra de mis obsesiones. Yo creo que lo que uno logra, finalmente, es tomar conciencia de todo el universo que lo obsede y que lo rodea.

MGP: La idea de la máscara tiene que tener conexión con el interés por la magia. Tu interés por México está relacionado en alguna dimensión con la magia. Ya te referiste a una anécdota, un viaje por el interior de México para asistir a rituales religiosos, que por cierto tienen un componente mágico fundamental. Esto evidentemente te interesa. Ahora bien, podría proponerte que es posible que nosotros creemos un componente exótico en ámbitos a los cuales no pertenecemos, que se encuentra naturalmente como parte de la cultura de un grupo de la sociedad mexicana, la que más ha conservado su tradición. Sería el mismo caso de los "coyas" de Salta, nombre que se les da a los campesinos de mi tierra, del norte argentino, por ejemplo.

LV: Yo creo lo contrario. Mi búsqueda por ese lado es todo lo contrario. Es que no es que no pertenecemos. Sí, pertenecemos, pero lo negamos. Yo creo que los argentinos somos infinitamente más latinoamericanos de lo que jamás nos permitimos creer o nos dejaron creer. Así que por un lado ese mundo *es* nuestro mundo, y además ese mundo no es solamente el mundo argentino o latinoamericano, es toda la estructura del pensamiento mágico. Lo que encuentro en México o en los coyas, en los pueblos más primitivos, es todo ese afloramiento de la otra realidad, de la otra forma de pensamiento, del pensamiento lateral, que está en todo, pero que lo negamos. La intuición, el pensamiento mágico en el hemisferio derecho, allí está muy a la vista. Te está diciendo cosas muy complejas que pueden ser demostradas científicamente, que la ciencia va descubriendo y va atando cabos sobre ciertos aspectos del comportamiento que parecen ritualistas y tienen, en cambio, mucha relación con la verdad natural. Es eso lo que a mí me interesa. Además de lo extremadamente poético y artístico que esto implica, es decir, la relación de arte, la relación de fervor que tiene el hombre con la naturaleza en estos lugares. Eso no sé de donde viene. Pero desde muy joven, uno de los libros que leía con más fascinación era la *Historia de las religiones* de René Guénon, a los doce o trece años. Es un libro deslumbrante.

MGP: No es tan aparente este elemento primitivo y mágico en tu ficción...

LV: En *Donde viven las águilas,* mi último libro de cuentos, que se publicó en Buenos Aires, hay muchos de estos elementos. Lo primitivo, una cosmogonía particular, es toda una restructuración. Toda esta racionalización es totalmente a posteriori; no es lo que yo me propuse hacer cuando escribía los cuentos, pero hay una restructuración, una recreación del mito es decir, me interesan mucho todos los elementos mitopoiéticos. Es entonces cuando se pueden tomar hilos y bordar un mito. Eso me parece una verdadera maravilla. Estos pueblos nos están dando todo tipo de elementos constantemente.

¿Quién se atreve a venir a hablarles de trancurso a los habitantes de este arriba donde todo perdura? Hasta los cuerpos perduran. La muerte ni los corrompe ni los anula, simplemente los detiene en el camino. Y los otros, con enorme delicadeza—una delicadeza que sólo les conozco con las cabras paridas o con determinados hongos—trasladan el cuerpo más allá del torrente y lo ubican en el lugar simétrico al que le correspondía en vida. Con infinita paciencia han logrado crear, en la otra ladera, la otra población que anula el tiempo, reflejo quieto de ellos mismos que les da seguridad porque está momificada, es inmodificable.

[*Donde viven las águilas*]

MGP: ¿Te interesa la mitología griega?

LV: Me interesa pero menos, seguramente porque ya ha sido explotada. Son los mitos congeladores, arquetípicos, entonces la idea de la mitología latinoamericana, en cierto sentido, es que son mitos menos estructurados, más factibles para dar nacimiento a otros mitos, es decir, de golpe, para nosotros, son mitos mitopoiéticos, y los otros son ya arquetipos.

MGP: Diferente del trabajo de Rosario Ferré, por ejemplo, que en su texto *Fábulas de la garza desangrada,* retrabaja el mito, rescribiendo, dando vuelta el logocentrismo originario. Sin duda, la rescritura de los mitos es una fuente de enormes posibilidades para la literatura, como se ilustra a lo largo de la literatura occidental. Pero lo que es más interesante en este momento es la posibilidad de revertir la centralidad masculina, mediante la elaboración de nuevas versiones, y en ese caso, el mito griego deja de ser congelante.

LV: Es lo que hace Anne Sexton, en *Transformations,* que son cuentos infantiles, "La Bella Durmiente," "La Cenicienta," etc., se dan vuelta, para eliminar lo antifemenino.

Lo que yo prefiero es inventar nuevos mitos; en donde lo veo más claro es en la utilización de ciertos aspectos de la realidad que por alguna razón me impresionó. De ahí partir para crear un mundo, inventar un trasfondo antropológico. En *Como en la guerra* aparecen algunos elementos, hay parte del temazcal, el baño de purificación que es lo que es Tepoztlán.

El temazcal
Le ha llegado la hora de su primera purificación y las mujeres quizá logren hacérselo entender hablando náhuatl. O quizá logran algo bastante más turbio como amodorrarlo o hacerlo caer en la sumisión de una forma de hipnosis poco clara. De todos modos él se entrega y ellas lo desvisten sin curiosidad y sin prisa. Una vez desnudo lo hacen entrar por la diminuta puerta de la capilla ardiente de demonios *como él atinó a llamar a esa construcción rectangular de adobe de*

un metro y medio por dos con techo bajísimo de paja compacta y muy tiznada.

Adentro el calor sofocante y el humo le hace arder los ojos. Sólo aplastado contra el piso logra respirar un poco, con las piernas en alto apoyadas contra las vigas de madera del techo porque estirado no cabe, con una piedra chata bajo la cabeza y a esforzarse por recordar que no debe preguntar el dónde y menos aún el porqué.

[*Como en la guerra*]

Luego la montaña, la roca son como parte del viaje. También *En donde viven las águilas* hay un cuento que se llama "El fontanero azul" que ocurre en Tepoztlán. Lo fui escribiendo mientras eso ocurría, creándole todo el trasfondo porque me cuesta mucho escribir la realidad seca. Mientras iban ocurriendo esas ceremonias de Semana Santa, yo iba escribiendo este cuento. Era maravilloso porque el cuento se iba estructurando y es muy elaborado. Es un cuento con una anécdota que no existe, que la invento, pero que va narrando, que va ocurriendo a medida que van transcurriendo los rituales de los últimos días de la Semana Santa.

Sábado de Pasión
Quietud en todo el pueblo y en mi vida. Al fontanero sólo le quedan la mano izquierda, la cara y un testículo del color de su carne. El resto ya es añil, no me explico cómo. Sólo los niños andan hoy por el pueblo y los perros como cueros resecos estaqueados sobre cuatro patas. Desde mi ventana vi llegar el camión con los judas, diablos rojos con cuernos, y confieso que me dije: nuestro judas es azul, le tenemos más miedo, no es de papel maché, no está hueco por dentro: tiene una mala entraña.

Vi también sin mirar demasiado cómo a cada muñeco le clavaban cohetes en la panza, le pasaban una ristra de cohetes por el cuello y dejaban las mechas en los cuernos. (Pero una cosa es ver y otra muy distinta es pensar en aplicar lo visto.)

(Lo vieron todos ellos, lo saben desde hace cuatro siglos mucho mejor que yo, llegada de tan lejos aunque soy soli-

daria. Les juro que no fui yo, no caigan en el error de siempre: señalar al extranjero aun en son de bendecirlo.)

Donde viven las águilas ocurre en Huautla, en un lugar maravilloso de México, en Oaxaca. Es la parte de los hongos alucinógenos, donde vivía María Sabina, que también aparece en *Como en la guerra.*

La ciudad secreta. No conozco su exacta ubicación pero sé todo lo referente a ella, o quizá lo sospecho. Sé que debe de ser igual a este humilde caserío en el que vivimos, una réplica fiel, con igual número de cuerpos ya que cuando muere uno nuevo la momia más vieja es arrojada al vacío. Hay mucho ruido en la ciudad secreta, el ruido debe preanunciarla y es absolutamente necesario: todo tipo de latas cuelgan de las vigas de las chozas para espantar a los buitres. Es lo único que se mueve en la ciudad secreta, esas latas de espantar zopilotes, lo único que se mueve y sueña, y en ciertas noches muy límpidas el viento trae el sonido hasta donde moramos los vivos y ellos entonces se reúnen en la plaza y bailan.

[*Donde viven las águilas*]

Hay una parte, un cuento en el Lago Titicaca, que también aparece en *El gato eficaz.* Hay lugares que a mí me han marcado mucho. Son lugares fabulosos, tan increíbles que yo voy a seguir volviendo a esos paisajes.

MGP: ¿Qué lugar visitaste por primera vez, cuando fuiste como periodista de *La Nación*?

LV: Esa vez llegué hasta Salta y Jujuy. Después me fui sola, de La Quiaca a La Paz. Llegué a Copacabana, Bolivia, como periodista, pero insistí en que el Director de Turismo de La Paz me invitara a una de las funciones. Fuimos a la ceremonia de la toma de mando del alcalde de Copacabana, que era también una ceremonia entre lo racional y lo mágico: todo lo que está al borde: los discursos, la toma de posesión, en la cual nosotros éramos los personajes importantes. Junto a nosotros estaban todas las coyas detrás de todo este público tan serio y trajeado, calladitas, con la cabeza gacha. Cuando terminaron las ceremonias, ellas empezaron a cantar y a tirar papel picado sobre el intendente. Todo esto siempre tiene doble o múltiple lectura, por cierto.

MGP: Si hubiese algún propósito en la incorporación de todo este material a tu narrativa, ¿cuál identificarías como el más posible?

LV: Si propósito hay—nunca creo que lo haya—sería el de entendernos a nosotros mismos, entender este mundo. Aquel mundo es de mucho más fácil comprensión; creo que entendemos este mundo tremendo de la civilización avasallante a través del otro mundo, en la constante comprensión del otro mundo. Si nos separamos totalmente de lo que es el mundo del ser humano en su relación con la naturaleza, nos perdemos. Entonces, es rescatar el otro mundo, ese mundo está rescatado, aunque se vaya muriendo. Se trata de rescatarnos a nosotros, yo me quiero rescatar a mí misma, en última instancia de esta cosa que me come; además, yo tengo mucho amor por esas cosas. Hay fotos que de golpe me despiertan toda una asociación. Una vez vi una foto de un pueblo abandonado de indios norteamericanos en Arizona, todo rojo. La montaña era roja y el pueblo, de adobe fabricado con la tierra de esa montaña, era también rojo. Todo era igual. Se veía un pueblo totalmente mimetizado con la tierra. De allí salió un cuento que se llama "Crónicas de Pueblorrojo", que despierta en mí resonancias muy antiguas.

Eligieron el tono de la piedra más apropiado para cada casa, y las de las autoridades fueron rojas y las piedras más sonrosadas se reservaron para las casas de placer. El tono de la casa de ellos fue casi morado y Pocaspulgas empezó a recuperar lentamente todos sus atributos, hasta el arco de los ojos. Pocayerba se los fue cediendo sin que eso le pesara, como ella se los había cedido en su momento. Descubrió así que mucho más cómodo que el papel de brujo le resultaba el papel de dios vivo pero inoperante.

[*Donde viven las águilas*]

MGP: Otra línea temática que hay en tus textos es la política, que aparece en varios de tus cuentos y novelas.

LV: Sí, la política nos la han impuesto. Aparece en *Aquí pasan cosas raras,* en *Como en la guerra,* y en mi última novela, *Cola de lagartija,* porque llega un momento en que no se puede uno desprender de eso, el horror fue tan grande que callarlo es lo peor.

Finalmente, uno escribe para entender. Octavio Paz dice que es para poner en orden el mundo, y en cierta medida es así, pero para poner en orden y clarificar algo. Al escribir sobre la cosa política, más bien sobre el horror, de las muertes provocadas, de las desapariciones, es realmente un querer saber por qué esta crueldad, por qué este horror, y asumirlo y reconocerlo. Esta es la función del escritor como *nombrador.* Hay una manera de reconocer, de no negar una realidad y a uno le cuesta mucho hacerlo. Yo creo que es una de las partes más difíciles, y sin embargo, es lo único que podemos hacer. Es decir, mantener viva esa memoria del dolor para que no se vuelva a repetir, o intentar que no se vuelva a repetir.

MGP: ¿Qué relación personal tienes con todos esos asuntos?

LV: En *Cambio de armas* está bastante explícita esta relación. Tuve mucha relación personal porque estuve envuelta con la gente socialista y gente de izquierda, con los exilados chilenos, con la embajada que aparece en *Cambio de armas,* para ayudar a los exilados. La historia de uno de los cuentos, "Cuarta versión", es una novela corta más bien, ubicada más o menos entre el año 1976 y 1977, después de la toma de poder de los militares en la Argentina, y hacia el comienzo de ese régimen, cuando la violencia era más exacerbada.

MGP: Durante el régimen de Videla.

LV: Sí, yo tenía muchos amigos que estaban metidos. Yo estuve trabajando en la revista *Crisis* en la época en que la perseguían mucho, así que estuve dedicada a defender eso. Aunque mi participación no era tan directa, porque nunca creía en otras soluciones demasiado simplistas, estaba muy en contra de lo que estaba ocurriendo y estaba tratando de proteger gente. Lo importante en ese momento era la posibilidad de proteger gente; de *Crisis* desaparecieron dos o tres personas. Se corría a los diarios a movilizar todo para que se avisara, pues en aquella época todavía se podía publicar que alguien había desaparecido.

Me moví mucho tratando de hacer entrar gente que estaba perseguida a esta embajada que prefiero no mencionar, a la que yo estaba muy vinculada. En un momento dado, en 1976, me vine aquí porque salía mi libro *Aquí pasan cosas raras* en la traducción inglesa. Había planeado venir a Estados Unidos un 20 de mayo, pero recibí un cable pidiéndome que viajara antes. Salí una semana antes de lo planeado, y tres días después de mi salida de la Argentina cayó la policía a buscarme. Es una cosa muy providencial. Me avisaron que no volviera. Esto lo trabajo en ese cuento. Luego regresé porque pensaba que el peligro no podía ser tanto, que no podía permitir que la paranoia nos comiera a todos. Tuve mucha suerte en ese aspecto, primero porque fue realmente la policía la que fue a buscarme, y luego porque tenía un juez amigo que sacó el prontuario, así que todo quedó como borrado. A partir de ese momento la cosa empezó a ponerse mucho más difícil, pero me quedé en Buenos Aires hasta 1979. Tenían miedo porque yo estaba sacando documentos. Son los primeros que empezaron a circular sobre las torturas, cuando salí en un viaje al Perú y a Colombia. Las denuncias debían circular, y así lo hice.

MGP: Dijiste que había un libro tuyo que tuvo problemas para su publicación.

LV: *Cambio de armas y Donde viven las águilas* eran un solo volumen. Lo escindí y agregué cuentos para uno y otro libro. Lo que era parte de *Cambio de armas* y algunos cuentos de *Donde viven las águilas* lo tenía Sudamericana. Y empezaron miedos. Entonces retiré el libro porque preferí no meterlos en líos. "Cambio de armas" fue publicado en una antología que hizo Gustavo Sainz, y después salió en una antología en inglés, *The Web*.

MGP: ¿Por qué te fuiste nuevamente de Buenos Aires?

LV: Porque me invitaron a ser "Writer in Residence" en Columbia University, y en ese momento pensé que me venía a Estados Unidos por mucho tiempo. Era muy difícil vivir en Buenos Aires ya. Ya no había ninguna libertad intersticial porque no se podía hacer nada. No podíamos colaborar. No había manera porque la represión era muy feroz y muy subterránea. Tampoco se sabía de dónde iba a venir el golpe. Al principio era frontal, pero después vinieron los paramilitares, los parapoliciales, los grupos de choque, y pensé que no iba a poder escribir más si mi quedaba. Me sentía muy asfixiada. Además pasó un fenómeno muy extraño. La gente empezó a admitir y a justificar la situación diciendo que era una guerra sucia. Entonces no se podía hablar con nadie. Si decías que alguien había desaparecido, te respondían diciendo que seguramente habría hecho algo. Había una admisión del horror. Pero luego, cuando la gente habla en voz alta, se comienza a reconocer. Sale en los periódicos la lista de desaparecidos, en *La Voz,* por ejemplo. Se mencionan las cárceles clandestinas. Es decir, la gente no puede negar una realidad muy fea. La situación es muy grave ahora porque el choque es constante.

Cuando estuve en Buenos Aires en abril de 1983, ya era fantástico por la apertura. Había manifestaciones y también hubo una huelga que tuvo el 80% de repercusión. La manifestación de las madres en favor de los desaparecidos fue muy conmovedora. Yo creo que ya le han perdido el miedo. Aunque vuelva, no será igual a aquel miedo paralizador que te hace negar todo lo que está ocurriendo a tu alrededor. Ese ya no se repite, no va a volver. Finalmente todo ha aflorado con la aparición de los cadáveres. Es una metáfora hecha huesos.

MGP: ¿Te interesaría volver a Buenos Aires ahora?

LV: Cuando estuve en abril tenías ganas de quedarme, pero ahora ya no. Prefiero mantener cierta distancia. A mí me importa la distancia, la necesito, me veo atrapada en situaciones en que no tengo ganas de estar atrapada en Buenos Aires. Esto no tiene nada que ver con una situación activa. Me veo atrapada en situaciones de asfixia. Prefiero tener una visión desde afuera y me da miedo la salida del libro allá. No creas que lo tomo con tanta tranquilidad, porque *Cola de lagartija* es un libro muy político, muy feroz y muy crítico de todos, de todo el mundo, de la derecha, de la izquierda, del medio, de los peronistas, de mí misma. Es un libro muy crítico de la fascinación de los peronistas, de la necesidad del padre y de la madre, esa cosa infantil que finalmente hay en el pueblo argentino, y también de las fascinaciones dogmáticas y doctrinarias. La cosa verticalista del peronismo. Y también la cosa religiosa porque hay un culto a la muerte en la novela que es muy gracioso, pero tiene mucho que ver con la difunta Correa, con la muerta que ya conocemos, que es finalmente la de la novela. Hay una elaboración de este aspecto totalmente religioso-pagano, pero aplastante, que tiene la Argentina, y que se une a la necrofilia, la fascinación por la muerte.

Eso también lo trabajo mucho en esta novela, lo mítico. *Cola de lagartija* es una gran metáfora. A través de la metáfora estás diciendo mucho más de lo que ya sabes, expresas verdades muy profundas que uno mismo no conoce. Todo funciona. El Brujo Hormiga Roja tiene tres testículos, y el testículo del medio es la hermana Estrella. Es un quiste embrionario pero todo parece mágico y es real. El Brujo quiere dominar el mundo. Es asesor del gobierno militar que está en vigencia en ese momento y vive en los Esteros, que son los Esteros del Iberá. Mientras él es asesor del gobierno y lo vienen a consultar en secreto, vive medio subterráneamente en un hormiguero gigante; lo que él quiere es fecundar a su propia hermana, a su propia pelota y tener un hijo de sí mismo, el hijo que se va a llamar Yo. Así va a llegar a dominar el mundo. Todo el doble juego de lo que está ocurriendo en la capital con los tejemanejes de este tipo que es el Brujo, sin nombre, y su propia autogestación para dominar el mundo, todo esto queda inscripto alrededor de la profecía de Don Bosco: "Correrá un río de sangre y después vendrán veinte años de paz". Este personaje no quiere la paz porque ésta lo congela, es eterno mientras corra el río de sangre.

MGP: La situación argentina es entonces parte fundamental de esta temática.

LV: En este momento la vida argentina gira alrededor de una política desastrosa. Creo que cuando la vida política está más o menos bien manejada, se borra. En el momento en que la política se vuelve amenazante y desastrosa es cuando tienes conciencia política.

Es lo que está ocurriendo en Estados Unidos con la cuestión de Centroamérica. La gente empieza a tener una conciencia política.

MGP: Hay también un desplazamiento de la función que tiene la literatura. Cuando no hay una dislocación en el orden político, la creación literaria se dirige a otros ámbitos. De allí que haya una literatura de denuncia en Latinoamérica.

LV: La función de la literatura es abrir los ojos. En este momento, el tema político nos come. También son los otros temas pero con un aura política. Yo no me puedo evadir de este problema porque es una verdad demasiado lacerante.

MGP: ¿Crees que la literatura puede crear una nueva conciencia?

LV: No, pero puede despertar algunas resonancias. Porque finalmente no somos tan leídos. En Latinoamérica, en particular, la gente que lee es poca. Puede ser un juego de reflejos que es lo que es la literatura. Esta literatura puede eventualmente reflejarse en otro autor que va a dar otro aspecto que a su vez se va a reflejar en otros, es decir, abrir un poco las conciencias. De ahí que ocurra el gran cambio del mundo, no. Pero que sea este juego de espejos enfrentados, yo creo que sí. Lo que el escritor quiere es desconcertar al que está leyendo y hacerlo pensar de otra manera; que no siga usando los carriles ya sabidos, volviendo a sus propios prejuicios, sino rompiendo con ellos.

MGP: ¿Quiénes son tus lectores? ¿Tienes conciencia de quién es tu público?

LV: Uno tiene alguna idea del público para el cual escribe. Tengo idea de gente como vos que viene a verme y a preguntar cosas, pero ese público grande, ese ser invisible que no se sabe quién es, de ése no tengo idea. Ese es a quien quiero conmover de alguna extraña forma. Mostrarle que hay matices, sombras y luminosidades donde uno no se lo espera. No sé, sin embargo, cómo responden. La respuesta es muy variada, como la de los críticos que responden a cosas que a uno no le interesan tanto. Pero está bien. Todas son aperturas y la ambigüedad da lugar a que la respuesta sea múltiple y variada.

MGP: El escritor necesita de un público para que se cumpla el circuito de la comunicación. Me pregunto qué relación imaginaria se establece. ¿Qué piensas cuando estás escribiendo? Mucha gente dice lo que acabas de decir, que no tiene idea quién es ese lector. Me imagino que hay, sin embargo, una especulación por parte del escritor/a.

LV: Yo me sorprendo a mí misma porque me pongo en el lugar del lector en vez del escritor y leo con asombro. Lo que leo lo leo con el asombro de quien va descubriendo una cosa nueva. Y en la medida en que me asombra a mí, pienso que es una buena obra. Cuando ya estoy sabiendo lo que voy escribiendo, cuando voy por un punto fijo, por un derrotero fijo y me parece que no es bueno, no lo uso. Así que en el fondo soy mi lector ideal. Después vienen las críticas de cosas que te asombran, que son muy inteligentes.

MGP: ¿Qué circulación tiene tu obra?

LV: En este país, Estados Unidos, tiene bastante, lo cual me asombra.

MGP: ¿Y en Hispanoamérica?

LV: En Buenos Aires y en México tengo un público que me sigue, pero no conoces al lector anónimo, a menos que te lo topes en la calle y te reconozca. Pocas veces me ha sucedido.

La gente que se anima a romper la barrera es la que está relacionada con la literatura.

MGP: ¿Pero en cuanto a circulación concreta, en números?

LV: Más en Estados Unidos que en ninguna parte, pero en la Argentina y en México la circulación es respetable, aun a pesar de que en la Argentina estoy al margen de las corrientes establecidas, de alguna manera un tanto extraña. Me conocen y no me ubican. La gente de derecha me pone con la izquierda, la de izquierda me sitúa con la derecha, no hay un lugar fijo. No tengo un centro que de alguna manera es buscado porque forma parte de mi rebeldía, pero es molesto. La izquierda me asocia con *La Nación,* con mi madre, con ese mundo. (Los que no me conocen, por cierto.) La derecha me asocia con los de izquierda.

MGP: ¿Qué actividades realizas en Buenos Aires, por ejemplo, para concretizar tu presencia?

LV: En este viaje de 1983 di conferencias y participé en una mesa redonda sobre la censura que fue muy importante. Aunque después te citan fuera de contexto. La mujer—es la primera vez en mi vida que sentí esto—no sé si porque la situación está más agudizada, o porque yo estoy más sensibilizada, es puesta a un lado. Me sentí enrabiada de ser mujer y porque estoy tocando temas que muchos hombres no se animan a tocar.

MGP: ¿Cuántas mujeres participaban en esa mesa redonda?

LV: Yo era la única y ¿cuántas mujeres hay en este momento en la Argentina que se animen a hablar? No sé. Salvo Martha Lynch, que es muy peleadora y se mete en todo y que por ahí la respetan un poco porque le tienen miedo.

MGP: ¿Quién hizo la mesa redonda?

LV: La Editorial Bruguera. Participaban Osvaldo Soriano (que está ahora de best-seller), Isidoro Bleistein, Bernardo Cordon, Jorge Laforgue, Enrique Medina y Ulises Petit de Murat como coordinador. Toda la actitud de estos señores era dejarme a un lado. Machismo puro.

MGP: ¿Entre las escritoras que están trabajando en Buenos Aires, a quiénes viste?

LV: Hay muchísimas. Descubrí gente nueva. Me vi con Griselda Gambaro, con Marta Mercader, que es un best-seller y le va muy bien porque toca temas muy de mujer. Pero se mantiene dentro de los límites permitidos.

Hay unas poetas muy buenas: Cato Molinari, de mi edad tal vez, Cristina Villanueva, Ruth Fernández. Hacen talleres de escritores. Me invitaron a hablar sobre las máscaras con otra mujer que fabrica máscaras.

MGP: ¿Ha habido, de verdad, una apertura?

LV: Sí, con muchas ganas y con mucho desaliento al mismo tiempo.

MGP: ¿Qué otras noticias ocurrieron en Buenos Aires con respecto a tu persona y a tus libros?

LV: Fue muy lindo porque salió *Cola de lagartija* y porque salimos tres mujeres en una nueva colección de cuentos. Otra cosa maravillosa. Esta nueva editorial, Celtia, sacó una colección de cuentos. Una gran valentía ponerse a sacar cuentos que es lo que menos se vende, como todas sabemos. Y sacaron tres libros por tres mujeres: Inés Malinov, Alicia Steimberg y yo. Pero lo más emocionante fue la Feria del Libro de 1983 porque la mesa redonda sobre la censura fue parte de la feria. Tuvimos que trasladarnos de lugar por la cantidad de gente que esperaba oír el debate. Sin embargo, la mayoría de los panelistas tomaron la censura a broma y hablaron con humor. Soriano, Laforgue y yo fuimos los duros. La sensación que tengo es que esto ratificó lo que estaba diciendo anteriormente. Cuando estás inmerso en una censura feroz, acabas no viendo la verdad. Pierdes la percepción porque el peligro es tan grande que la represión freudiana es enorme. La verdad que está en vos no se permite aflorar y ser reconocida. No se animan a reconocer todo lo que no se animaron antes. Es decir, el problema es todo lo que tuvieron que tragarse porque tuvieron que aceptar para sobrevivir. María Ester de Miguel me dijo una frase tan conmovedora, tan lúcida y tan tremenda: "¡Qué van a pensar de nosotros los que vuelven!" Es un poco a plano inconsciente el tener que seguir teniendo que justificar, tergiversar la realidad.

MGP: La censura ha generado una nueva forma de autocensura. Y decías en otra oportunidad que parte de la razón de haber salido de tu país había sido el escapar a esta autocensura.

LV: Ellos crearon un sistema de censura para crear la autocensura con el miedo irracional. De golpe había gente perseguida y matada junto con su familia por algo que habían dicho que no sabían bien qué era. El miedo provoca una autocensura mucho más estricta de la que ellos hubieran impuesto.

MGP: Es un mal que aqueja a nuestras sociedades.

LV: Lo que han logrado estos gobiernos represores de derecha es crear este miedo difuso, porque finalmente en los gobiernos totalitarios hay una censura estructural. Sabes lo que puedes hacer y decir, y lo que no puedes. Hay una posibilidad de un juego entre uno y otro polo. Aquí, como no tienes idea de lo que no puedes decir, el miedo hace que uno se calle todo.

MGP: ¿Qué nuevos proyectos tienes?

LV: Estoy trabajando en un libro de poemas pequeños y poemas en prosa que hace tiempo que están en la cocina y cuyo título es *Los deseos oscuros y los otros.* Eso está avanzando muy bien. También continúo trabajando sobre el tema de las máscaras que es muy importante, pero ese tema en la Argentina posiblemente se imbrique.

MGP: ¿Cómo fueron saliendo cada uno de tus libros? ¿Cómo los ves cambiar? ¿Cómo ves transformándose tu escritura?

LV: Empiezo escribiendo un poema a los seis años. Se lo dicté a mi madre porque no sabía escribir. Ese poemita ya incluye el tema de la muerte. El poema termina, aunque sea un mamarracho, "y vino un pájaro a la ventana/ y te dijo/ hacia ti viene la muerte." Ese poema apareció varias veces en la vida porque mamá lo había anotado en un gran cuaderno y reafloraba.

Después habré escrito una o dos cosas en mis años mozos. Pero lo primero que escribí de verdad fue un cuento que en aquel momento se llamaba "Ese Canto" y ahora se llama "Ciudad ajena". Apareció en la revista *Ficción* cuando tenía 18 años. Juan Goyanarte, que era un escritor español que dirigía esa revista, además de gran escritor, me dijo que tenía que escribir novelas. A los dieciocho años me parecía imposible. Escribí uno o dos cuentos más y luego me casé a los veinte años. Me fui en seguida a vivir a Francia. Tenía intención de escribir cuentos. Un día apareció una idea—porque estas cosas van naciendo lentamente, pero uno se da cuenta de golpe de todas esas asociaciones inconscientes— de esta mujer que trabaja como Flor Azteca con la cabeza, a quien le van a cortar la cabeza. Esta idea se enriquece con la presencia constante de las prostitutas, que pasaban taconeando debajo de la ventana de mi departamento de París en el "XVIème arrondissement", levantaban clientes y se iban al Bois de Boulogne. A mí me parecían muy valientes al irse con un desconocido en un coche, era el sumo del coraje. Nos mirábamos y nos saludábamos. La prostitución entra por ese lado y por toda la fascinación por los barrios bajos argentinos, porteños. Se va acumulando la experiencia de mi vida porteña, de haber merodeado mucho por el Parque de Retiro, por los barrios del puerto—yo estaba casada con un marino en esa época. Así es como comencé a escribir lo que yo creía que era un cuento. Creció solo, y entré casi sin darme cuenta en ese ámbito maravilloso de la novela donde una frase va llevando a una situación que se va encadenando con otra. Esta novela y estos personajes cobran vida y empiezan a vivir a pesar de mí; empiezan a hacer lo suyo. Llego así a escribir esa novela que se titula *Hay que sonreír,* cuando tenía veintiún años, en 1961.

Me identifiqué mucho con ese personaje porque me sentía un poco venida del campo, estando en París. Hay una cierta inocencia en ese libro. Volví a Buenos Aires y la dejé en un cajón porque pensé que no tenía humor. No quería escribir cosas sin humor. Y ahí quedó por seis años hasta que la rescaté. Me reí mucho y me di cuenta que sí tenía humor por una exacerbación tan grande de la sordidez que ya era graciosa. Eran arquetipos.

En ese interim escribí cuentos que comenzaron a centrarse en un tema que finalmente es lo que dio el título al libro: *Los heréticos.* Me obsesionaba mucho el tema religioso que venía alimentado por mis muchas horas de lectura sobre las historias de las religiones. Todo el verdadero sentido religioso, lo que la gente cree que es el verdadero sentido religioso, es herético porque se toma de la religión como algo material y físico. La Virgen tiene que hacer milagros y es un personaje al que se le puede pedir cosas, al que se lo puede poner en penitencia y al que se lo puede castigar, las hostias se pueden guardar y tomarlas cuando se las necesita.

Como es de suponer, yo ando en busca de la absolución total de mis pecados. Y esto no es cosa nueva, no; me viene de chico, desde aquella vez a los once cuando le robé la gorra llena de monedas al ciego ése que pedía limosna. Fue para comprarme una medallita, claro, y había hecho bien mis cálculos: la medalla tenía de un lado al sagrado corazón y del otro una leyenda que ofrecía 900 días de indulgencia a quien rezara un padrenuestro ante la imagen. Si mis cuentas eran buenas, bastaba con cuatro padrenuestros para que el cielo me perdonase el robo. El resto resultaba beneficio neto: 900 días por vez no serán una eternidad pero puestos unos detrás de otros suman unas vacaciones en el paraíso que da gusto imaginar.

En otro cuento de *Los heréticos* aparece la prostituta ("Una familia para Clotilde") junto a cuentos antropológicos (o cuentos bretones): "Los menestreles" y "El hijo de Kermaria". Por estos temas entra la otra vertiente de mi interés por los cuentos.

MGP: ¿Dónde se originan los cuentos bretones?

LV: Hay ciertos paisajes que me conmueven mucho, que son muy fuertes. Bretaña, de toda Francia, a la que recorrí mucho, me pareció mágica, cerrada, muy misteriosa, con un paisaje fuertísimo. Están estos cuentos ligados a la religión también. La iglesia de Kermaria es una maravilla. Esos lugares atraen a sus propios personajes, a su mundo.

...la capilla de Kermaria cobraba poco a poco un halo brillante de limpieza y el cielo largaba sin descanso una llovizna suave que le lavaba los flancos. Los chicos endiosaban al abuelo en esos momentos porque sentían que la capilla se les estaba escapando y que sólo él podía devolvérsela intacta. Entonces venían en las tardes de lluvia, todos embarrados, a sentarse en el piso húmedo del cobertizo para es-

cucharlo hablar, como si fuera un profeta, de esa Kermaria que para ella estaba viva y con alma.

[*El hijo de Kermaria*]

Después escribí una novela que no ha sido publicada ni publicaré, que se llama *Cuidado con el tigre.* La iba a sacar Losada, pero la retiré para hacerle algunas correcciones y nunca más la devolví. Ahí empezaba el tema político. No me parecía que la idea política estaba dada como yo quería. En ese momento me parecía que no estaba realizada desde el punto de vista literario, que es lo más importante. Y ahí quedó.

Cuando llegué a Iowa seguí escribiendo cuentos porque siempre estoy escribiendo. Además seguía con mi tarea de periodista y tenía bastante trabajo. Allí nació *El gato eficaz,* como te dije anteriormente. Hasta ese momento estaba narrando muy linealmente. Me estaba repitiendo. Era un momento de cambio en la literatura latinoamericana y quería entrar en esa corriente y cambiar de voz a la vez, porque se había vuelto monocorde y un poco plañidera. Cuando surgió la idea de esa novela, *El gato eficaz,* de pronto cobra su voz y agarra un vuelo muy intenso junto con otro ritmo. Ahí entra la pluralidad de narradores, de narración descentrada; es un libro de ruptura y de otras cosas.

MGP: ¿Tú crees que es el ambiente de Iowa el que ocasiona el cambio?

LV: No. Es el encierro de ese lugar apartado y la conmoción de Nueva York.

Con el siguiente libro, *Como en la guerra,* ocurrió algo diferente. Estaba leyendo a Lacan. Entendía lo que podía y lo que quería entender más lo que yo misma ponía. Estaba también leyendo sobre el budismo tibetano y la inexistencia del yo. Trataba de entender y visualizar la noción de un yo inexistente. Ellos dicen que la esencia del yo no está en ninguna parte. Eso se va estructurando en *Como en la guerra.* En ese texto llego a un punto en que es tal la desintegración del yo del personaje que me costó mucho seguirla. No pude seguir escribiendo. Tuve que quebrar y hacer otra cosa. Esto lo fui trabajando en Barcelona, lugar donde transcurre la novela, una Barcelona muy cerrada, muy secreta, que es la que yo me iba inventando mientras estaba allí. Estaba como en un juego de cajas chinas, metida en una Barcelona interior donde me sentía muy sola y muy aislada. Yo recreaba ese mundo de noche y también la escribía durante la noche, o sea que la novela iba creando su propia resonancia. Cuando vuelvo a Buenos Aires, un año después, tengo la mitad de la novela escrita. Para retomar el impulso, la pasé en limpio y llegué a esa parte de la gran destrucción del yo donde había parado y no podía retomarla. Me pegué un susto horrible. Tenía miedo y no podía seguir. Estaba en el Buenos Aires de la gran violencia.

¿Donde estará la entrada a la locura o a algún otro cuadro patológico que me enmarque? Tengo miedo de dispersarme, de no saber diagnosticar mi mal, tengo miedo de estallar y dispersarme por las cuatro paredes y que una parte de mí, sólo una parte, la alcance en sus imágenes. Tengo miedo de integrarme a ella en esta pieza y sin embargo me quedo. Poco a poco me voy confundiendo—confundiendo—y siento que esta licuefacción de mi persona responde a imperiosas necesidades de la especie y no puedo contenerla pero al mismo tiempo quisiera reintegrarme, salir por esa puerta completito y olvidarme de ella.

[*Como en la guerra*]

Entonces puse la novela a un lado y comencé a escribir un libro en el período de un mes sobre el Buenos Aires de la violencia para tratar de entender esa realidad de esa ciudad de López Rega, de las sirenas policiales, de las cosas en la calle. Así escribí los cuentos de *Aquí pasan cosas raras* en un mes. Por cierto que después me llevó tiempo pasarlo en limpio, corregir, etc. Terminé esos cuentos y volví a la novela que comienza a transcurrir en otro nivel. Es la llegada del personaje a Buenos Aires, las colas de la muerte, etc.

Por las calles de persianas bajas y negocios cerrados la palabra santa (no la santa palabra) flota como en un acuario y él sabe que es por ella (la palabra) que debe seguir corriendo hacia ese punto ignoto al cual apuntan las colas. Por suerte los guardianes no tienen casi manera de ver los sueños y si alguno lo descubre es con el otro ojo, el ojo que acepta y entonces bien, lo deja seguir de largo, no interfiere en un avance que desdeña el orden preestablecido, los mandatos.

Salió primero *Aquí pasan cosas raras* y después *Como en la guerra*. Como parte de la censura del rodrigazo, tuvimos que pulir la novela porque comenzaba con una sesión de tortura. En esto ayudó Girri. Esas páginas no incidían en la historia. Eran unas páginas que venían después, una tortura totalmente posterior del personaje, posterior en todos los sentidos, pero tienen que ver con la iniciación mística, la tortura en todas sus posibilidades, o casi todas. Es decir, la desintegración shamánica del cuerpo seguida por la del yo.

A raíz de esto termino con el tema político de alguna manera. Creo que cumplo con esa necesidad de hablar de la violencia de Buenos Aires y vuelvo a los cuentos antropológicos, sin ninguna premeditación, por supuesto.

Empieza así una vida bastante complicada de implicaciones políticas y ocurre la historia de la embajada de la que hablábamos antes. Escribo sobre todo eso. Es esa novela que no se realiza nunca. Le agrego cosas antes, en el medio y no acabo de hacer nada.

MGP: ¿Cuál texto es ése?

LV: Lo que luego será "Cuarta versión" (primer cuento de *Cambio de armas*).

Llega así el año 1978 junto con la invitación de *Writer in Residence* a Columbia University. Empiezo a hacer una cosa muy loca. Decido crear una biblioteca ambulante. Empiezo a tomar las pocas novelas que me interesan. De los libros de ensayos, arranco el que necesito, algo muy vandálico con mi biblioteca. Tenía una sensación muy rara de desprenderme de mis libros, de tirar, con algo de desesperación. Al mismo tiempo recopilo todos mis cuadernos y me encuentro con que tengo una veintena de ellos.

De esos cuadernos voy sacando cuentitos, textos, cuentos más largos que luego forman *El libro que no muerde.* En tanto, sigo escribiendo una novela que en lugar de avanzar, recula. Empiezo otro texto, *"La crónica de los demonios"* que ahí está haciéndose. Nada se realiza.

En 1980 vuelvo a México y escribo otro capítulo. Siempre escribiendo primeros capítulos, como el libro de Italo Calvino. Tras varios intentos decido que no sé escribir, que debo dejar. En tanto escribí pequeños ensayos y conferencias. También empezó mi experiencia en la enseñanza de la literatura, que no había tenido antes. En ese momento me dije que tenía dos profesiones: el periodismo y la enseñanza. Mi vida como creadora había acabado. Me acordé entonces de Darcy Ribeyro, quien decía que había que cambiar de profesión cada cuatro años. Así que decidí cambiar de vida, pero hice un último intento: me di un ultimatum. Si hasta el día siguiente no ocurría nada, o no se me ocurría algo, era el fin de mi escritura. Por supuesto, al día siguiente me levanté iluminada.

De ahí nace *Cola de lagartija,* que en ese momento se llamaba *El Brujo Hormiga Roja, Señor del Tacurú.*

MGP: Pero ya tenías algunas ideas al respecto, ¿verdad?

LV: Algunas ideas sueltas. La de López Rega como travesti en Nueva York, vestido de hada. Y la otra de los hombres tripelotas, que son los más valientes, naturalmente.

Eran ideas que estaban dispersas. De golpe, ante la desesperación, nace el primer capítulo. Además yo había estado hablando con Luis Mario Schneider y Margo Glantz sobre esta experiencia mía en Corrientes que tuve con las hormigas rojas (Luis Mario Schneider es correntino). Cuando tenía dos años, mi primera experiencia literaria, me senté en un tacurú u hormiguero enorme, y me encontraron tapada de hormigas rojas, pero no me picó ninguna. Empiezo a escribir sobre ese otro paisaje que me conmovió tanto que son los esteros del Iberá por donde sale lo correntino en mí que siempre estuvo tapado.

MGP: ¿Por qué lo correntino?

LV: Mi padre es correntino. Todo lo paterno estaba muy tapado. Y a raíz de las hormigas coloradas nunca más me volvieron a llevar a esas tierras, hasta que volví como periodista a los esteros del Iberá que es un lugar muy bello.

Volviendo a la novela, seguí escribiendo buena parte de ella en México y luego en Nueva York. Fue escrita de un tirón durante nueve meses. Con mucha imaginación. Fue muy lindo.

Posteriormente me pidieron más cuentos en la Argentina y en Ediciones del Norte. De ahí que decidiera escindir el libro y escribir más cuentos para los dos volúmenes. Retomo luego la vieja novela y veo lo que no estaba dicho, lo que se escamoteaba, que aparece en el cuento "Cuarta versión" y en "Ceremonias de rechazo." También rescaté otros textos que tenía olvidados y pude terminar uno que es el que se titula "Donde viven las águilas".

Escribí poemas también. Siempre quise hacer la relación hombre/mujer que aparece en "Cambio de armas". En poemas y viñetas cortas: *Los deseos oscuros y los otros.* Margaret Sayers (Petch) Peden me los tradujo todos y van apareciendo en numerosas revistas literarias americanas: *River Styx, Icon,* y otras.

MGP: ¿Cuál piensas que es tu libro más importante?

LV: Creo que el cuento "Cambio de armas" es lo mejor que he escrito porque es tremendo.

También es importante *Cola de lagartija;* es un libro muy rico y ahí digo todo. Toco los temas de las herejías, de la ceguera dogmática que es lo que a mí me interesa tanto, lo religioso sin criterio, cómo todo eso se une al manejo político. Trato por primera vez el tema del poder. Otro tema que a mí me importa mucho es la locura mesiánica y la locura del poder, la locura de Nerón y de Calígula, de los negros de Etiopía. Esa locura que vemos tanto en los africanos pero que está también más disimuladamente y con menos primitividad en los militares nuestros aunque con la misma intensidad. Por esto es que *El gato eficaz* es un texto de ruptura, donde se inician algunos de estos temas.

MGP: Para finalizar, ya habías mencionado que te interesaba la prostituta. ¿Cuál es tu interpretación de esta mujer?

LV: Yo uso la prostituta contrapuesta a la virgen, o sea, las ideas masculinas de la mujer: la puta o la virgen. Pero la otra idea de la prostituta que tendemos a olvidar es aquella que durante mucho tiempo es la única—entre las mujeres—que tiene acceso al mundo de la inteligencia y del poder.

MGP: Las hetairas...

LV: Y la prostitución sagrada, que ya aparece en *El banquete.* La prostituta podía acompañar a los hombres y sabía mucho más que el resto.

MGP: ¿A qué te refieres cuando hablas de la prostitución sagrada?

LV: En los templos hindúes ganaban dinero con la gente que venía de afuera y se la entregaban a los dioses, era para el templo, sobre todo en la India y en ciertos pueblos primitivos africanos.

La prostituta actúa mucho como espejo del hombre con quien tiene relación. Le cuenta su vida, la usa como confidente; es el personaje que aparece en *Como en la guerra,* es decir, la "copera," la tipa que escucha y finalmente es más inteligente que el hombre. La identificación con el otro.

MGP: La prostituta está conectada al ámbito de la pornografía de varias maneras. ¿Qué piensas de la pornografía como material literario?

LV: En vez de pornografía, yo te diría erotismo. La pornografía es la negación de la literatura porque es la negación de la metáfora y de la sugerencia, de lo ambiguo. Es una reacción material en el lector, una excitación sexual directa; en cambio el erotismo, que puede ser tremendamente procaz y fuerte, pasa por el filtro de la metáfora y por un lenguaje más poético. La pornografía no entra dentro de la disquisición literaria.

Yo creo que las mujeres tenemos que rescatar el lenguaje erótico porque finalmente está dominado por las fantasías del hombre. Cada uno debe decir su verdad de uno, tratando de expresar el deseo del otro porque lo último que quiere ser expresado es el deseo.

MGP: ¿Qué es la creación artística?

LV: Tengo un modelo: Escribir lo que no se sabe que se sabe. La creación artística es escribir lo que uno no sabe sobre lo que sabe, que es la frase de Martin Buber: al crear descubro. Es una vía de descubrimiento; sabes que no sabes que sabes. Llegar a ese punto.

MGP: El lenguaje te va develando algo nuevo...

LV: El lenguaje te va develando una serie de cosas: el inconsciente es la "musa." Ahora sabemos que es el "inconsciente"; luego dirán que es otra cosa. Es lo que está en una y uno no lo sabe. Se lo restringe. El inconsciente es una cosa muy inteligente, de una inteligencia muy depurada; no es el inconsciente de los surrealistas, el de la escritura automática u onírica. A todo escritor le ha pasado: se empieza con una frase que no se sabe a dónde te lleva, sigue tirando del hilo hasta que sale un cuento absolutamente redondo, intrincadísimo, inteligentísimo; ha salido teóricamente de la nada, ha salido de toda una especie de maquinación inconsciente que es alucinante.

IDA VITALE

VITALE

Entrevista con Ida Vitale en México, 21 de julio, 1982

Magdalena García Pinto: Para comenzar, quisiera que me contaras un poco acerca de tu infancia en Montevideo.

Ida Vitale: Tuve una infancia solitaria, sin hermanos, entre tíos, abuela, padre, gente adulta que no tenía tiempo para ocuparse de niños. En mi infancia hubo muchas revistas y muchos libros. Eso me obligó a crearme un mundo propio. A leer. Supongo que es un poco lo que les ocurre a los niños asmáticos. Crean un mundo propio porque no pueden hacer ejercicio o salir a jugar con otros niños. No era mi caso, pero la mía era una familia a la antigua, extraña, que no entendía la necesidad de amigos. Además, no fui a la escuela hasta el tercer año. Estudiaba en mi casa. La razón era que yo hubiera tenido que ir a una escuela que dirigía una tía mía, una pedagoga muy conocida, pero era muy complicado llevarme a la escuela porque quedaba bastante lejos de mi casa. De allí que la escuela fuera en casa, y muy precaria. No sé cómo después pude incorporarme normalmente a un tercer año.

MGP: ¿Quién hacía de maestra, tu madre?

IV: No, no. Mi tía, hermana de mi padre. Cuando ella venía de la escuela, me corregía los deberes y cuando yo ya me estaba durmiendo, al final de la jornada de trabajo, me daba clase, algunas cosas; me daba, supongo, algo así como directivas, así que la mía fue una especie de autogestión.

MGP: ¿Esto no te provocó una reacción en contra?

IV: Me provocó unas ganas locas de ir a la escuela, y cuando fui, fue la fiesta! Yo sufría muchísimo los sábados y domingos, porque no iba a la escuela. Obviamente, era mucho más divertido estar con 20 niños de mi edad y una maestra que se ocupaba de nosotros, que estar en casa inventándome yo las distracciones.

MGP: ¿Por qué dices que tu familia era extraña?

IV: Lo era. Eran ateos y puritanos. Tenían poca comunicación entre sí y supongo que me inhibían. El episodio de la escuela es un poco extraño, sobre todo tratándose de gente culta; no es muy normal tener a un niño aislado de otros niños, pero a mí me vino muy bien. Así lo pienso ahora. Es decir, no tengo el recuerdo de una infancia aburrida. A veces, el aburrimiento es el padre de todas las virtudes. Si te aburres, buscas algo para evitarlo. Sea imaginar, leer o hacer cosas.

MGP: ¿Qué leías? ¿te acuerdas?

IV: ¡Ah, sí! Cómo no me voy a acordar, si es lo más importante que tuve en esos años previos a la escuela. Eso, y un sótano. Lo más rico que me dio la infancia... Un sótano oscuro al que no me dejaban entrar a menudo. Estaba lleno de baúles. Entonces, era una aventura. Estaba la colección entera de la Ilustración. Y sus números especiales de Navidad, muy lujosos. Ahí leí por primera vez la historia completa de Tut Ank Amon. Siempre se necesita algo que no sea compartido con los adultos. Acabo de leer un libro precioso, *El Valle del Issa,* de Milosz. Se trata de la infancia del personaje principal. Esta historia comienza con la descripción del valle, del pueblo, la familia, pero siempre lo central es esa infancia del niño en el bosque, su mundo, al que va él solo. Bueno, yo no tenía un bosque, pero tenía un sótano. Leía cosas correspondientes a la edad que tenía, maravillosos cuentos de hadas Andersen, d'Amicis, Poe, revistas, entre otras una que sin duda ha desaparecido, el *Tit Bis,* traducida del inglés, tamaño tabloide, sin ilustraciones, con letra pequeña. La maestra de tercero me regaló *Nils Holgersson,* de Selma Lagerlöff, libro que adoré. Leía mucho y releía. Había una amiga de la familia que tenía en su casa la biblioteca de una sobrina que se había casado, y me los prestaba. Pero otro de mis autores—al que todavía sigo siendo fiel—estaba en casa: Fabre. Esto me creaba una situación de expectativa porque me los traía, y de angustia, porque luego se los tenía que devolver. Siempre estaba esperando que viniera. Y a veces me hacía un cuento, y eso me fascinaba.

MGP: ¿Era un cuento oral?

IV: Sí, un cuento oral. A veces era un poco sádica. Una vez me trajo Genoveva de Brabante, y después me preguntó si había llorado mucho. Llorara o no, todo me gustaba, lo aceptaba para integrar un mundo mío.

MGP: ¿Aunque no te dejaban bajar al sótano, vos hacías tus expediciones de todas maneras?

IV: No es que no me dejaran, pero tenía que pedir la llave, esperar que alguien bajara, quizás hubiera arañas... Recuerdo un poco el descubrimiento del humor a través de *Juvenilia,* de Miguel Cané, que me divertía mucho. Por ejemplo, el episodio aquel del comedor, en el que todos tenían que comer callados mientras alguien leía un episodio de la vida de un santo, y la descripción hecha con bastante gracia de la horrible comida podía leerlo y releerlo y siempre me hacía reír. Un poco mayor empecé a leer cosas que no eran como para mi edad, como *La guerra y la paz.* Pero no me interesaban las historias amorosas de Natasha. Lo que me apasionaba era la estrategia de Napoleón y Alejandro. Por esa época leí *Werther,* que me pareció infinitamente aburrida. Años después, claro, insistí.

MGP: ¿Qué edad tenías entonces?

IV: Doce años. No me interesaron entonces los románticos, los descubrí después, ya en el liceo. Con Heine, por ejemplo, descubrí la ironía. Cuando en el liceo leí a Bécquer, tampoco me gustó demasiado, pero me encantó Garcilaso. El rechazo de los románticos se debía más a lo que yo percibía como débil, como victimado; el tomarse en serio, como víctima... Quizás su complejidad espiritual requiere la madurez del lector. Pero es difícil saber hoy exactamente el porqué de ciertas simpatías y rechazos. En cuanto a las aventuras, me encantaba Julio Verne.

MGP: ¿Fuiste lectora de Salgari?

IV: No, no fui lectora de Salgari. Pero a la edad en que suele leérselo, eso lo determina un poco el azar. Quizás en casa consideraban más constructivo a Verne. Te imaginarás que yo en esa época no salía a comprar libros, ni iba todavía a la biblioteca. Esta amiga de la familia me llevaba Dickens, con el que lloraba sin ningún problema. De todos modos siempre pienso en cuánto perdía, qué poco le quedaba a esa lectora devoradora que yo era. Pero toda lectura implica, a cualquier edad, perder una parte por recoger otra. Eso es lo terrible de la literatura. El lector nunca percibe todo... Cuando pasa un tiempo y uno relee ciertas obras, encuentra otro mundo. De todos modos lo poco que recogía me alimentaba. No me hacían leer, aunque me traían los libros. No me lo impusieron como obligación.

MGP: ¿Eras una niña dócil?

IV: Creo que sí. Pienso que era muy inquieta, sentía probablemente que los niños no tenían muchos derechos. Eso es algo que la nueva pedagogía ha modificado. Pero en esa época sentía que yo estaba al otro lado de cierta frontera. No se hablaba en el momento de comer, no respondía, etc. Bueno, mi abuelo era masón. Sin duda mi padre, mis tíos, estaban marcados por mi abuelo, al que no conocí. Lo recibí a través de mi padre que era un personaje muy extraño. Se fue del Uruguay a los Estados Unidos a probar fortuna. Y le fue mal.

MGP: ¿Y volvió al Uruguay?

IV: Sí, pasó hambre y se volvió. Én esa época la gente no solía irse. Siempre fue un individuo muy solitario, que no tenía nada que ver con el resto de la familia. Todos eran callados. No hablaban demasiado, al menos de cosas que yo pudiera entender. Entonces, yo también me acostumbré a callar. Por eso la escuela fue una liberación. Y ahí empecé a descubrir la amistad. Todavía hoy tengo una amiga de esa época, descubrí que eso era esencial.

MGP: Descubriste la amistad, la relación más inmediata con la gente.

IV: Sí, era algo que me permitía actuar con naturalidad, sin inhibiciones. También había otros problemas. En el Uruguay había dos bandos políticos: *blancos* y *colorados*. Y una parte de la familia era blanca, otra era colorada. Yo me daba cuenta que cuando hablaban de ciertos temas se provocaban tensiones, discordia. Entonces, un día dije algo acerca de lo *nacional*. Y resulta que el Partido Blanco era también llamado Nacional. Dije la palabra "nacional" y me sonrojé. Y pensé que había cometido un error...que había entrado en un terreno que no era el mío. Recuerdo muchos momentos de inquietud que tenían relación con la dificultad de entender el mundo de las alusiones, de dominar el mismo lenguaje que los adultos; pero habiéndome acostumbrado a encontrar el lado positivo de las cosas, hoy pienso que también esas angustias sirvieron de algo; observé a los adultos y registré que hay cosas que se pueden decir y otras que NO se pueden decir. Hay vallas, y luego te vendrán las ganas de voltear esas vallas, de descubrir cómo hacen los adultos para manejarse en un mundo que parece inabarcable. Bueno, eso fue una de mis grandes angustias, sentir que el mundo era algo inabarcable, que nunca iba a llegar a comprender sobre todo el mundo de las lecturas, cuando encontraba alusiones que, sin duda, todos entendían. ¿No te ha pasado eso? Hay libros que precisamente por eso me fascinaban, volvía a ellos una y otra vez, por ejemplo, *La Montaña Mágica* de Thomas Mann, que me impresionó muchísimo. Sobre todo las discusiones, las conversaciones entre Settembrini y Naphta. Descubrí que un autor puede dividirse en dos, dominar dos posiciones opuestas, enfrentarlas y discutirlas, manejar dos discursos distintos. Lo mismo me pasó con *Contrapunto,* de Huxley, que parecía el colmo de la inteligencia. Cuando muchos, muchos años después, lo volví a leer, ya no me fue tan fácil admirarme.

MGP: Yo creo que esa apreciación viene a través de la lectura, y de aprender a ser lector. El primer texto un poco más dificultoso te produce una desazón. Piensas que nunca lo vas a entender. Y de pronto, se comienza a aclarar.

IV: Pero en ese caso es distinto. No tienes que entenderlos.

MGP: Pero hay una lógica (o antilógica) a la que hay que entrar en ese discurso.

IV: Pero también es bueno aprender a mantener una relación de respeto con lo ilógico. No hay que pretender entenderlo todo.

MGP: Es decir, cada lector va desarrollando la manera de penetrar en un texto.

IV: Sí, hay textos que parecen no ofrecer dificultades, y después empiezan las comunicaciones subterráneas; cuando no era capaz de seguirlas, cada página me estaba diciendo cuánto me faltaba.

MGP: Eso pareciera pasar con frecuencia.

IV: Durante este período de la infancia y de la adolescencia, y debido a esta actividad constante de la lectura, me angustiaba cuando llegaban las ocho de la noche y se me acababa el libro y el mundo que traía consigo. Y tenía que entrar en otro que en ese momento sentía del todo ajeno. Naturalmente, en ese entonces leía mucha novela, pero pronto distinguí lo que era una buena y una mala novela, lo que era literatura y lo que era novela rosa, me daba cuenta yo misma que tenía que alejarme de la atracción que la mala novela, con sus recursos primarios, ejerce en un adolescente. Y la poesía llegó mucho después que la novela, lo cual no es raro. En casa había pocos libros de poesía, en español algunos poetas menores, uruguayos de fines de siglo. Aunque sí, ahí ya encontré a María Eugenia Vaz Ferreira, poeta que no ha salido casi del ámbito uruguayo, contemporánea y opuesta a Delmira Agustini. Es decir, Delmira es el lujo formal, la sensualidad verbal. La riqueza. La perfección de la forma. El caso de María Eugenia es muy extraño porque creo que buscó una expresión deliberadamente pobre. María Eugenia elude las formas vigentes del modernismo. Los grandes poemas de ella, que no son muchos, dos o tres, son poemas muy austeros, muy sobrios, reticentes. Es decir, mientras Delmira dice todo y confía en la palabra, ella no, se resiste. En esa lucha con la lengua, ella quiere buscar otro camino que el de Delmira, o simplemente estaba menos dotada para ello. Ahora, lo curioso es que a mí me importó más María Eugenia.

MGP: ¿Por qué?

IV: Quizá por lo mismo que inicialmente me gustó más Nervo que Darío, aunque esto sea un absurdo literario. Sentía que había algo de *nouveau riche* en manejar tan bien la lengua. ¡Tanta imagen, tanta metáfora! Naturalmente, después descubrí el otro Darío, el incomparable Darío final, que pierde el rococó en alguno de los muchos abismos de los que tomó lecciones.

MGP: Me parece que es una percepción, o tal vez una impresión que pasa con Darío, sobre todo cuando se lo lee por primera vez, y uno es todavía inexperta en materia de poesía.

IV: Con algunos de los poemas. Cuando llega "La princesa está triste", o "Era un aire suave" y la princesa Eulalia... A María Eugenia la sentía accesible, también me atraía la riqueza inexplicable de Delmira.

MGP: ¿Cuáles son los poetas que han sido de mucho valor para tu desarrollo poético? Además de los latinoamericanos/as que has mencionado, hay alguna poesía española que marca un rumbo especial?

IV: Leí primero a Machado, con el cariño que siempre suscita, pero el admirable Machado es un poeta que puede ejercer una influencia peligrosa, la de limitarse a las experiencias "sencillas", la de buscar deliberadamente un tono menor. El Machado que más me gusta es el último Machado, donde hay un mayor artificio en el buen sentido de la palabra artificio. Quizá porque su experiencia es mayor y terrible, y hay algo secreto en lo que dice, algo que él se reserva.

MGP: ¿Has leído y trabajado textos de Gabriela Mistral? ¿Piensas que esta poeta chilena es fundamental para la poesía femenina?

IV: De Gabriela me dictaron un poema cuando estaba en

la escuela. Y no lo entendí. No me atreví a preguntar lo que no entendía, o quizá sólo después a la hora de memorizarlo descubrí mis lagunas. El poema a que me refiero dice: "Es la hora de la tarde, la que pone su sangre en la montaña. Alguien en esta hora está sufriendo; una pierde angustiada, en este atardecer, el solo pecho contra el cual estrechaba, etc". Una...alguien...demasiadas indeterminaciones, no entendía. Pero seguí recordándolo, repitiéndolo. Un día, años después, volví a recordarlo y esta vez, lo entendí. El gran vicio de algunos escritores es querer decirlo todo y que todo se entienda, sin misterio. No quiero decir, con esto, que haya que poner oscuridad, misterio. Eso se da o no se da. Hay alguna poesía que tiene que ser meridiana, o que se propone ser meridiana. Por eso no me interesa nada la poesía comprometida, esa poesía que tiene que dar un mensaje y que tiene que darlo con todos los detalles. La sutileza y la ambigüedad serían un desastre en este tipo de discurso poético, como en un mensaje comercial. Y creo que la poesía no tiene que competir con la propaganda. Quizá esa noción se me hizo carne en ese momento. Porque sin duda, si ese poema se quedó dentro haciendo su labor de remoción espiritual, fue porque no lo entendí desde el primer momento. Gabriela es clara, usa palabras cotidianas, pero su sintaxis es nueva por propia, ríspida, porque elimina todo lo que no le parece esencial; la suya es una de las experiencias desperdiciadas o poco valoradas en América. Poca gente la ha leído bien; se quedan en *Desolación* y se pierden *Lagar* o *Tala* y la poesía última, de la que a veces se han publicado poemas sueltos porque el resto está sin editar. El canto de Gabriela es tan peculiar, como si se hubiera apropiado del endecasílabo. Oímos un endecasílabo y suena a Gabriela Mistral en seguida.

MGP: Decías que para hacer un impasse con la poesía española, habías recurrido a la poesía inglesa y alemana.

IV: Entre ellos, Whitman no me interesó cuando lo leí, claro que en traducciones. Poe, después de una experiencia precoz y parcialísima cuando era bastante niña y lo imité, lo abandoné. Creo que el distanciamiento de lo puramente formal a que obliga la lectura de poesía traducida—la alemana la leía en las estupendas ediciones bilingües francés-alemán de Aubier—me ayudó a sacudirme un excesivo apego a la tradición española. Eso se afirmó en la lectura de Cernuda, que también a través de lo inglés intentaba liberarse de ella. Aunque con Cernuda mis relaciones fueron contradictorias. Al principio sentí un rechazo por el último Cernuda; lo encontré demasiado decidor y virulento, parecía que se mudaba a la prosa, pero no lo leí en balde. Su sequedad estaba allí y me trabajaba obligándome a enfrentarlo al exceso de música de un Alberti por ejemplo. Por un lado, cómo no admirar la capacidad de manejar la forma como lo hicieron los españoles del Siglo de Oro. Pero nos han acostumbrado a la idea de que no hay que repetir experiencias pasadas. La forma implica un límite. Se la acusa de usurpar la profundidad del sentido. Luego te das cuenta que el verso libre no es tan fácil. Lo que perdemos por el lado de la rima y de la metáfora, hay que ganarlo por otro lado. Esa es la gran pelea. La ruptura con todas las formas ha dado resultados no siempre memorables.

MGP: ¿Crees que hay que hacer una disciplina de la forma en el comienzo de la práctica poética?

IV: No, no creo que haya que hacer necesariamente sonetos o liras; toda dificultad vencida, sin embargo, ayuda.

MGP: ¿Cuál fue tu experiencia en este caso?

IV: Escribí cuatro sonetos y los publiqué. Había descubierto a Gerardo Diego, que es prodigioso en los sonetos y que los hacía junto a su experiencia de la ruptura, junto al primer Aleixandre.

MGP: ¿Y Lorca?

IV: Todo el mundo enloqueció con el *Romancero Gitano*. Quizás porque cundían, nunca se me ocurrió hacer romances. Pero es difícil delimitar las influencias que recibí, en esa época de eclecticismo total. La ventaja del eclecticismo es evitar que uno se deje arrastrar por un modelo. Se van eligiendo influencias, aspectos distintos, mientras se busca siempre una voz...

MGP: Esa práctica te lleva, eventualmente, a encontrar tu forma.

IV: Bueno, se encuentra, o no. Eso es lo que uno nunca sabe, si no está repitiendo lo que otros han hecho.

MGP: Juan Ramón, ¿de qué manera fue importante para vos? ¿Cuándo aparece?

IV: En el Liceo, con los sonetos. Después llegó *Animal de fondo.* Me costaba entrar en este texto. Rechazaba entonces quizá lo demasiado discursivo. Pero siempre ocurre con los grandes poetas que corren delante de nosotros y cuando nos acostumbramos a una modalidad suya, nos proponen otra, más allá. Luego, en *Espacio* lo autobiográfico ingresa de un modo crítico en versos de una modernidad sorprendente. El mundo entero pasa por nosotros. De qué otra manera vamos a llegar al mundo. Y Juan Ramón no lo disimuló, lo hace abiertamente. Pasa todo por él. Es una experiencia muy compleja la de Juan Ramón, que incluye, creo, la angustia de querer llegar a lo más profundo mediante una lengua que se sabe precaria, siempre. Hay una nueva edición que yo todavía no he tenido tiempo de estudiar a fondo. Allí Juan Ramón retoma todo, cambia los títulos de todos los poemas; cambia todos los poemas de ubicación, dentro de las secciones y las secciones dentro de los libros, en la desesperada búsqueda de la Obra, con mayúscula.

MGP: En la poesía de Juan Ramón, el rehacer era una constante de su práctica poética.

IV: Sí, aunque para el lector es desconcertante; uno se ha acostumbrado a un poema y ahora disponemos de un poema y de su fantasma. Además, cambia los títulos y cambia de lugar los poemas y ordena de otro modo los libros. El caos topológico... Es el paroxismo de lo que hace Gonzalo Rojas, un admirado Gonzalo que en el último libro, *Del relámpago,* vuelve a ordenar los poemas de *Oscuro* y en anteriores intercala los nuevos. Esto implica considerar la poesía como un único poema, como una unidad total, con el derecho del poeta, o la exigencia del poeta de no darse por conforme nunca con lo que ha hecho.

MGP: En el caso de Juan Ramón, rehacía los textos constantemente.

IV: Constantemente, y eso implica una preocupación obsesiva, explicable en su caso. El podía vivir de modo exclusivo para la poesía, entre cuatro paredes, dedicado todo el día a ella. Recuerdo que cuando estuvo en Montevideo, por el '48, le ví varias veces, le llevé *La estación total* para que me la firmara. Abrió el libro, al azar, corrigió un verso y abrió por otro lado y corrigió otro verso... Nunca supe si estaba tan obsesionado que en cada página corregía algo o si se sabía tan bien el libro, que abría en cada página exacta, como por casualidad.

MGP: ¿Podrías explicarme de qué manera es Juan Ramón Jiménez importante para vos? ¿Qué recoges de su poesía?

IV: Quizás no he encontrado a nadie que trasmitiera tan fielmente su espíritu a través de su presencia, sus gestos, sus palabras, y su actitud poética es ejemplar. Su vida estuvo exclusivamente dedicada a la poesía. Eso, en mi caso es nada más que una llaga, una aspiración difícil de realizar. Pero habría que proponerse eso. En el caso de Juan Ramón, las circunstancias se lo permitieron. ¿O él creó las circunstancias? Pero, de todas maneras, aunque sea difícil dedicar la vida a la poesía, Juan Ramón enseña nobleza con relación a la obra, respeto, conciencia de lo que le exige. Incluso sus consejos prácticos para la tarea de la escritura, no deben ser olvidados: no dar por hecho un poema de un día para otro; dejarlo en un cajón y olvidarlo, para verlo desde afuera. Eso reclama una actitud crítica en la poesía, un estar seguro de que no se ha llegado nunca.

MGP: ¿Esa no es la experiencia del poeta, por lo general?

IV: No, yo creo que no. Creo que el mundo está lleno de gente demasiado satisfecha. Hay que tener conciencia de que siempre se puede ir más allá. Y sobre todo, no aceptar que el lenguaje lo diga todo. Lo dicho es un espectro, un fantasma de otra cosa.

MGP: ¿Podrías nombrar un poeta que estuviera satisfecho de su obra?

IV: ¿Entre los buenos? ¿Cómo saberlo? Uno sólo tiene sospechas. Existe una imagen generalizada de un Goethe, seguro de que cada cosa que escribía era perfecta. Cuentan que Heine le hace una visita y Goethe le pregunta qué está escribiendo en ese momento, en qué está trabajando. Heine contesta que está escribiendo un *Fausto*. Goethe enmudece y desaparece Heine. Si Goethe hubiese sido menos implacable, hubiera podido pensar que quizás Heine podía agregar algo al Fausto, aunque éste sea notable. La angustia de la creación insatisfecha depara cierto temor necesario, para mí. Neruda sabe que cada verso suyo está diciendo lo que él quiere decir. Sobre todo el Neruda de *Canto General*. Pero Neruda tenía razón, en muchos casos.

MGP: Como en el período de *Residencia*.

IV: En efecto; también me gusta mucho *Extravagario,* pero por otra cosa. Porque logra un humor que no rebaja la poesía, menos dominante de la materia. Quizá en el arte me gusta sentir que algo no ha logrado cuajar. La escultura primitiva; la etrusca, por ejemplo, más que la escultura clásica griega, más la Edad Media que el Renacimiento, con salvedades, claro. Pienso que cuando todo es perfecto, cuando todo está hecho, el lector es sólo un mero contemplador abrumado. La perfección es un círculo cerrado ¿O no? Estoy pensando en Vallejo. Su poesía, comparada con otras, parece no estar cerrada ¿cabe pensar en términos de "potencia" y "acto"? La poesía es algo a lo que apenas se puede pretender llegar. Es decir, es un propósito.

MGP: ¿Es una aspiración?

IV: Claro, una aspiración pero con la conciencia de que no llegas a eso.

MGP: ¿No tener la suficiencia de un Huidobro, quizá?

IV: ¿Tú crees que hay suficiencia en Huidobro? Es un hombre que está buscando una forma.

MGP: En Huidobro hay una búsqueda permanente que lo lleva a experimentar con diversas formas y hasta medios, hasta el poema para ser llevado puesto. Y en esa experimentación se nota un humor que va transcurriendo a través de su poesía e incluso se transparenta en sus escritos teóricos.

IV: Sí, y quizá hay más duda en alguien que me llama la atención que no nombres, como argentina, y es Girondo. En

Campo nuestro aparece un Girondo distendido, calmo, pero en la *Masmédula* gana la angustia, la duda total acerca del lenguaje en el siglo próximo, si se llegara a la desintegración total. Pero temo que el camino sea el de los convencidos, el de la inercia.

MGP: A propósito de esto, en una entrevista con Saúl Yurkievich en *Quimera,* señala que "tras la fatiga de la experimentación a ultranza, sobrevendrá el nuevo romanticismo. Es decir, se va a volver a un estilo directo. En la reaparición de la subjetividad figurada, de lo literal..."

IV: Sí, es posible. Neruda es un romántico del siglo XX. Se pueden tender líneas, como hacía Juan Ramón: la línea en la que él se ubicaba, es la de San Juan, la de Bécquer. Hay otras. Todo dependerá de lo que predomine. Si la poesía acompaña el desastre general del mundo, terminará en el nivel de los himnos patrios. En un día optimista, pienso que todo se ha venido salvando a través de los siglos. Pero si pienso en la bomba atómica y en que el hombre tiene por primera vez la posibilidad de terminar con la especie, entonces debo pensar que la poesía no tiene por qué tener mejor suerte.

MGP: Me parece que hay algunos indicios más positivos. También en la novela y estoy pensando en la última novela de Vargas Llosa, con un renacimiento de la novela histórica, en este caso específico.

IV: Pero la poesía y la novela pueden tener distintos destinos... Como tienen distintas inclinaciones, hacia la saturación la novela y hacia el depuramiento, creo yo, y la esencialidad, la poesía. Después de la primera guerra mundial empezó, quizás, el desborde de novelas. Casi todas alardeaban de premios Goncourt, o Fémina, o tantos otros, y la mayoría ya no se leen. El tardío *Gatopardo* es una excepción.

MGP: Me refiero a la literatura nuestra, la latinoamericana, para circunscribir los límites.

IV: Yo creo que la literatura nuestra es toda. Me resisto a admitir que tengo que moverme dentro de un solo ámbito. La verdad es que yo me formé leyendo a Homero, a Dante, a Virgilio, a Mann, a Woolf y a tantos otros europeos. ¿Por qué un día voy a devolver todo esto como "literatura europea"? Leí mucho más la europea que la latinoamericana. A ésta la empecé a leer tarde, salvo alguna excepción, como Machado de Assis; lo nacional nos lo hacen leer como estudiante y eso te lleva a hacer una división entre lo nacional y lo otro, aún sin pensarlo: Quiroga, uruguayo y no argentino, Acevedo Díaz, el mayor épico de Hispanoamérica, prácticamente ignorado fuera del Uruguay. Pero si bien leí más autores españoles y de otras lenguas, a los buenos nacionales los ubiqué sin prejuicios al mismo nivel que los otros. Por lo mismo, me fascinaba de niña una *Mitología griega,* que me permitió después entender a Garcilaso y entrar a Homero como a un mundo familiar. ¿Quién lee hoy una mitología? Lamentablemente debe estar mal visto... El conocimiento de la mitología permite comprender a los griegos y a los clásicos, a Garcilaso, a Quevedo, al Renacimiento en general. Es decir, asegura una continuidad. La mitología es, en el fondo, una ejemplificación o consolidación de los problemas eternos del hombre, aunque el hombre de la calle no parezca tener nada que ver con la mitología. Tras cada problema hay un mito, tras cada mito hay una situación comprensible para todos. Por eso, cuando se discutía si Borges era un poeta argentino o latinoamericano, era un planteamiento trasnochado, nocivo, terrorista. Un argumento para mediocres. Borges representa lo mejor argentino y rioplatense. Además de admiración, me produce una ternura infinita, no sólo porque es mi mundo, el Río de la Plata de nuevo—no en balde, él habló tanto de Montevideo—sino porque él solo hace una titánica tarea de rescate y conservación de un nivel cultural que me temo que empezó en América y que todavía no terminó. El plantea que la literatura es una, una continuidad. Es una de sus tantas lecciones. Borges, como rioplatense, muestra que es posible el desarrollo de una literatura cuya base es la intertextualidad con la literatura universal. Es decir, nos recuerda que en la escritura literaria del sur, la universalidad es uno de sus rasgos definitorios. Cuando comencé a leer sin guía, leí mucha literatura francesa horrible. Había una librería de viejo donde compraba cualquier libro que dijera "Premio cualquier cosa". Leí durante cinco años toda la bazofia que los franceses saben convertir en escritores geniales de exportación. Cuando leí *Los premios* de Cortázar, pensé: al fin una novela que ocurre en el Río de la Plata y que habla un lenguaje que entiendo, y que cita lugares parecidos a los que conozco, etc. Pero era una falsa oposición, pues yo estaba comparando un excelente escritor latinoamericano con escritores mediocres franceses. Eso era también tramposo. ¿Por qué tenía que leer yo a esos señores, de cuyos nombres prefiero no acordarme? Pero, claro, todavía no había leído a Virginia Woolf, no había descubierto a Nabokov. Las cosas se tienen que comparar en ese plano. Y si tu formación ha sido en algunos planos la misma de un escritor europeo...si a mí me dice más una alusión a Icaro que una alusión a la historia de, pongamos, Ecuador, bueno, ¿debo negarlo? Claro, que no para todos las relaciones se dan así.

MGP: Se trata, creo, de redescubrir y reivindicar la cultura y la producción literaria latinoamericana, que siempre estaba en vías de definirse. Y de pronto hay gente que produce obras muy importantes, y tarda en ser reconocida como innovadora por un tiempo largo en Europa, por ejemplo. Incluso, pienso que se consideraba dudoso que un hombre (para no hablar de las mujeres que poco se conocen en Europa de todos modos, aún hoy), que proviniera de Latinoamérica llegara a ser un escritor fundamental. Y se considera a Borges como una excepción. No podía entenderse como posible de otra manera.

IV: A los europeos les cuesta enterarse de los valores ajenos, pero una vez que se les revelan no sé si hacen una división, como la que estamos tratando de hacer.

MGP: Pienso que sí.

IV: El europeo ha sido bastante autosuficiente, pero en un tiempo miró hacia Oriente, hoy busca lo exótico en Latinoamérica. De cuando en cuando despierta ante ciertos nombres nuestros. Borges, una vez más. Pero no siempre se abre rápidamente, o para lo mejor. Corremos el riesgo de que se nos descubra por el guajiro o por el gaucho, aunque éste ya llegó tarde al boom latinoamericano.

MGP: Yo creo que el ejercicio de la escritura, la práctica de la pintura, etc., da como resultado la creación de los productos culturales, que eventualmente adquieren un valor universal. Eso es una trayectoria que se debe andar. O sea, el guajiro hoy tiene una voz que es local, y que puede ser que no interese, sin que deje por ello de ser una experiencia humana. De todos modos, se debe desarrollar una labor práctica de la escritura, de la lectura, que se va haciendo lentamente. El problema que yo veo con el concepto de lo universal, según lo has explicado, es que puede acarrear consigo el peligro de anular las posibilidades de desarrollo de muchos pueblos de nuestra América.

IV: Lo americano integra lo universal. No lo siento incompatible. Insistí en que enriquece medirse con lo mejor, venga de donde venga. Se habla de unidad latinoamericana, y la realidad es que tal unidad es relativa. Lo que es verdad para un mexicano, no lo es para un uruguayo. No hay una norma genérica. Y viceversa. Y te diría que algunos países latinoamericanos de valores de fronteras adentro, son tan nacionalistas como los europeos, con la consecuencia inevitable de aplicar un esquema. De todas maneras, hay un elemento común, inescapable, que es el lenguaje. El panorama del español es muy diversificado. Y tiende a serlo cada vez más. Ningún escritor latinoamericano está cercano, por ejemplo, a Miró, al que hace años leí bastante, usando casi tanto el diccionario como cuando leí mi primera novela en francés. Cuando fui por primera vez a Europa dejé de escribir como durante siete años. Sentí que debía cambiar todo, que tenía que escribir de otra manera. Tampoco quería que los nuevos poemas tradujeran en forma inmediata las diversas experiencias, positivas, pero también negativas, de ese período. Pocas veces escribo un poema sobre el acontecimiento. Excepcionalmente, a veces, una conversación tranquila que replantea cuestiones que tocan muy a fondo ciertos apegos espirituales de toda la vida, puede traducirse de inmediato y de golpe en un poema, pero en general cualquier experiencia, en mi caso, necesita un asentamiento. Hay imágenes que afloran con un mecanismo un poco absurdo y después caigo en la cuenta de que tienen que ver con algo vivido y olvidado hasta ese preciso momento, hace muchísimos años. Tengo mala memoria; quizás la poesía sea el escape, el lugar en donde se conservan las cosas que quedan sumergidas, aparentemente olvidadas. Pero eso ha de pasarle a todos.

MGP: ¿Es la poesía un camino de recuperación de lo pasado?

IV: Sí, creo que sí, que en el fondo es como si la poesía estuviera entre el pasado y el futuro. El presente, ya se sabe, no existe. Y también es una manera de prolongarse en el futuro que uno quiere. O de detener, o neutralizar un futuro nefasto. En el fondo, uno tiene que pensar que el tiempo es cíclico, como quería Borges.

JARDIN DE SILICE

Si tanto falta es que nada tuvimos
Gabriela Mistral

Ahora
hay que pagar la consumisión del tiempo,
sin demora,
gastado el arrebato
en andar por un jardín de sílice.
Aramos otra vez el mismo surco
para fertilidad de la desdicha,
y la letra,
el silencio
van entrando con sangre.

Años vendrán para pacer palabras
como pastos oscuros,
echar a arder pequeñas salamandras,
todos los exorcismos,
apenas memoriales donde hubo un aire libre,
ya no lugar común,
que nadie
en el miedo de las encrucijadas

sueña o lee.

Vagos vagones cruzan
hacia
un pasado que pulveriza las raíces,
que alista el luto y nos despide.
[*Jardín de sílice*]

El futuro es el pasado. En el fondo, ¿qué sómos sino aquello que fuimos en la infancia? El futuro debería ser el desarrollo de lo que se gestó en la infancia, en la adolescencia. Creo que allí están las experiencias más importantes.

MNEMOSINE

Un recuerdo disuelve telarañas,
otros las cría apresuradamente;
las marejadas van participantes
del verano al invierno,
del verde hasta el violeta violento
y sin regreso, en siniestro desorden.
El tiempo fue asolado
y no hay respeto por la polvorienta
reserva de no debido vino,
bodegas de alegría, de ocasiones de luz.
Lo quieto en medio del tornado
muere de su quietud y del olvido,
como el derrumbamiento,
de la grieta y el vértigo.
No hay pues que detener el pensamiento.
Los obstinados ecos secuaces
sacan un filo huraño.

Pero en silencio andamos corazón inclinado.
[*Oidor andante*]

MGP: ¿Es una teoría un poco determinista, no?
IV: ¿Por qué determinista?
MGP: Porque el futuro ya está forjado desde la infancia.

IV: ¿Y no están allí algunas de las experiencias más importantes? ¿Los psicoanalistas lo creen así, no? Siempre estamos determinados y yo prefiero imaginar que lo estamos por nuestro pasado y no por la historia. Lo importante no es qué te ocurre, sino más bien cómo recibes lo que te ocurre, en qué lo transformas. De acuerdo a qué elementos se procesa eso que ahora estoy recibiendo, qué es lo que determina que me guste más Venecia que Florencia y que me desagrade Rubens. ¿Cómo entender ciertos amores definitivos, ciertos rechazos reiterados? No lo sé. Pero quizás si lo entendiera todo no escribiría.

MGP: ¿Qué función tiene la poesía en eso? ¿Qué es para vos la práctica poética?

IV: No me siento cómoda al razonarlo, pero sé que es una necesidad. Supongo que es una manera de conocerme y de conocer el mundo, de entender lo incomprensible. Yo creo que lo que no entiendo, lo entiendo un poco más cuando escribo. Y cuando digo "escribo" aludo al hecho material; no escribo sino enfrente del papel. Por eso lo que se me ocurre cuando me despierto por la noche se pierde. Necesito el desarrollo en el papel, necesariamente. El poema es una forma que debo ver, y que pasa por muchas transformaciones, casi siempre. No podría ser un poeta oral.

MGP: ¿Podrías definir tu arte poético? ¿Cuáles son tus temas?

IV: Eso lo ve mejor el lector.

MGP: ¿Lo podrías marcar, de todos modos?

IV: Ya estoy contaminada porque ya me han sido señalados. Algunos han variado, otros se mantienen. Empecé tarde a dar clases y fue, claro, una experiencia nueva. Algunos poemas de *Oidor andante* surgieron de la experiencia de la clase, de las lecturas de la clase, e incluso del rechazo de la noria pedagógica. Hay un poema "Silencio", escrito en un rapto de hartura, después de una asamblea, en donde se oye hablar y hablar y uno siente la vaciedad, la falsedad del uso de fórmulas políticas que no quieren decir nada o que encubren la perversión del lenguaje...que hoy significan una cosa y mañana otra. Naturalmente, los poemas son "estrellas de sentidos posibles". Después el poema fue tomado por algunos profesores de español que lo analizaban como "la génesis de la palabra"; ya se sabe que los textos tienen vida propia y ganan más sentidos. Y ya que mencioné *Oidor andante,* creo que fue un libro en el que hubo menos distancia entre la experiencia y el poema. Tiene menos unidad que otros porque respondió a experiencias muy distintas; lo escribí más lentamente, el tiempo fue entrando en él y quitándole cohesión. ¿La poesía tiene que ser toda un único poema o debe expresar cosas muy distintas? Hay quien, como Cavafy escribió un solo poema, desarrolló un único tema: su soledad, por su homosexualidad o porque se siente extraño en su mundo. Volviendo a la historia de Bizancio, está siempre contándose él.

MGP: ¿Qué es lo que te interesa más para tu poesía?

IV: Lo que me interesaría sería dar mi medida, sea cual sea.

CUADRO

Construimos el orden de la mesa,
el follaje de la ilusión,
un festín de luces y sombras,
la apariencia del viaje en la inmovilidad.
Tensamos un blanco campo
para que en él esplendan
las reverberaciones del pensamiento
en torno del ícono naciente;
Luego soltamos nuestros perros,
azuzamos la cacería:
la imagen serenísima, virtual,
cae desgarrada.

[*Fieles*]

A veces me ilusiono pensando que, con un imaginario lector, estamos creando un espacio de rescate para un mundo espiritual que, a veces, en los días pesimistas pienso que está derrumbándose. "Sueño de una doctrina"... Pero, lo que aparece con más frecuencia es la nostalgia de lo perdido.

MGP: Ese aspecto y tono se notan fuertemente en *Jardín de sílice*.

IV: El sentimiento de patria, aunque de él se ha abusado tanto, no aparecía, en mis primeros libros, tampoco aparecía mucho el paisaje. Era más frecuente el tema del amor, de lo que yo imaginaba difícil de alcanzar o ya perdido, y el de la muerte; nunca se habla más del tema de la muerte que cuando se es adolescente. Nunca, tampoco, se persiguen tantas cosas, a veces tan tramposamente tentadoras... Lo que uno añora y no tiene, lo busca en la poesía. Claro, cuando salí del Uruguay, éste se transformó en el centro mágico de nostalgia.

MGP: Volviendo a lo que te decía anteriormente, la poesía para vos es una recuperación de ciertos contextos y vivencias. Un complemento.

IV: Es la recuperación, invento o sustitución. Perturbaciones superadas, gracias a un ritmo, una imagen. La poesía puede surgir por un ritmo, por dos o más palabras que se combinan y que constituyen un mínimo paisaje reflejo. Luego hay que intentar que el resto no traicione el núcleo inicial. Pero en fin, los orígenes son diversos y para mí misma muchas veces misteriosos.

MGP: ¿Qué relación tienes con la pintura en tu poesía?

IV: Me atrae como toda inalcanzable forma de belleza.

MGP: ¿Con cierta pintura? Tienes un poema dedicado a Magritte, por ejemplo.

IV: Aunque es un poco tramposo, porque un poema a Magritte es un poema a la literatura, los pintores suelen considerar que "dice" demasiado, que es demasiado "literario"; quizás porque él prefería poner títulos poéticos, que encontraba compatibles con la emoción producida por el cuadro. Cada obra que conmueve exige un homenaje del lenguaje, una paráfrasis imposible. La traducción, en ese caso, es trampa, aunque toda traducción lo sea, en mayor o menor grado.

MGP: ¿Trampa?

IV: Sí, porque implica la ilusión de que se está siendo fiel a algo, de que salvas una totalidad, cuando toda traducción es una entropía.

MGP: ¿Te interesa Magritte particularmente porque él buscaba la conjunción de la pintura y de la poesía?

IV: Bueno, no sería justo decir que es el pintor que más me interesa. No me interesa más que Klee, por ejemplo. Es un pintor de una técnica excelente que, en la misma medida en que puede hacer el simulacro total de la realidad, se defiende dando el salto. En pintura soy más ecléctica que en literatura, aunque tengo rechazos, como los tengo en literatura.

MGP: ¿No te interesa entonces como algo particular, con respecto a tu poesía?

IV: Cuando algo me atrae, no pienso necesariamente en si me sirve o no para la poesía. Lo mismo me ocurre con la música. Es verdad que la poesía se manifiesta a veces como un estupor y una inmediata voluntad de adhesión. Pero tampoco se puede pretender de ella que sea mimética. Cuando sentí que mi necesidad de la música crecía, estudié algunos años canto. Pero son campos diversos. No deja de ser una suerte que haya distintas maneras de tocar lo bello. Los propósitos de la hibridación pueden ser peligrosos. Ni siquiera el famoso soneto de las vocales te da los colores...

MGP: Pero es una ya vieja obsesión...

IV: Sí. Puedes intentar buscar ritmos o sugerir la impresión de color. Mi poesía debería dar el verde o el azul. No porque me lo proponga sino porque son los colores que me atraen en la naturaleza o en una seda.

MGP: Noto la presencia de plantas con cierta frecuencia en tu poesía.

IV: Vienen de mi infancia. Mi abuela nombraba las plantas con su nombre botánico. Otra tía mía, que murió joven, había sido ayudante del fundador del Jardín Botánico de Montevideo y había transmitido a mi abuela ese doble respeto, por las plantas y por el lenguaje que las nombra. Quizá en un poema destaque demasiado la palabra "aspidistra" o "drupa." Pero son palabras que empleo con tanta comodidad como la palabra "madera" o la palabra "cielo". En algún poema aparecen estos elementos recurrentes con un valor simbólico específico que el lector tal vez no llegue a vislumbrar. Puede ser un intento de apropiarme del mundo natural, pero de todos modos su presencia es inconsciente. Incluso dentro de la naturaleza, elegimos. Me atrae más el bosque que el mar. El mar me produce una sensación de infinito ligeramente angustiosa, un poco en el estilo de los espacios infinitos de Pascal. En cambio el bosque tiene un límite más humano. El árbol es más asible. Es difícil sentirlo como un enemigo, como un peligro. El mar te enfrenta a la soledad total. Las plantas y los árboles son individuos que incluso pueden establecer cierta dependencia respecto a nosotros.

MGP: ¿Cuál de tus libros consideras el más importante?

IV: El último.

MGP: ¿El último por último o porque lo sientes como el más logrado?

IV: No. Cuando los estoy escribiendo tengo muchas dudas y luego también. Y cuando pasa el tiempo me acostumbro más a ellos, me compadezco más de sus carencias. Debería decirte que el más importante es el primero porque fue el punto de partida. Obviamente, todavía estoy más cerca del último. Pero en todos hay poemas que me parecen estar más adheridos a su propio, presunto ideal, y otros que podría haber fraguado mejor.

MGP: ¿Los vuelves a leer con frecuencia?

IV: No, en general paso una época de rechazo. Y pienso en todo lo que tendría que cambiar. Y los dejo. Además, siempre hay tanto para leer y tan poco tiempo! A veces me preocupa volver con demasiada frecuencia sobre los elementos recurrentes. Salvo que uno acierte dos veces, una de las versiones será necesariamente menor, más débil, innecesaria, por lo tanto.

MGP: ¿No vuelves, como Juan Ramón, a los textos?

IV: El caso de Juan Ramón es explicable porque vivió un clima sin fisuras, sin interrupciones, con la poesía. Y una vida muy unitaria. Parecería que la experiencia de Juan Ramón es una experiencia única, de continuidad, sin cortes. Es un corte el salir de España. El alejarse algún tiempo de su lengua. Pero los cortes importantes son, quizás, otros, menos geográficos... En mi caso me resultará demasiado difícil reescribir; o se vuelve a ser quien se era en el momento del poema o se corrige como un texto ajeno. Para una edición nueva en que se incluyen los libros primeros he retocado algo los de *La luz de esta memoria,* por salvar algunas torpezas ya intolerables; pero eso no es reescribir. Lo que sí hago es dejar poemas en astillero. Pero se trata en cada caso de un poema en proceso y no cerrado todavía.

MGP: ¿En qué estás trabajando ahora?

IV: He estado escribiendo una serie de textos que se titulan *Léxico de afinidades.* Explico allí que es como una bolsa de retazos, es decir, juntar un material disímil, muy circunstancial. Se diferencia mucho de la poesía en que responde a una idea, a una lectura o a una ocurrencia. Mezclo tonos muy distintos y hay mucho humor.

DIAS — Los días blancos reciben la precaución, la arropan, echan sobre ella, como canela sobre un plato sin sabor, el polvo rezagado de los días negros.

Los días negros se levantan irisados de un reflejo de muerte planetaria.

Los días blancos son inmunes a las lúgubres clarinadas del hueso, pero pudren la esperanza a fuerza de hacerle practicar el lomo de gato y acariciarla.

Los días negros tienen cortesías siniestras de verdugo, felpas de academias.

Los días blancos se olvidan como el gesto de los anodinos.

HISTORIA — Viscosa sensación que oscila entre el vértigo y la excesiva quietud, con fuerza descendente de plomada que proviene de señalar a una homogénea masa de adolescentes completamente momentáneos, la situación de simetría especular entre los primeros helenos y nosotros, veinte siglos antes y después de Cristo, y entre medio, comprensión demencial, toda la historia, toda la cultura, todo el espanto, los torbellinos sin control, la relojería desatada, las máquinas locas que echan a andar en buen orden hacia adelante pero que de pronto entran en el delirio del retroceso y revisan y reiteran horrores superados y los vuelven simples borradores ineptos.

Y el hombre, afanado en dejar constancia de todo.

INTEMPERIE — No hay suspiro que valga; ha llegado el otoño. Caen las hojas secas con tanta intensidad que caminamos todo el tiempo entre su crujido y su polvo. A veces un verdadero vendaval amarillo nos envuelve equidistante entre la alegría y el frío. Palma a palma recorremos el espacio, que ha tomado un aire de vidriera con primicias, palmo a palmo descubrimos cómo va adquiriendo su modo intencional de estación compartida. Sacamos pañuelos de aceptación, libros de acompasarse, antologías de proyectos, comemos frutas, chocolates, bocas. Pero el espacio va siendo cada vez más acolchado y áspero, y entre una caricia y otra miramos el techo del cual siguen cayendo, siempre más numerosas, las hojas.

MGP: ¿Partes de una definición, por ejemplo?

IV: No. Generalmente parto de algo que se me ocurre. A veces corresponde a la necesidad de explicarme la palabra con la que comienzo. El título de "Léxico" es circunstancial pues importan más las afinidades. Unos textos son breves, otros son largos y también hay poesía.

MGP: Otra vez surgen los elementos vegetales en tu escritura.

IV: En parte se debe a la presencia de la tía mía que era botánica. Heredé el cuarto de ella cuando murió y allí había una biblioteca que incluía una colección de piedras, semillas y otras cosas curiosas. Había cajitas con semillas, microscopios, etc. Además, como he dicho, mi abuela acostumbraba a nombrar las plantas por sus nombres científicos. Es decir, es una forma de la belleza: lo verbal, lo sonoro es una forma de defenderse del mundo, del hombre, que la gente no utiliza a menudo. El diccionario es una idea de salvaguardar las cosas que se pierden. También la poesía hace eso puesto que para mí es una especie de ecuación entre pasado y futuro. Volviendo al diccionario, todavía faltan letras. Eso es lo que va quedando porque siempre me he resistido a hacer cosas deliberadas.

MGP: ¿Piensas recoger también el abundante material periodístico en un libro?

IV: Quizá tenga sentido incluirlo en este volumen.

MGP: ¿Escribes continuamente?

IV: No me cuesta mucho escribir pero me cuesta armar el libro por lo que implica la necesidad de separar, de hacer un paréntesis, de todo y estar solo metida en eso. Trato de olvidarme que escribí esos textos. Siempre tiene que haber una especie de desdoblamiento para que entre el crítico para verlo como si no fuera mío, o verlo como una montaña. Por eso me cuesta bastante cuando me pongo en la tarea de reunir un volumen. Otra cosa que sucede es que encuentro cosas de las que no tenía idea. A propósito, hay otro libro que está en el astillero, un libro de poemas, de ahí han salido ya algunos que se han publicado en *Vuelta,* en donde colaboro además con traducciones.

MGP: ¿Es importante publicar en ciertos tipos de publicaciones?

IV: Cuando publico un texto no tengo la preocupación de con quién sale, adónde sale. Pienso que se tiene que defender por sí mismo. En general, nunca he publicado los poemas de circunstancia. Creo que el único ha sido un poema sobre Darío.

DARÍO—El unicornio de oro
claros clarines
puñal al cinto
estirpe clavileño
espada esfinge
útero eterno
visionario pánico.

Pero también fracaso de cristales
espina infierno

errático cadáver
espanto
el cómo
el cuándo
melancolía.

Y aún límites de viento
mar popular
toldo de penas
padre ambiguo
amarga máscara amarilla
eternidad de lo probable.

Estoy estableciendo un escalafón. Hay ciertos poemas que van al libro de poesía, y otros que quedaron ahí. Me refiero a la enumeración esa del diccionario (poema hecho con las palabras que dan los tipos de semillas). No lo pondría en otro libro porque creo que es, en todo caso, más circunstancial.

MGP: ¿Cómo haces la selección? ¿Cuál es el criterio en que te basas? ¿Cuáles son los textos que denominas "circunstanciales"?

IV: Hay dos categorías, a mi parecer. La primera es el poema breve, lo cual no quiere decir que sea mejor o peor. En algún caso se trata de un texto que no sé si se puede llamar poema, y por lo general está marcado por el humor. Este tipo de escrito no aparece en *El Jardín de sílice,* por ejemplo. Lo veo como juegos verbales, con otro tono. También en este tipo de texto predomina la prosa y cuando aparece uno de estos poemas es para darle cierta continuidad. Se trata de recuerdos de infancia.

MUSICA DEL INVIERNO

Allí, en lo indeciso
que llevaba al cuarto póstumo de la difunta,
colocaron la nieve del muguet.
Esperé de rodillas
para ver si se daba a cantar significados,

un laúd que en lo desnudo de la infancia
iba a decir cuentos sin precauciones,
ofrecer la trepidación de un presagio.
Pero era gota del silencio,
para que nos calláramos,
simple,
suntuosamente.
Su música,
constelación del blanco,
diamante,
campana de plata plácida
aún toca a trasparencias,
arriba, contra el tiempo,
entre las luces.

MGP: ¿Por qué decidiste cambiar la manera de escribir?

IV: Me gusta escribir en prosa porque es otro ritmo, otro tiempo.

MGP: ¿Estos textos del *Léxico de afinidades* son los primeros textos en prosa que escribes?

IV: Sí, si dejamos de lado las notas críticas. En un momento inicial son notas críticas, por ejemplo las notas sobre Felisberto Hernández.

MGP: ¿Qué relación existe entre tu actividad crítica y tu obra poética?

IV: Tengo una enorme reticencia hacia la crítica. Trato de acercarme a un autor que me interesa o importa de una manera que pueda ayudar a contribuir a que se lo entienda mejor. No sé si eso es o no crítica.

MGP: Me parece que ése es un aspecto fundamental de la tarea crítica.

IV: Sí y no, porque hoy existen numerosas teorías críticas. Cuando estoy leyendo, que es a lo que dedico más tiempo, trato de incluir autores que se conocen poco aquí en México, por ejemplo José Santos Gónzalez Vera, un narrador chileno delicioso que pertenece a la generación de Alone y no se ha leído lo suficiente. Fue Premio Nacional de Literatura cuando había publicado solamente dos libros, lo cual provocó un escándalo mayúsculo en Chile. Yo lo conocí personalmente; murió a los 80 años antes del golpe de estado contra Salvador Allende. Nunca se preocupó por escribir demasiado, pero dejó textos con humor, entre los que se incluyen retratos de Gabriela Mistral y otra gente.

MGP: ¿Qué tipo de actividad periodística has desarrollado durante tu estadía en México?

IV: He escrito para varios diarios y revistas. En UNOMASUNO se publicaron notas que la gente recibía muy bien. Se titulaban "de la semilla". Son recopilaciones de textos para cumplir con los que pasaron. Uno nunca puede pagar la deuda y establecer claramente cuáles son los que dejaron una huella en uno. Otros muchos textos aparecieron en *El Sol.*

OBRAS PUBLICADAS

Allende, Isabel, *La casa de los espíritus,* Madrid: Plaza & Janés Editores, 1982.

______, *De amor y de sombra,* Buenos Aires: Editorial Sudamericana, 1985.

______, *Eva Luna,* Madrid: Plaza & Janés Editores, 1987.

Angel, Albalucía, *Los girasoles en invierno,* Bogotá: Editorial Linotipia Bolívar, 1970.

______, *Dos veces Alicia,* Barcelona: Barral Editores, 1972.

______, *Estaba la pájara pinta sentada en el verde limón,* Bogotá, Instituto Colombiano de Cultura, 1975.

______, *¡Oh Gloria inmarcesible!,* Bogotá: Instituto Colombiano de Cultura, 1979.

______, *Misiá señora,* Barcelona: Vergara, Bibliotheca del Fénix, 1982.

______, *Las andariegas,* Barcelona: Vergara, Bibliotheca del Fénix, 1984.

Ferré, Rosario, *Papeles de Pandora,* México: Editorial Joaquín Mortiz, 1976.

______, *El medio pollito: siete cuentos infantiles,* Río Piedras: Ediciones Huracán, 1976.

______, *Sitio a Eros,* México: Editorial Joaquín Mortiz, 1980.

______, *La mona que le pisaron la cola,* Río Piedras: Ediciones Huracán, 1981.

______, *Los cuentos de Juan Bobo,* Río Piedras: Ediciones Huracán, 1981.

______, *Fábulas de la garza desangrada,* México: Editorial Joaquín Mortiz, 1982.

______, *Maldito amor,* México: Ed. Joaquín Mortiz, 1986.

Glantz, Margo, *Las mil y una calorías, novela dietética,* México: Premiá Editores, 1978.

______, *No pronunciarás,* México: Premiá Editora, 1980.

______, *Doscientas ballenas azules y cuatro caballos,* México: U.N.A.M., 1981.

______, *Las genealogías,* México: Martín Casillas Editores, 1981.

______, *El día de tu boda,* México: Martín Casillas Editores, 1982.

______, *La lengua en la mano,* Puebla: Premia, 1983.

______, *Síndrome de naufragios,* México: Joaquín Mortiz Ed., 1984.

______, *De la erótica inclinación a enredarse en cabellos,* México: Ediciones Océano, 1984.

Molloy, Sylvia, *En breve cárcel,* Barcelona: Seix Barral, 1981.

Orphée, Elvira, *Dos veranos,* Buenos Aires: Editorial Sudamericana, 1956.

______, *Uno,* Buenos Aires: Compañía General Fabril Editora, 1961.

______, *Aire tan dulce,* Buenos Aires: Ed. Sudamericana, 1966.

______, *En el fondo,* Buenos Aires: Editorial Galerna, 1969.

______, *Su demonio preferido,* Buenos Aires: Emecé Editores, 1973.

______, *Las viejas fantasiosas,* Buenos Aires: Emecé Editores, 1981.

______, *La última conquista de El Angel,* Barcelona: Jorge Vergara, 1984.

Poniatowska, Elena, *Palabras cruzadas,* México: Ediciones Era, 1961.

______, *Todo empezó el domingo,* México: Fondo de Cultura Económica, 1963.

______, *Hasta no verte, Jesús mío,* México: Ediciones Era, 1969.

______, *La noche de Tlatelolco: testimonios de historia oral,* México: Ediciones Era, 1971.

______, *Querido Diego, te abraza Quiela,* México: Ediciones Era, 1978.

______, *De noche bienes,* México: Editorial Grijalbo, 1979.

______, *Gaby Bruner,* México: Editorial Grijalbo, 1979.

______, *La casa en la tierra,* México: INI-Fonapas, 1980.

______, *Fuerte es el silencio,* México: Ediciones Era, 1981.

______, *Lilus Kikus,* México: Ediciones Grijalbo, 1982.

______, *El último guajolote,* México: INBA, 1982.

______, *El domingo siete,* México: Ediciones Océano, 1983.

Traba, Marta, *Historia natural de la alegría,* (poemas), Buenos Aires: Ed. Losada, 1952.

______, *Las ceremonias del verano,* La Habana: Casa de las Américas, 1966.

______, *Los laberintos insolados,* Barcelona: Ed. Seix Barral, 1967.

______, *Pasó así,* Montevideo: Arca, 1968.

______, *La jugada del sexto día,* Santiago de Chile: Editorial Universitaria, 1970.

______, *Homérica latina,* Bogotá: C. Valencia Editores, 1979.

______, *Conversación al sur,* México: Siglo Veintiuno Eds., 1981.

______, *En cualquier lugar,* Bogotá: Siglo Veintiuno Eds., 1984.

______, *De la mañana a la noche,* Montevideo: Monte Sexto, 1986.

Valenzuela, Luisa, *Hay que sonreír,* Buenos Aires: Editorial Américalee, 1966.

______, *Los heréticos,* Buenos Aires: Paidós, 1967.

______, *El gato eficaz,* México: Joaquín Mortiz, 1972.

______, *Aquí pasan cosas raras,* Buenos Aires: Ediciones de la Flor, 1975.

______, *Como en la guerra,* Buenos Aires: Editorial Sudamericana, 1977.

______, *Libro que no muerde,* México: U.N.A.M., 1980.

______, *Cambio de armas,* Hanover: Ediciones del Norte, 1982.
______, *Donde viven las águilas,* Buenos Aires: Editorial Celtia, 1983.
______, *Cola de lagartija,* Buenos Aires: Ed. Bruguera, 1983.
Ida Vitale, La luz de esta memoria, Montevideo: La Galatea, 1949.
______, *Cada uno en su noche,* Montevideo: Ed. Alfa, 1960.
______, *Oidor andante,* Montevideo: Ed. Arca, 1972.
______, *Jardín de sílice,* Caracas: Monte Avila Editores, 1980.
______, *Fieles,* México: U.N.A.M., 1982.
______, *Entresaca,* México: Edición del Faquir, Editorial Oasis, 1984.
______, *Sueños de la constancia,* 1988.
______, Obras completas, México: F.C.E., 1988.